JULIETTE BENZONI

Juliette Benzoni est née à Paris. Fervente lectrice
d'Alexandre Dumas, elle nourrit dès l'enfance une
passion pour l'Histoire. Elle commence en 1964 une
carrière de romancière avec la série des *Catherine*,
traduite en 22 langues, qui la lance sur la voie d'un
succès jamais démenti à ce jour. Depuis, elle a écrit
une soixantaine de romans, recueillis notamment
dans les séries *La Florentine* (1988-1989), *Les
Treize Vents* (1992), *Le boiteux de Varsovie* (1994-
1996) et *Secret d'État* (1997-1998). Outre la série
des *Catherine* et *La Florentine*, *Le Gerfaut* et
Marianne ont fait l'objet d'une adaptation télévi-
suelle.

Du Moyen Âge aux années trente, les reconstitu-
tions historiques de Juliette Benzoni s'appuient sur
une ample documentation. Vue à travers les yeux de
ses héroïnes, l'Histoire, ressuscitée par leurs palpitantes aventures, bat au rythme de la passion.
Figurant au palmarès des écrivains les plus lus des
Français, Juliette Benzoni a su conquérir 50 millions
de lecteurs dans 22 pays du monde.

D0892913

MARIANNE

*****

LES LAURIERS DE FLAMMES

DU MÊME AUTEUR
CHEZ POCKET

(suite en fin de volume)

JULIETTE BENZONI

MARIANNE

*****

LES LAURIERS
DE FLAMMES

PREMIÈRE PARTIE

JEAN-CLAUDE LATTÈS

© 1974, Opera Mundi, Jean-Claude Lattès.
ISBN : 2-266-10846-8

PREMIÈRE PARTIE

LA SULTANE CRÉOLE

CHAPITRE PREMIER

UNE AUDIENCE NOCTURNE

Le caïque doré, emporté par la fougue de ses vingt-quatre rameurs, volait littéralement sur les eaux calmes de la Corne d'Or. Devant son étrave, les autres embarcations se dispersaient comme des poules affolées, dans la crainte de gêner le canot impérial.

Assise à l'arrière, sous un tendelet de soie rouge, la princesse Sant'Anna regardait se rapprocher les sombres murs du Sérail, cependant que la nuit, lentement, commençait à prendre possession de Constantinople. Dans un moment, elle l'envelopperait de cette ombre où se perdaient déjà les rues étroites encaissées entre les maisons de Stamboul.

A mesure que l'on avançait, d'ailleurs, les barques se faisaient rares car, après le coup de canon qui marquait le coucher du soleil, il était interdit de traverser la Corne d'Or. Mais, naturellement, cette interdiction n'était pas valable pour les bateaux du palais.

Dans la robe de cour, en satin vert-feuille, qu'elle avait revêtue, un peu au hasard, en vue de la circonstance qui l'attendait, Marianne transpirait. Ces premiers jours de septembre gardaient toute la chaleur humide de l'été. Depuis une semaine, la ville trempait dans une sorte de bain de vapeur dont les brumes jaunâtres estompaient les contours des monuments et rendaient pénible le port de tout vêtement un peu lourd. A plus forte raison, celui d'un fabuleux métrage d'épaisse soierie lyonnaise renforcé par de longs gants de peau montant jusqu'au ras des courtes manches ballon.

Mais, dans un laps de temps indéterminé, quelques instants peut-être, la jeune femme se trouverait enfin en présence de la souveraine qu'elle était venue, sur l'ordre secret de Napoléon et au prix de tant de peines, chercher ainsi aux confins de l'Europe. Qu'allait-il advenir de la mission dont elle était chargée et dont l'importance semblait peser un peu plus lourdement sur ses épaules à chacun des coups de rames de l'équipage ? Obtenir que la guerre, engagée entre la Sublime Porte et la Russie depuis des années pour la possession des principautés danubiennes[1] se poursuivît assez longtemps pour retenir au nord des Balkans une grande partie de l'armée russe, tandis que l'empereur des Français franchirait la frontière de l'empire tsariste et marcherait sur Moscou... Cela lui paraissait maintenant terrifiant, impossible ! D'autant plus que, depuis son arrivée à Constantinople, elle n'avait pas été sans apprendre que, sur le Danube, les choses allaient très mal pour l'armée turque. Et l'entrevue qui se préparait, même voilée sous l'aspect rassurant d'une visite familiale, lui semblait singulièrement épineuse...

Comment la Sultane réagirait-elle quand elle s'apercevrait que cette lointaine cousine voyageant sur ses terres « pour son plaisir », et si désireuse de la rencontrer, portait en fait des lettres de créance et venait lui parler politique ? Mais, au fond, était-elle dupe ? Trop de gens étaient au courant de ce voyage qui aurait dû être gardé secret : les Anglais d'abord, qui avaient su, le Diable seul savait comment, que Napoléon avait envoyé une « ambassadrice occulte ». Mais grâce à Dieu, tout le monde ignorait quelle pouvait être la nature exacte de sa mission.

Il y avait maintenant quinze jours que Marianne

1. Elles correspondaient à l'actuelle Roumanie.

attendait une audience que l'on ne semblait guère pressé de lui accorder. Quinze jours que, fuyant la frégate anglaise où l'on prétendait la retenir prisonnière pour la ramener au pays de son enfance comme otage de guerre, elle était arrivée à l'ambassade de France, évanouie et véhiculée sur l'épaule d'un rebelle grec notoire, comme un vulgaire sac de farine. Un rebelle qui, après l'avoir tirée des griffes anglaises, l'avait tout bonnement sauvée du désespoir et qui maintenant était son ami.

Elle avait vécu ces deux semaines enfermée dans le « palais » de France, tournant en rond comme une bête en cage, malgré les exhortations à la patience que lui prodiguait son ami Jolival. L'ambassadeur, comte de Latour-Maubourg, préférait, en effet, qu'elle ne quittât pas l'enceinte protectrice de ce minuscule territoire français, parce que, depuis le malheureux divorce de l'empereur Napoléon, ses compatriotes n'étaient plus aussi bien vus des Ottomans que dans un passé encore récent.

Les sympathies du Sultan Mahmoud II et de sa mère, une créole, cousine de l'impératrice Joséphine, jadis enlevée par les pirates barbaresques et portée par sa beauté au rang suprême de Sultane Haseki, se tournaient maintenant vers l'Angleterre dont le séduisant représentant, Stratford Canning, ne reculait devant rien quand il s'agissait des intérêts de son pays.

— Tant que la Sultane Mère ne vous aura pas reçue, insistait Latour-Maubourg, il vaut mieux éviter tout risque inutile. Canning fera n'importe quoi pour empêcher cette entrevue qui l'inquiète. Les moyens qu'il a employés contre vous démontrent clairement combien il vous craint. N'êtes-vous pas cousine de Sa Hautesse ?

— Cousine à un degré fort mince !

— Cousine tout de même, puisque c'est à ce titre que nous espérons vous voir reçue. Croyez-moi, Madame, restez ici jusqu'à ce que l'audience vous soit accordée. Cette maison, je le sais, est surveillée, mais Canning n'osera rien tenter tant que vous demeurerez à l'intérieur. Alors que, si vous sortiez, il est tout à fait capable de vous faire enlever.

Ces conseils, vigoureusement appuyés par un Jolival trop content d'avoir récupéré sa « fille adoptive » pour risquer de la reperdre aussitôt, ces conseils, donc, étant ceux-là mêmes de la sagesse, Marianne s'y était pliée. Pendant des heures, rongeant son frein et espérant la bienheureuse convocation, elle avait arpenté tantôt sa chambre, tantôt le jardin de l'ambassade. Celle-ci, un ancien couvent franciscain du XVIe siècle et l'une des plus vieilles demeures de Péra, possédait un charmant cloître que l'on avait converti en jardin. Malgré l'absence de femme — diplomate à l'ancienne mode et fils de la sévère Bretagne, Latour-Maubourg n'avait pas jugé convenable de faire venir femme et enfants en terre infidèle — l'ambassadeur avait donné à ce jardin, comme à ses vieux bâtiments, une élégance toute française, à laquelle Marianne était sensible et qui lui adoucissait les rigueurs de la captivité.

Outre Arcadius de Jolival, Marianne y avait également retrouvé son cocher, Gracchus-Hannibal Pioche, l'ex-commissionnaire de la rue Montorgueil. En revoyant saine et sauve une patronne qu'il croyait bien au fond de la Méditerranée, le brave garçon, fondant en larmes, était tombé à genoux, puis ce fils de la Révolution athéiste avait remercié le Ciel à mains jointes avec une ferveur que lui eût enviée un chouan. Après quoi il avait fêté l'événement en compagnie du cuisinier de l'ambassadeur et de quelques bouteilles de raki, bombance dont il avait pensé mourir.

En revanche, Marianne n'avait pas retrouvé sa femme de chambre. Agathe Pinsart avait disparu. Pas très loin, d'ailleurs, et sans qu'il y eût pour cela la moindre tragédie. Contrairement à ce que l'on pouvait craindre, la pauvre fille avait parfaitement résisté au traitement, aussi barbare que répugnant, auquel Leighton et ses mutins l'avaient soumise à bord de la *Sorcière*. En revanche, son charme acidulé avait subjugué le reis qui, en s'emparant du brick, avait libéré les prisonniers. Et comme, pour sa part, Agathe avait été profondément impressionnée par la prestance, les vêtements de soie et les superbes moustaches du jeune capitaine turc, le voyage vers Constantinople avait revêtu, pour ces deux-là, l'aspect réconfortant d'un long duo d'amour au terme duquel Achmet avait offert à sa douce amie de l'épouser. Persuadée de ne jamais revoir Marianne en ce bas monde et, d'ailleurs, fort tentée par la vie douillette des dames turques, Agathe n'avait résisté que pour la forme et pour donner plus de prix à son accord. Et, quelques jours avant l'arrivée de sa maîtresse, elle avait, avec enthousiasme, embrassé l'Islam, embrassé aussi Achmet et, avec tout le cérémonial requis, fait son entrée dans la belle maison que son époux possédait à Eyoub, auprès de la grande mosquée fraîchement reconstruite par Mahmoud II, pour abriter l'empreinte du pied du Prophète.

Marianne aurait aimé rendre visite à son ancienne soubrette pour la voir dans son nouveau rôle et pour la rassurer sur son propre sort, mais cela aussi appartenait au domaine des imprudences. Il fallait attendre, interminablement, attendre encore et encore, même si, à mesure que passait le temps, cette attente se faisait supplice. Mais, tout de même, l'épreuve avait pris fin.

L'ordre impérial était arrivé à l'ambassade comme le souper s'achevait. L'ambassadeur et ses hôtes passaient au salon quand on avait introduit les deux envoyés du palais : l'agha des janissaires et l'un des eunuques noirs chargés de la garde du harem. Tous deux étaient superbement vêtus. L'officier supérieur, malgré la chaleur, portait un dolman ourlé de zibeline noire, des bottes à crochets, une large ceinture en plaques d'argent dans laquelle était passé un fouet et un haut bonnet de feutre enveloppé d'une sorte de bulle de gaze argentée qui formaient un turban très particulier.

L'eunuque était habillé d'un long manteau blanc ourlé de renard et coiffé d'un turban neigeux orné d'un joyau d'or.

Tous deux, en s'inclinant cérémonieusement, présentèrent une lettre où s'étalait le toughra [1]. L'audience demandée pour la princesse franque était accordée et aurait lieu dans l'heure suivante. L'invitée disposait de quelques instants pour se préparer à suivre les envoyés de la Sultane.

A vrai dire, tandis que Marianne se précipitait vers sa chambre pour se changer, Latour-Maubourg avait hésité un instant : envoyer au Sérail, seule et à la nuit, l'amie personnelle de l'Empereur pouvait être gros de conséquences. Il craignait qu'un piège ne se dissimulât sous les paroles fleuries de l'invitation. Mais, d'autre part, comme il s'agissait pour Marianne de pénétrer dans le harem, il ne pouvait être question que l'ambassadeur français sollicitât la faveur de l'accompagner et, de plus, la présence de l'agha des janissaires ne laissait guère de place à la discussion. Enfin, l'ordre à seconde lecture s'avérait formel : « La princesse Sant'Anna devait se rendre seule au Sérail. » Une chaise à porteurs fermée attendait déjà devant le portail. Relayée par un caïque et par une autre chaise, elle conduirait la princesse jusqu'au lieu choisi par la Sultane Validé puis, l'audience achevée, la ramènerait par le même moyen.

— J'espère que l'on ne vous retiendra pas toute la nuit, se borna-t-il donc à lui dire quand elle redescendit quelques minutes plus tard, habillée pour la cérémonie. Monsieur de Jolival et moi-même vous attendrons en jouant aux échecs

Puis, plus bas, il avait ajouté en bon Breton :

— Que Dieu vous garde et vous inspire !

Tandis que le caïque doublait la pointe du Sérail, Marianne se disait que, justement, c'était d'inspiration

1. A la fois sceau et signature impérials.

qu'elle avait le plus grand besoin. Durant tous ces jours passés à attendre, elle avait cent fois composé dans sa tête les phrases qu'elle dirait, cherché à imaginer les questions qu'on lui poserait et les réponses qu'elle ferait. Mais maintenant que l'heure approchait, son esprit lui paraissait curieusement vide et elle ne retrouvait plus aucun des discours si soigneusement préparés.

Elle finit par y renoncer, choisissant, pour tenter d'apaiser son émotion, d'emplir ses poumons de l'air marin que la nuit faisait plus frais et ses yeux du spectacle magique de cette ville quasi fabuleuse. Avec la tombée du jour, la voix des muezzins s'était éteinte sur les minarets des grandes mosquées, mais les ombres vespérales où luisaient encore, ici et là, l'or d'une coupole ou les chamarrures d'un palais, se piquaient peu à peu d'une multitude de petites lumières, celles des lanternes en papier huilé que chaque habitant était tenu d'allumer et de porter à la main pour sortir. L'effet de ces petites flammes dorées était ravissant et donnait à la capitale ottomane l'aspect féerique d'une gigantesque colonie de lucioles.

On voguait maintenant sur le Bosphore et la masse énorme du Sérail dominait l'eau brillante de ses murs formidables. Hérissés de noirs cyprès, ceux-ci retenaient un monde de jardins, de kiosques, de palais, d'étables, de prisons, de casernes, d'ateliers et de cuisines où s'agitaient environ vingt mille personnes. Dans un instant, on toucherait terre à l'ancien quai byzantin de marbre usé qui, par une volée de marches douces, rejoignait les deux portes médiévales ouvertes au plein du rempart, entre les jardins du palais et le rivage. Ce n'était pas l'entrée principale. En effet, la princesse Sant'Anna n'étant pas reçue officiellement malgré les liens de sang qui l'unissaient à la souveraine, elle ne franchirait pas la Sublime Porte, chemin habituel des ambassadeurs et des hauts personnages. Il s'agissait d'une visite privée et l'heure tardive, comme le chemin indiqué, insistaient sur ce caractère intime.

Mais, tandis que l'eunuque noir se perdait dans une foule de considérations destinées à lui expliquer cet état de fait sans trop froisser son orgueil de « princesse franque », Marianne songeait qu'au fond cela lui était parfaitement égal et que, même, elle préférait infiniment qu'il en fût ainsi. Elle n'avait jamais souhaité les charges d'une mission diplomatique officielle, l'Empereur ayant insisté lui-même sur le côté discret de son intervention et elle souhaitait encore moins piétiner les plates-bandes du malheureux Latour-Maubourg dont elle avait déjà eu tout le temps de mesurer les difficultés.

Le caïque toucha le quai ; les rames se relevèrent. Marianne fut invitée à quitter son tendelet et à prendre place dans une sorte de boîte en forme d'œuf aplati sur le dessus, garnie de rideaux de brocart et sentant fortement le bois de santal.

Enlevée sur les épaules de six esclaves noirs, la chaise franchit les portes sévèrement gardées par des janissaires armés jusqu'aux dents et plongea dans l'épaisseur humide et parfumée des jardins. Les roses y foisonnaient et aussi les jasmins. L'odeur âpre de la mer disparut, chassée par celle de milliers de fleurs, tandis que le bruit du ressac s'éteignait sous la chanson des fontaines et des chemins d'eau qui cascadaient sur des degrés de porphyre ou de marbre rose.

Marianne se laissait bercer au pas rythmé de ses porteurs et agrandissait ses yeux pour mieux voir. Bientôt, au bout d'une allée, apparut une construction légère, sommée d'une coupole translucide qui brillait dans la nuit comme une énorme lanterne multicolore. C'était un kiosque, l'un de ces petits palais fragiles et précieux comme les sultans aimaient à en émailler leurs jardins. Chacun y apportait la marque de son goût ou de ses souvenirs. Celui-là, élevé au plus haut des jardins, se détachait sur l'horizon sombre de la rive d'Asie et semblait hésiter au bord du Bosphore, comme s'il craignait, en se penchant ainsi, de se laisser attirer par son mirage. Un petit jardin secret l'entourait, planté de hauts cyprès et de tapis de jacinthes bleu tendre que l'art du Bostandji Bachi, le jardinier en chef, puissant seigneur dont la dictature s'étendait sur tous les jardins de l'empire, entretenait en toutes saisons parce qu'elles étaient les fleurs préférées de la Sultane Mère.

Cette retraite charmante, détachée de la masse un peu rébarbative du Sérail, avait un air de fête intime, avec les lanternes roses qui l'éclairaient. Des buissons embaumés, qui avaient l'air couverts de neige, se pressaient contre ses minces colonnes, tandis que, découpées en ombres chinoises sur les verres bleus, verts et mauves de ses fenêtres, passaient et repassaient les silhouettes enturbannées des eunuques de garde.

Quand les esclaves posèrent la litière, un gigantesque personnage surgit de la colonnade et s'inclina devant la nouvelle venue. Celle-ci vit sourire, sous une haute coiffure neigeuse où scintillait un bouquet de rubis sanglants, une ronde figure, si noire et si brillante qu'elle paraissait cirée. Un superbe caftan brodé d'argent et ourlé de zibeline noire enveloppait jusqu'aux pieds une silhouette replète, drapant avec majesté un ventre qui faisait honneur aux cuisines du palais.

D'une voix douce, et dans un français irréprochable, l'imposant personnage s'annonça comme étant le Kizlar Agha, chef des eunuques noirs, et se mit au service de la visiteuse. Puis, s'inclinant de nouveau, il l'informa qu'il allait avoir le grand honneur d'introduire « la noble dame venue de la terre franque auprès de Sa Hautesse la Sultane Validé, Mère très vénérée du Tout-Puissant Padischah »...

— Je vous suis, se contenta de répondre Marianne.

D'un léger coup de pied, elle rejeta en arrière la longue traîne de sa robe de satin vert qui, toute scintillante de perles de cristal, s'étala derrière elle comme un ruisseau changeant. Instinctivement, elle releva la tête, soudain consciente de représenter à cette minute le plus grand empire du monde, puis, serrant avec un peu de nervosité entre ses doigts gantés les minces branches d'un éventail assorti à sa robe qui lui servait surtout à se donner une contenance, elle posa le pied sur les grands tapis de soie bleue qui coulaient jusqu'à la terre des jardins.

Mais, soudain, elle s'arrêta, retenant son souffle pour mieux écouter. Le son d'une guitare venait jusqu'à elle, léger et mélancolique, le son d'une guitare qui jouait :

> *Nous n'irons plus aux bois,*
> *Les lauriers sont coupés*
> *La belle que voilà*
> *Ira les ramasser...*

Elle sentit des larmes lui monter aux yeux, tandis que, dans sa gorge, quelque chose se serrait, quelque chose qui était peut-être de la pitié. Dans ce palais d'Orient, la chanson naïve qu'au pays de France les enfants chantaient en dansant une ronde avait l'accent douloureux d'une plainte ou d'un regret. Et, brusquement, elle se demanda ce qu'était au juste la femme qui vivait là, gardée par un apparat millénaire. Qu'allait-elle trouver derrière ces murs transparents ? Une grosse femme gavée de sucreries, gémissante et geignarde ? Une petite vieille desséchée par la claustration (étant à peu près du même âge que sa cousine Joséphine, la Sultane devait approcher la cinquantaine : un âge canonique pour une Marianne de dix-neuf ans) ou une vieille petite fille attardée, capricieuse et superficielle ? Personne n'avait pu lui faire un portrait, même approximatif, de la créole au fabuleux destin, car aucun de ceux qui lui en avaient parlé ne l'avait approchée. Une femme aurait pu en dire davantage, mais aucune Européenne, à sa connaissance, n'avait franchi le seuil du Sérail depuis la mort de Fanny Sébastiani. Et, tout à coup, Marianne eut peur de ce qu'elle allait rencontrer et dont cependant elle attendait tellement.

La chanson déroulait toujours ses notes fragiles. Le Kizlar Agha, conscient de n'être plus suivi, s'était arrêté lui aussi et se retournait :

— Notre maîtresse, dit-il aimablement, aime à écouter les chansons de son pays... mais elle n'aime pas attendre !

Le charme s'évanouit. Ainsi rappelée à l'ordre, Marianne eut un sourire contrit.

— Excusez-moi ! C'était tellement inattendu... et si joli !

— Le chant de la terre natale est toujours joli aux oreilles de celui qui s'en est éloigné. Ne vous excusez pas.

On se remit en marche. Le son de la guitare se fit plus fort et aussi le parfum des fleurs qui enveloppa Marianne dès qu'elle eut franchi la porte de cèdre ciselé où s'enchâssaient une multitude de minuscules miroirs. Puis, tout à coup, l'énorme silhouette du Kizlar Agha qui bouchait son horizon s'effaça et elle se trouva au seuil d'un univers bleu...

Elle eut l'impression de pénétrer au cœur d'une énorme turquoise. Tout était bleu autour d'elle, depuis les immenses tapis qui recouvraient le sol, jusqu'aux faïences fleuries qui habillaient les murs, en passant par la fontaine qui chantait au milieu de la pièce, les innombrables coussins brodés d'or ou d'argent qui la jonchaient et par les vêtements des femmes qui y étaient accroupies et qui la regardaient.

Bleus aussi, d'un bleu intense et lumineux, les yeux de la femme, assise à la mode orientale, une guitare aux genoux, parmi les coussins d'un large siège d'or surélevé de deux marches, qui tenait à la fois du divan, du trône et du balcon, grâce à une balustrade orfévrée élevée autour. Et Marianne se dit qu'elle n'avait jamais vu de femme aussi belle.

Les années semblaient n'avoir fait qu'effleurer celle qui avait été Aimée Dubucq de Rivery, petite créole de la Martinique, élevée au couvent des Dames de la

Visitation de Nantes et qui, alors qu'elle revenait vers son île natale, avait été enlevée en plein golfe de Gascogne par les pirates de Baba Mohammed ben Osman, le vieux maître d'Alger. Sa grâce et son charme étaient intacts.

Vêtue d'une longue robe azurée ouverte sur la poitrine, elle était tellement couverte de perles qu'elle avait l'air d'un coquillage. La vie cloîtrée du harem avait préservé la transparence nacrée de son teint et ses longs cheveux de soie argentée, tressés de perles, encadraient un visage juvénile où le sourire creusait encore des fossettes. Une petite calotte ronde la coiffait. Serti sur cette minuscule coiffure, qu'elle portait avec désinvolture, légèrement de côté, un diamant rose, énorme, taillé en cœur, ruisselait de tous les feux de l'aurore.

L'entrée de Marianne fit naître le silence. Le babil d'oiseau des femmes s'éteignit tandis que, sous la main de leur maîtresse, vivement posée sur les cordes, mouraient les vibrations de la guitare. Plus impressionnée qu'elle ne voulait l'admettre et consciente d'être le point de mire d'une bonne douzaine de paires d'yeux, Marianne, dès le seuil franchi, plongea dans une profonde révérence, se releva, avança protocolairement de trois pas pour exécuter la seconde, fit encore trois pas et s'abîma dans la troisième qui l'amena juste devant les marches du trône, tandis que la voix mesurée du Kizlar Agha déclinait, en turc, ses noms et titres divers. Il y en avait assez long, mais il n'eut pas le temps d'aller jusqu'au bout : Nakhshidil s'était mise à rire.

— C'est très impressionnant, dit-elle, et je savais déjà que vous êtes une très grande dame, ma chère. Mais, si vous le permettez, pour moi, vous êtes ma cousine et c'est à ce titre que j'ai plaisir à vous voir. Venez donc vous asseoir près de moi.

Reposant la guitare, elle se déplaçait au milieu des coussins et tendait à sa visiteuse une petite main étincelante de diamants pour l'attirer auprès d'elle.

— Madame, commença Marianne surprise de cet accueil si simple et si spontané, Votre Majesté est trop bonne et je n'ose...

Le rire léger reprit de plus belle.

— Vous n'osez pas m'obéir ? Venez là, vous dis-je, afin que je vous voie mieux. Mes yeux ne sont plus ce qu'ils étaient, hélas, et comme je ne veux pas porter ces horreurs que l'on nomme des lunettes, il faut que vous approchiez tout près si je veux distinguer chaque trait de votre visage. Là !... voilà qui est mieux, ajouta-t-elle, comme Marianne se décidait à s'asseoir timidement contre la balustrade d'or. Je vois votre figure clairement. Quand vous êtes apparue, tout à l'heure, dans cette robe, j'ai cru qu'une vague de mon cher océan s'était souvenue de moi et venait me rendre visite. Maintenant, je le retrouve dans vos yeux. On m'avait dit que vous étiez très belle, ma chère, mais, en vérité, pour vous, il faudrait trouver un autre mot !

Son sourire, plein de gaieté et de chaleur, rendait peu à peu à Marianne son aisance. A son tour, elle sourit, gardant cependant encore un reste de timidité.

— C'est Votre Majesté qui l'est... infiniment ! Et je la supplie de me pardonner l'émotion où elle me voit : il est si rare de rencontrer une souveraine de légende ! Et plus encore de constater combien la réalité peut dépasser l'imagination.

— Eh bien ! La politesse orientale n'a vraiment pas de secrets pour vous, princesse. Mais nous avons à parler. Commençons par nous assurer la solitude.

Quelques paroles brèves firent lever les femmes qui, massées au pied du trône, dévoraient des yeux la visiteuse. Aucune ne dit un mot. Elles saluèrent en silence et se hâtèrent de sortir dans l'envol de leurs voiles bleus, mais leurs mines traduisaient clairement une vive déception.

Le Kizlar Agah, solennel à son habitude, ferma la marche, appuyé à son bâton d'argent, semblable au berger de quelque nuageux troupeau. En même temps, par une autre porte, entraient des esclaves noires, vêtues de robes argentées, portant sur des plateaux d'or incrustés de diamants le traditionnel café et la non moins traditionnelle confiture de roses qu'elles offrirent aux deux femmes.

Malgré elle, Marianne ne put s'empêcher d'ouvrir de grands yeux en recevant une tasse des mains d'une femme presque prosternée. Habituée au luxe des châteaux anglais, au faste de la cour impériale française et aux raffinements d'un Talleyrand, elle n'avait jamais rien imaginé de comparable à ce qu'on lui offrait : non seulement les plateaux, mais toutes les pièces de ce fabuleux service étaient d'or massif et incrustées d'une telle multitude de brillants que le métal disparaissait presque : la seule petite cuiller qu'elle tournait dans sa tasse représentait une fortune.

En silence, les deux femmes portèrent leurs tasses à leurs lèvres mais, par-dessus les bords scintillants, les yeux verts et les yeux bleus se rejoignaient, observateurs, cherchant discrètement à jauger l'adversaire. Car, sous le charme spontané de l'accueil, Marianne sentait, chez son hôtesse, une expectative. Le rite du café leur donnait, à l'une comme à l'autre, un précieux instant de répit avant l'engagement dont nul ne pouvait prévoir ce qu'il allait être...

Marianne suça poliment une cuillerée de confiture de roses. Elle n'aimait pas beaucoup cette friandise nationale turque à laquelle, en effet, elle reprochait un léger côté parfumerie. Cela lui donnait un peu mal au cœur et aussi l'impression de déguster les produits de beauté de son amie Fortunée Hamelin, qui introduisait de l'essence de roses dans tout ce qui touchait sa peau de créole. Mais elle dégusta le café avec délices. Il était bouillant et très parfumé, pas trop sucré : sans doute le meilleur que Marianne eût jamais bu.

Naklishidil la regardait avec une curiosité amusée.

— Vous semblez aimer le « khavé » ? dit-elle.

— Il n'est rien que j'aime davantage... surtout

quand il est aussi bon que celui-ci. C'est à la fois une gourmandise et le plus réconfortant des amis.

— En direz-vous autant de la confiture de roses ? dit malicieusement la Sultane, j'ai l'impression que vous ne l'appréciez guère...

Marianne rougit, comme une enfant prise en faute.

— Pardonnez-moi, Votre Majesté... mais c'est vrai : je ne l'aime pas beaucoup.

— Et moi, je la déteste ! s'écria Nakhshidil en riant. Je n'ai jamais pu m'y habituer. Parlez-moi d'une bonne confiture de fraises ou de rhubarbe comme on en faisait dans mon couvent de Nantes. Mais essayez de cette helva aux amandes et aux graines de sésame... ou encore de ce baklava aux noix. C'est en quelque sorte notre gâteau national... ajouta-t-elle en désignant tour à tour, sur un plateau chargé de pâtisseries, une sorte de gelée très ferme, d'un beau rouge cerise et un gâteau aux noix...

Bien qu'elle n'eût absolument pas faim, Marianne s'obligea à goûter ce que lui offrait sa royale hôtesse, tandis que l'on apportait de nouvelles tasses de café.

Comme elle reposait la tasse précieuse, elle s'aperçut que sa voisine la regardait avec attention et comprit que le moment difficile était arrivé. Il allait falloir se montrer à la hauteur de la confiance dont on l'avait investie et elle avait envie, maintenant, de se lancer dans la bataille. Mais le protocole exigeait qu'elle attendît d'être interrogée. Cela ne tarda guère...

Prenant entre ses doigts fins le bout d'ambre d'un narghilé couvert d'émaux bleus, la sultane en tira quelques bouffées songeuses puis, sur le ton léger de la conversation mondaine, elle remarqua :

— Il semblerait que votre voyage jusqu'ici ait été beaucoup plus mouvementé et beaucoup moins agréable que vous ne l'espériez... On a beaucoup parlé de cette grande dame française pour laquelle les Anglais avaient dérangé une escadre sous Corfou et qui s'est perdue dans les îles grecques...

Le ton était amusé, mais l'esprit agile de Marianne y démêla tout de même une inquiétante nuance de dédain. Dieu seul savait quelle réputation les ragots anglais avaient bien pu lui faire ! Néanmoins, elle décida de n'avancer que prudemment.

— Votre Majesté me paraît remarquablement informée d'événements somme toute fort minces...

— Les nouvelles vont vite en Méditerranée. Et ces événements ne me paraissaient pas si minces. L'Angleterre n'a pas coutume de déplacer ses vaisseaux pour un personnage sans importance... tel qu'une simple voyageuse. Mais la chose serait moins étonnante si la voyageuse en question se doublait d'un... émissaire de l'empereur Napoléon ?

Brusquement, l'intimité douillette de ce salon bleu disparut au seul prononcé du nom redoutable, à la manière d'un parfum chassé par un courant d'air. C'était comme si le César corse était entré brusquement, à sa manière éruptive habituelle, tout botté et l'œil chargé d'éclairs, exerçant impérieusement la puissance de sa personnalité exceptionnelle. Marianne eut l'impression qu'il était là, qu'il la regardait, qu'il attendait...

Lentement, elle tira d'une poche intérieure ménagée dans le tissu de sa longue jupe, la lettre de Sébastiani et l'offrit en inclinant son buste élégant. Nakhshidil l'enveloppa d'un regard interrogateur.

— Cette lettre est-elle de l'Empereur ?

— Non, Madame. Elle est d'un ancien ami de Votre Majesté, le général Horace Sébastiani qui se rappelle à son souvenir. L'Angleterre a eu grand tort de s'émouvoir de mon voyage, car je ne suis chargée d'aucune mission officielle.

— Mais, à défaut de la parole, vous n'en portez pas moins la pensée de Napoléon, n'est-ce pas ?

Marianne se contenta de s'incliner sans répondre puis, tandis que la sultane prenait rapidement connaissance de la lettre, elle acheva posément sa tasse de café qui refroidissait, se forçant, du même coup, à absorber le dernier morceau de baklava pour ne pas offenser son hôtesse qui lui avait recommandé cette pâtisserie. Ce qui n'alla pas sans quelque peine.

— Je vois que l'on vous apprécie fort, en haut lieu, ma chère. Sébastiani me dit que vous êtes une amie particulière de l'Empereur et qu'en même temps vous jouissez de l'affection réelle de l'Impératrice répudiée, cette malheureuse Joséphine qui, pour moi, s'appellera toujours Rose ! Eh bien, dites-moi donc ce que veut de nous l'empereur des Français.

Il y eut un bref silence que Marianne employa à choisir les mots qu'elle allait prononcer. Elle ne se sentait pas très bien et ne s'en appliqua que plus soigneusement.

— Madame, commença-t-elle, je supplie Votre Majesté d'écouter avec attention les paroles que je vais avoir l'honneur de prononcer, car elles sont d'une extrême gravité et impliquent la révélation des projets les plus chers et les plus secrets de l'Empereur.

— Voyons cela !

Lentement, calmement, en s'efforçant d'être aussi claire que possible, Marianne fit part à sa compagne de la prochaine invasion de la Russie par la Grande Armée et du désir qu'avait Napoléon de battre Alexandre, auquel il reprochait une profonde duplicité, sur son propre terrain. Elle dit combien il serait utile, pour l'envahisseur, que les opérations actuellement en cours sur le Danube se prolongeassent au moins jusqu'à l'été suivant, période choisie pour l'entrée en Russie des Français, afin de retenir loin de la Vistule et des régions avoisinant Moscou les régiments cosaques et les troupes du général comte Kamenski. Elle laissa aussi entendre que cette aide non déclarée serait vivement appréciée par Napoléon qui, une fois les Russes battus, ne ferait aucune difficulté pour accorder à la Sublime Porte tous les territoires qu'elle était en train de perdre à cette heure, plus quelques autres...

— Il suffit seulement, conclut-elle, que les troupes de Votre Majesté tiennent jusqu'en juillet ou en août prochain.

— Cela représente près d'une année ! s'écria la Sultane. C'est beaucoup pour une armée exténuée, dont les effectifs fondent comme beurre au soleil. Et je ne sais...

Elle s'interrompit, surprise par le changement qui se produisait sur le visage de son interlocutrice qui était en train de devenir aussi verte que sa robe.

— Vous n'êtes pas bien, princesse ? demanda-t-elle. Je vous trouve bien pâle tout à coup...

Marianne osait à peine bouger. Une horrible nausée montait de son estomac surchargé par les sucreries, excellentes sans doute et d'une grande finesse, mais qui rejoignaient tragiquement le copieux dîner qu'elle avait absorbé à l'ambassade, lui rappelant avec quelque brutalité qu'elle était enceinte de près de quatre mois. Et la pauvre ambassadrice occasionnelle souhaita désespérément disparaître sous les coussins du trône.

Devant son silence, la Sultane, qui suivait avec étonnement la disparition de ses couleurs, insista :

— Cela ne va pas ?... Je vous en prie, ne vous croyez pas obligée de dissimuler si vous vous sentez mal...

Marianne lui offrit un regard de noyée et un sourire tremblant.

— C'est... c'est vrai... Votre Majesté ! Je... ne me sens pas bien du tout... Ooooooh !...

Et Marianne, jaillissant soudain du trône, traversa le salon comme un éclair vert, bousculant les eunuques de garde, se jeta sous l'ombre propice du premier cyprès venu, heureusement situé tout près de la porte, et entreprit de restituer à la terre ceux de ses produits qui l'incommodaient si péniblement. Cela dura un moment qui lui parut interminable et au cours duquel elle fut incapable de penser à l'espèce de révolution que, très certainement, son départ brusqué avait causé.

Et quand elle se redressa enfin pour s'appuyer aux branches de l'arbre secourable, elle se sentit inondée d'une sueur froide, mais la nausée se retirait. Avec effort, elle aspira l'air parfumé de la nuit, la fraîcheur qui montait des jets d'eau et se sentit soulagée. Les forces, lentement, lui revenaient...

C'est seulement alors qu'elle réalisa ce qu'elle venait de faire : planter là une impératrice, se sauver comme une voleuse d'un salon de réception en pleine discussion diplomatique !... Quel affreux scandale ! De quoi faire pâmer d'horreur le pauvre Latour-Maubourg !... Très inquiète sur les suites de son malaise, elle s'attarda un moment sous les branches de son cyprès qu'elle n'osait plus quitter, persuadée qu'elle était de trouver, en reparaissant devant le kiosque, une troupe d'eunuques armés de cimeterres et d'un ordre d'arrestation...

Elle hésitait encore quand une voix douce vint jusqu'à elle :

— Où êtes-vous, princesse ?... J'espère que vous n'êtes pas plus mal ?

Marianne prit une profonde respiration.

— Non, Votre Majesté... Me voici !

Quittant enfin l'ombre des arbres, elle trouva Nakhshidil debout au seuil du petit palais. Elle avait dû renvoyer tout son monde car elle était absolument seule et Marianne, pleinement consciente d'être en faute et vaguement ridicule, lui en sut gré.

Quelle étrange façon d'entamer une négociation délicate, en vérité ! Aussi, désireuse de présenter des excuses, la princesse Sant'Anna commença-t-elle par une révérence que l'on interrompit immédiatement.

— Non ! Je vous en prie !... Songez d'abord à vous remettre ! Prenez plutôt mon bras et rentrons... à moins que vous ne préfériez faire quelques pas dans le jardin ? Il fait plus frais maintenant et nous pourrions aller jusqu'à cette terrasse qui domine le Bosphore, là-bas ? C'est un endroit que j'aime.

— Avec plaisir, Madame... Mais je ne voudrais pas importuner Votre Majesté ou la troubler dans ses habitudes...

— Qui ? Moi ? Ma chère, je n'aime rien tant que prendre de l'exercice, marcher, monter à cheval... Malheureusement, ici, cela pose des problèmes. Dans les palais d'Asie, c'est plus facile. Venez-vous ?

Au bras l'une de l'autre, elles se dirigèrent lentement vers la terrasse choisie. Marianne s'étonnait de constater que la Sultane était aussi grande qu'elle-même et que sa silhouette mince était sans défaut. Pour qu'il en fût ainsi à son âge, il fallait que la blonde créole ne se contentât pas, en effet, de l'existence cloîtrée, presque inerte, qui était celle des femmes de harem. Pour garder ce corps souple de jeune fille, il fallait qu'elle s'adonnât aux « sports » si chers aux Anglais. Mais Nakhshidil, de son côté, s'intéressait surtout à sa compagne et, tout en marchant, elle lui demanda d'un ton faussement négligent :

— Avez-vous souvent de ces malaises ? Votre mine est cependant au-delà de tout éloge.

— Non, Votre Majesté... pas très souvent. Je crois que celui de ce soir incombe tout entier au cuisinier de notre ambassade. Ses productions sont assez lourdes...

— Et ce que je vous ai offert n'était pas trop léger ! C'est étrange cependant, car votre malaise m'a rappelé de façon frappante ceux dont je souffrais lorsque j'attendais mon fils : je buvais des pleins pots de café et je ne tolérais ni helva, ni baklava... sans parler, bien sûr, de la ghulretcheli, la confiture de roses dont, à mon avis, seul le nom et la couleur sont poétiques et qui me fait horreur.

Marianne sentit ses joues s'empourprer et bénit la nuit qui dissimulait cette rougeur intempestive, mais elle ne fut pas maîtresse d'une crispation de son bras qui renseigna tout à fait sa compagne. Celle-ci comprit qu'elle avait non seulement touché juste, mais touché aussi un point singulièrement sensible chez sa visiteuse.

Comme toutes deux atteignaient la petite terrasse de marbre blanc, elle désigna un banc circulaire copieusement garni de coussins attestant les visites fréquentes qu'on lui faisait.

— Asseyons-nous un peu ! fit-elle. Nous serons ici beaucoup plus tranquilles pour parler que dans mon appartement, car personne ne nous entendra. Dans le palais, chaque tenture, chaque porte cache au moins une oreille attentive. Rien de semblable à craindre ici. Voyez : cet endroit forme balcon au-dessus des chemins de ronde et des jardins inférieurs. Mais n'aurez-vous pas froid ? s'inquiéta-t-elle en désignant les épaules nues de Marianne.

— Pas du tout, Majesté, je me sens tout à fait bien maintenant.

Nakhshidil hocha la tête et se tourna vers les nuages qui, au-delà du bras de mer, s'amoncelaient sur les collines de Scutari.

— L'été s'achève, remarqua-t-elle avec une pointe de mélancolie. Le temps change et nous aurons de la pluie demain, sans doute. Cela fera du bien aux cultures, car la terre est desséchée, mais ensuite ce sera l'hiver, le froid qui est souvent cruel ici et que je crains tellement... Mais oublions tout cela et parlez-moi plutôt de vous.

— De moi ? Je n'ai guère d'autre intérêt, Madame, que celui dont m'a revêtue l'empereur Napoléon en m'envoyant vers vous et...

La Sultane eut un geste d'impatience.

— Laissons là votre Empereur pour l'instant ! Son tour viendra plus tard, encore que je ne voie pas bien ce que nous pourrions en dire. Quoi que vous en pensiez, vous êtes beaucoup plus intéressante, à mes yeux, que le grand Napoléon. Aussi, je veux tout savoir. Racontez-moi votre vie...

— Ma... vie ?

— Mais oui, toute votre vie ! Comme si j'étais votre mère.

— Votre Majesté, cela risque d'être long...

— Aucune importance ! Nous avons toute la nuit, s'il le faut, mais je veux savoir... tout savoir ! Il y a déjà tant de contes qui courent sur vous et j'aime à démêler la vérité. Et puis, je suis votre cousine, je voudrais être votre amie. N'avez-vous pas besoin d'une amie ayant quelque pouvoir ?

La petite main soyeuse de la Sultane s'était posée sur celle de Marianne, mais la jeune femme, déjà, avait répondu spontanément : « Oh si ! », avec une ardeur qui fit sourire sa compagne et l'ancra dans la conviction, née au premier coup d'œil, que cette ravissante — et si jeune ! — créature avait désespérément besoin d'aide. Habituée par la vie dangereuse qu'elle avait dû mener en ce palais avant d'en devenir la maîtresse à épier les moindres mouvements d'un visage avec une attention dont pouvait dépendre sa vie, Nakhshidil avait été frappée, dès l'entrée de Marianne, par l'expression tendue de ce beau visage et par l'espèce d'angoisse involontaire des grands yeux verts. L'envoyée de Napoléon ne correspondait absolument pas à ce qu'elle attendait.

Les ragots qui couraient la Méditerranée depuis quelques semaines dessinaient le portrait fantaisiste d'une audacieuse courtisane, d'une espèce de Messaline de boudoir, affublée par la volonté de l'Empereur, son amant, d'une couronne de princesse, accoutumée à toutes les ruses comme à toutes les compromissions et prête à n'importe quoi pour assurer le succès d'une mission difficile, ce n'importe quoi fût-il de la pire complaisance. Mais, placée en face de la réalité, la Sultane comprenait sans peine que les services secrets du Foreign Office avaient dû forger de toutes pièces ce portrait fantaisiste, simple caricature sans base sérieuse.

Une caricature dont, d'ailleurs, elle s'était sentie

secrètement froissée. La princesse Sant'Anna était sa cousine et, même à un degré éloigné, il lui était désagréable que l'on pût porter sur un membre de sa famille un jugement aussi odieusement défavorable. Aussi, le désir de se former une opinion personnelle entrait-il pour une très grande part dans sa décision de rencontrer l'incriminée. Et maintenant, elle désirait tout savoir de cette étrange et belle jeune femme qui semblait porter une croix trop lourde pour elle, mais la portait avec fierté.

D'abord gênée et réticente, Marianne qui pensait ne donner qu'un résumé, aussi rapide que superficiel, de sa vie passée, se laissa gagner peu à peu par la sympathie et la compréhension qu'elle sentait chez son interlocutrice. Si bizarre qu'eût été son existence jusqu'à présent, celle de Nakhshidil la surpassait largement, car il y avait infiniment plus de chemin d'un couvent nantais au harem du Grand Seigneur et au pouvoir suprême, que du château des Selton au palais Sant'Anna, même en passant par l'alcôve de Napoléon.

Quand, au bout d'un long moment, elle cessa de parler, elle s'aperçut qu'elle avait tout raconté jusque dans les moindres détails et qu'il devait être fort tard car, autour de la petite terrasse où les deux femmes se tenaient, le silence était beaucoup plus dense que tout à l'heure. Les bruits de la ville s'étaient assoupis, ceux de la mer aussi et l'on n'entendait plus guère que le froissement doux du ressac et le pas régulier des sentinelles aux portes du Sérail.

La Sultane, pour sa part, était demeurée immobile, tellement même que Marianne, soudain inquiète, crut qu'elle s'était endormie. Mais elle rêvait seulement, car, au bout d'un instant, la jeune femme l'entendit soupirer.

— Vous avez commis infiniment plus de sottises que moi qui, d'ailleurs, n'ai fait que suivre le destin, mais je ne vois pas bien qui pourrait avoir l'audace de vous les reprocher. Car, à bien y réfléchir, c'est l'amour le coupable. C'est lui qui, en vous imposant tour à tour sa souffrance et son exaltation, vous a conduite sur l'étrange chemin qui vous a menée jusqu'à moi !

— Madame... balbutia Marianne, Votre Majesté... ne me juge pas trop sévèrement ?

Nakhshidil soupira de nouveau puis, brusquement, se mit à rire.

— Vous juger ? Ma pauvre enfant ! Dites plutôt que je vous envie !

— M'envier ?

— Mais oui ! Vous avez la beauté, la noblesse, l'éclat du nom, l'intelligence et le courage, vous avez ce bien précieux et fragile entre tous qui est la jeunesse, enfin, vous avez l'amour. Je sais : vous allez me dire que cet amour ne vous donne pas beaucoup de joie et même que vous vous en passeriez aisément à l'heure présente, mais il n'empêche qu'il existe, qu'il vous pousse en avant, qu'il emplit votre vie et bouillonne dans vos veines avec votre jeunesse. Vous êtes libre aussi et vous avez le droit de disposer de vous-même, de vous perdre même, si cela vous chante, à la poursuite de cet amour... et cela à travers l'immensité du monde largement ouverte devant vous. Ah oui, je vous envie. Vous ne pouvez pas savoir à quel point je vous envie.

— Madame ! fit Marianne alarmée par la douleur et les regrets qui vibraient dans cette voix douce et feutrée, habituée au chuchotement.

Mais Nakhshidil ne l'écoutait pas. Les confidences de sa visiteuse avaient taillé une brèche dans la muraille où son âme était prisonnière et les désirs douloureux, les regrets s'y engouffraient comme la mer sauvage par la digue rompue.

— Savez-vous ce que c'est, reprit-elle plus bas encore, savez-vous ce que c'est qu'avoir vingt ans et apprendre l'amour dans les bras d'un vieillard ? Que rêver d'espaces, de courses à travers l'océan, de chevauchées au bout de l'horizon dans le vent du matin, de nuits passées sous un ciel immense et libre à écouter chanter les Noirs, à respirer l'air parfumé des îles... et se retrouver en cage, livrée aux conseils équivoques des eunuques, à la haine et à la stupidité d'une armée de femmes aux âmes d'esclaves ? Savez-vous ce que c'est que désirer interminablement les caresses d'un homme jeune, les bras et l'amour d'un homme jeune, sain, ardent, sur les coussins de soie d'une chambre solitaire dont on vous tire parfois pour vous livrer à un être trop vieux pour que la parodie ne soit pas douloureuse... Et cela durant des années, de mortelles, d'affreuses années ?... Celles qui auraient pu être les plus riches et les plus chaudes ?

— Voulez-vous dire... que vous n'avez jamais connu l'amour ? murmura Marianne à la fois incrédule et désolée.

La tête blonde eut un mouvement doux qui arracha cependant un éclair à l'énorme diamant rose qui l'ornait.

— J'ai connu l'amour de Selim. Il était le fils de mon époux, le vieil Abdul Hamid. Il était jeune, en effet... et il m'aimait passionnément, au point d'avoir choisi de mourir pour nous défendre, mon fils et moi, quand l'usurpateur Mustapha et les janissaires ont envahi le palais. Son amour était chaleureux et j'avais pour lui une profonde tendresse. Mais l'ardeur de la passion, celle que j'aurais pu connaître avec... un autre dont je rêvais à quinze ans, cette fièvre d'amour, ce besoin de donner et de prendre, non... Je ne les ai jamais éprouvés. Alors, petite fille, oubliez vos épreuves, oubliez tout ce que vous avez subi puisqu'il vous reste le droit et la possibilité de lutter encore pour conquérir le bonheur ! Je vous aiderai.

— Vous êtes bonne, Madame, mais je n'ai pas le droit de songer seulement à l'homme que j'aime. Votre Majesté oublie que je porte un enfant et que cet enfant dresse, entre lui et moi, une infranchissable barrière, en admettant que je puisse jamais le retrouver.

— C'est vrai ! J'oubliais cette affreuse aventure et ses conséquences. A cela aussi il faut porter remède. Vous ne souhaitez pas garder cet enfant, n'est-ce pas ? Si je vous ai bien comprise...

— Il me fait horreur, Madame, comme son père me faisait horreur. Il est en moi comme une chose monstrueuse et répugnante qui se nourrit de ma chair et de mon sang.

— Je comprends. Mais vous en êtes à un stade où l'avortement devient dangereux. Le mieux serait encore de vous installer à l'écart, dans l'une des maisons qui m'appartiennent. Vous pourriez y attendre la naissance et, ensuite, je me chargerais de cet enfant dont, je vous le promets, vous n'entendriez plus jamais parler. Je le ferais élever chez l'un de mes serviteurs.

Mais Marianne hocha la tête. Non, elle ne voulait pas languir pendant des mois encore dans l'attente d'un événement qui lui faisait peur et la dégoûtait tout à la fois. Les dangers dont parlait la Sultane, et qu'elle n'ignorait pas, l'effrayaient beaucoup moins que cette attente de cinq mois où elle devrait demeurer enfermée, sans aucune possibilité de rejoindre Jason...

— Dès demain, je donnerai des ordres pour que l'on recherche votre corsaire américain, appuya Nakhshidil qui lisait maintenant à livre ouvert dans l'esprit de sa jeune cousine. De toute façon, il faudra du temps, sans doute, pour savoir ce qu'il est devenu... Vous tenez vraiment à risquer votre vie ?

— Oui. Je déplore d'avoir dû attendre aussi longtemps faute de connaître quelqu'un capable de m'aider, mais, maintenant, il faut que j'accepte le risque. Si cet enfant venait au jour, même séparé de moi pour toujours, même perdu dans le vaste univers, il n'en demeurerait pas moins un lien invisible, une trace vivante de ce que j'ai subi et de l'être abominable qui me l'a imposé.

Un refus exaspéré sonnait dans la voix tendue de la jeune femme et sa compagne en eut conscience. Se souvenant de ce qu'elle-même avait ressenti en apprenant que la sève du vieux Sultan bourgeonnait dans le mystère de son corps, de cette espèce de dégoût que l'espoir d'un triomphe ne parvenait pas à éteindre complètement, elle devina le besoin forcené qu'avait Marianne d'arracher de sa chair un fruit conçu dans des circonstances si affreuses qu'elle lui refusait la qualité d'enfant pour ne plus y voir qu'une chose monstrueuse, une espèce de cancer dévorant, se repaissant à la fois de sa vitalité et de tous ses espoirs de bonheur. Comme tout à l'heure, elle tendit la main, pressa celle de la jeune femme, mais garda le silence un moment et ce silence accrut l'angoisse de Marianne.

— Madame... souffla-t-elle, je vous fais horreur, n'est-ce pas ?

La main douce accentua sa pression et Nakhshidil hocha la tête :

— Me faire horreur ? Ma pauvre enfant ! Vous ne savez pas ce que vous dites. La vérité est que j'ai peur pour vous. Dans l'ardeur de votre amour et dans votre désir de le rechercher, vous voulez vous jeter dans une aventure redoutable... dont vous ne mesurez pas, je le crains, les dangers et les difficultés. On ne pratique guère l'avortement chez nous, parce que notre pays n'a jamais assez d'hommes. Seules... pardonnez-moi, mais je dois tout vous dire, les... prostituées y ont recours et je vous fais grâce des conditions dans lesquelles cela se passe. Pourquoi ne pas vous faire violence et accepter mon offre ? S'il allait vous arriver malheur, je ne me le pardonnerais pas. Et puis, avouez-le, ce serait bien stupide d'y laisser la vie : vous ne pourriez plus espérer rejoindre celui que vous aimez autrement qu'en esprit. Est-ce cela que vous voulez ?

— Bien sûr que non ! Je veux vivre, mais si Dieu permet que je le revoie un jour, il s'écartera de moi avec dégoût... comme il l'a déjà fait, d'ailleurs, car il n'a pas cru un mot de ce que j'ai essayé de lui faire entendre. Alors... plutôt que d'encourir encore son mépris, j'aime mieux, oui j'aime mieux risquer cent fois ma vie ! Il me semble qu'une fois délivrée, je retrouverai une espèce de pureté, comme on l'éprouve quand on entre en convalescence après une maladie infectieuse. Ce serait impossible si, quelque part au monde, cet enfant existait ! Il faut qu'il demeure à l'état de maladie, sans forme, sans visage et, quand on l'aura arraché de moi, je me sentirai lavée, nettoyée.

— Ou bien vous serez morte. Eh bien ! soupira la Validé, puisque vous êtes à ce point déterminée, il ne me reste plus qu'une solution...

— Celle que je réclame ?

— Oui, mais il n'existe ici qu'une seule personne capable d'effectuer ce... traitement avec seulement cinquante chances sur cent de vous tuer.

— Je prends ces chances. Cinquante sur cent, c'est beaucoup.

— Non. C'est trop peu, mais il n'y a pas d'autre solution. Écoutez bien : de l'autre côté de la Corne d'Or, dans le quartier de Kassim Pacha, entre la vieille synagogue et le ruisseau du Rossignol, vit une femme, une Juive que l'on nomme Rébecca. Elle est la fille d'un habile médecin, Juda ben Nathan et elle exerce le métier de sage-femme ; adroitement, à ce que l'on dit. Les filles du port et celles qui rôdent autour des murs de l'Arsenal, n'entrent pas chez elle, mais je sais que, parfois, contre une bourse d'or ou sous la menace, elle a rendu service à l'épouse adultère de quelques hauts fonctionnaires, qu'elle a ainsi sauvée d'une mort certaine. Les riches Occidentales de Péra ou les nobles Grecques du Phanar la connaissent aussi, mais chacune garde son secret et Rébecca sait bien que le silence est le meilleur garant de sa fortune : il faut montrer patte blanche pour qu'elle s'occupe de vous...

L'espoir de Marianne, de nouveau, s'amenuisait.

— De l'or ! fit-elle lentement. Est-ce qu'elle en

demande beaucoup ? Depuis le vol de mes biens, sur le navire de Jason Beaufort...

— Ne vous préoccupez pas de cela. Si je vous envoie à Rébecca, tout me regardera. Demain, à la nuit tombée, je vous enverrai une de mes femmes avec une voiture discrète. Elle vous conduira chez la Juive qui, dans la journée, aura reçu de l'or... et des ordres. Elle y restera avec vous le temps qu'il faudra et ensuite elle vous conduira avec un bateau jusqu'à une maison que je possède près du cimetière Eyoub où vous pourrez vous reposer quelques jours. Pour votre ambassadeur, vous m'aurez accompagnée pour un bref séjour dans mon palais de Scutari où je me rendrai après-demain.

A mesure qu'elle parlait, le cœur de Marianne s'allégeait de son angoisse, mais se chargeait d'une profonde émotion. Quand la voix légèrement zézayante se tut, elle avait les yeux pleins de larmes. Se laissant glisser à genoux, elle porta à ses lèvres la main toujours posée sur la sienne :

— Madame, murmura-t-elle, comment dire à Votre Majesté...

— Eh ! Justement, ne dites rien ! Et ne me remerciez pas tant, vous me rendriez confuse car l'aide que je vous apporte est de bien peu de chose... et il y a si longtemps que je ne me suis occupée d'une histoire d'amour. Cela me fait un bien que vous n'imaginez pas ! Venez, maintenant...

Elle se levait et s'ébrouait dans ses voiles clairs comme si elle avait hâte maintenant de secouer le poids de ses confidences.

— Il commence à faire froid, ajouta-t-elle, et puis, il doit être abominablement tard et votre M. de Latour-Maubourg doit être de la dernière inquiétude ! Dieu sait ce qu'il va encore imaginer, ce Breton ! Que je vous ai fait coudre dans un sac et jeter au Bosphore avec une pierre au cou. Ou encore que lord Canning a réussi à vous enlever...

Elle riait, soulagée peut-être d'avoir tranché une

question difficile et, peut-être, d'avoir un instant donné libre cours à l'amertume accumulée si longtemps. Elle babillait comme une pensionnaire tout en rajustant ses mousselines autour d'elle, avec le soin d'une femme accoutumée à ne jamais se laisser voir autrement que sous les armes.

Machinalement, Marianne se releva et la suivit. Rapidement, on revint vers le kiosque où veillait toujours la chaîne morne des eunuques. Et Marianne, entendant sa compagne donner des ordres pour son retour à l'ambassade avec une escorte doublée à cause de l'heure tardive, s'affola brusquement — elle avait passé dans ce palais la moitié de la nuit au moins sans avoir achevé la mission dont l'avait chargée Napoléon ! Avec une amabilité qui était peut-être une forme d'habileté, la Sultane l'avait incitée à ne parler que d'elle-même, faisant de cette visite, en principe diplomatique, une réunion familiale dans laquelle les desiderata de l'Empereur n'avaient vraiment pas grand-chose à voir, et faisant son obligée éperdument reconnaissante d'une femme qui aurait dû, normalement, n'avoir en tête que le succès de son importante mission.

Aussi, comme en attendant le retour de la litière, Nakhshidil ramenait sa visiteuse dans le salon pour lui offrir une dernière tasse de café, en manière de coup de l'étrier, Marianne se hâta-t-elle d'accepter une nouvelle dose du réconfortant breuvage, au risque de ne pas fermer l'œil de la nuit. Mais ladite nuit était déjà largement entamée...

Avec un rien de solennité, s'efforçant de balayer l'espèce de remords qu'elle éprouvait à ramener la Sultane sur un terrain qui ne lui était peut-être pas fort agréable, elle murmura :

— Madame, la grande bonté dont Votre Majesté m'a comblée durant toute cette soirée nous a fait perdre de vue la raison profonde de ma venue auprès d'elle et j'ai honte de constater qu'il n'a guère été question que de moi, alors que des intérêts si puissants sont en jeu. Puis-je savoir dans quel esprit Votre Majesté a accueilli la confidence que je lui ai faite et si elle est disposée à discuter de cette question avec Sa Hautesse le Sultan ?

— Lui en parler ? Oui, je le pourrais. Mais, ajouta-t-elle en soupirant, je crains de n'être même pas entendue. Certes, l'amour de mon fils envers moi demeure entier, et invariable, mais mon influence n'est plus ce qu'elle était ni, d'ailleurs, l'admiration profonde qu'il portait à votre Empereur.

— Mais pourquoi ? A cause de ce divorce ?

— Non. Plus certainement à cause de certaines clauses du traité de Tilsitt dont lord Canning, qui se les est procurées je ne sais trop comment, l'a tenu informé. Le Tsar aurait reçu de Napoléon une lettre, en date du 2 février 1808, dans laquelle l'Empereur laissait entrevoir au Tsar un partage de l'empire otto-man : la Russie obtiendrait les Balkans et la Turquie d'Asie, l'Autriche la Serbie et la Bosnie, la France l'Égypte et la Syrie, magnifique point de départ pour Napoléon qui souhaite attaquer la puissance britanni-que aux Indes. Vous voyez que nous n'avons guère de raisons d'adorer l'Empereur.

Marianne eut l'impression que le sol vacillait sous ses pieds et maudit intérieurement les intempérances littéraires de Napoléon ! Qu'avait-il besoin d'écrire une lettre aussi dangereuse à un homme dont il n'était pas absolument sûr ? Alexandre l'avait-il donc séduit au point de lui faire oublier la plus élémentaire pruden-ce ? Et que pouvait-elle dire maintenant pour détruire la conviction des Turcs, persuadés avec juste raison que l'empereur des Français faisait très bon marché de leur empire ? Plaider le faux ? La chance d'être crue était mince et, de toute façon, il devenait de plus en plus difficile d'obtenir de ces gens-là qu'ils continuent à se faire tuer pour permettre à Napoléon d'entrer plus aisément en Russie.

Néanmoins, décidée malgré tout à remplir son devoir jusqu'au bout, elle se lança courageusement à l'assaut de la forteresse anglaise :

— Votre Majesté est-elle bien certaine de l'authenticité de cette lettre ? Le Foreign Office n'a jamais hésité à produire un faux quand son intérêt se trouve en jeu et, d'ailleurs, je vois mal comment les clauses secrètes de Tilsitt, comment une lettre personnelle adressée au Tsar...

Elle s'interrompit brusquement, consciente de ce que l'on ne l'écoutait pas. Les deux femmes étaient demeurées debout au centre du salon mais, depuis un instant, la Sultane s'était mise à tourner lentement autour de sa visiteuse et, se désintéressant visiblement d'une discussion politique à laquelle sans doute elle pensait avoir apporté une réponse suffisante, elle examinait la robe de Marianne avec l'attention soutenue que toute femme digne de ce nom, fût-elle impératrice, réserve généralement à ce genre d'examen.

Nakhshidil avança un doigt précautionneux, toucha le satin vert, givré de perles de cristal, d'un des volumineux mancherons et soupira :

— Cette toilette est vraiment ravissante. Je n'aimais guère jusqu'à présent ces longs fourreaux que Rose a mis à la mode, car je leur préférais les paniers et les falbalas de ma jeunesse, mais ceci m'enchante. Je me demande comment je serais dans une robe comme celle-là ?

Un peu suffoquée de la facilité avec laquelle la Sultane venait de passer d'un sujet aussi grave à des futilités féminines, Marianne eut une courte hésitation. Devait-elle entrer dans le jeu ? Était-ce, chez son interlocutrice, volonté d'éluder le débat ou bien cette femme, qui était montée aux plus hauts sommets, y gardait-elle l'incurable frivolité créole ? Elle n'en réagit pas moins presque aussitôt. Souriant, comme si aucune parole officielle n'avait été prononcée, elle dit :

— Je n'ose proposer à Votre Majesté de l'essayer...

Instantanément, le visage de Nakhshidil s'illumina :

— Vraiment ? Vous accepteriez ?

Avant même que Marianne ait pu répondre, un ordre bref avait appelé les femmes chargées d'aider leur maîtresse à se dévêtir ; un autre provoqua l'apparition d'un haut miroir cerclé d'or où il était possible de se voir de pied en cap, puis un troisième fit fermer hermétiquement les portes du salon.

L'instant suivant, Marianne se retrouva en chemise de batiste en face d'une Nakhshidil qui dépouillait avec tant de hâte ses mousselines azurées, que ses femmes ne parvinrent pas à l'en débarrasser sans accrocs. Mais les voiles abandonnés furent jetés dans un coin avec le dédain que l'on réserve aux vieux chiffons, tandis que l'une des suivantes présentait la robe qu'elle avait aidé Marianne à quitter.

Dépouillée de ses vêtements, la blonde créole apparut un instant aussi nue que la main, avec cette tranquille impudeur des femmes de harem, habituées de longue date aux bains et aux soins de beauté pris en commun. Et sa jeune cousine constata avec effarement que son corps était aussi pur, aussi parfait que celui d'une femme de trente ans. Aucun fléchissement de chair, aucune trace de cellulite, aucune veine distendue ne s'y montraient et Marianne se souvint avec tristesse de la plainte entendue si peu de temps auparavant...

Ce corps aux formes voluptueuses lui rappelait celui de Fortunée Hamelin, cette autre fille des îles lointaines. Il était, de toute évidence, un merveilleux instrument d'amour, créé, modelé pour vibrer et se tordre sous l'ouragan sauvage des sens... que, cependant, il n'avait jamais connu pleinement. Et l'unique maternité n'avait pas laissé la moindre trace... Cette beauté avait la splendeur inutile et solitaire d'une statue de musée.

Un profond sentiment de pitié envahit Marianne, tandis que Nakhshidil, avec une joie de petite fille, émergeait des flots chatoyants de la robe couleur de mer et en faisait retomber les plis lourds. La robe était trop longue, car sa légitime propriétaire était un peu plus grande mais, à ce détail près, elle allait parfaitement, si parfaitement même que la Sultane battit des mains.

— Que j'aimerais posséder cette robe ! s'écria-t-elle avec un enthousiasme tel que Marianne se mit à considérer intérieurement l'effet qu'elle produirait en rentrant en chemise à l'ambassade, car il ne lui restait vraiment qu'une chose à faire : donner sa robe.

Mais, décidée à tout pour essayer de sauver sa mission et se concilier définitivement les bonnes grâces de la souveraine, elle proposa gaiement, sans même une hésitation :

— Si Votre Majesté veut bien me prêter un manteau, une cape ou n'importe quoi d'autre pour ne pas faire scandale en rentrant au palais de France, je serais heureuse de lui offrir cette robe qui lui plaît tellement...

Les yeux bleus étincelèrent et considérèrent Marianne avec une attention aiguisée :

— Vous me donnez votre robe ?... articula Nakhshidil... même si nous ne reprenons pas nos anciennes relations avec Napoléon ?

La jeune femme eut assez d'empire sur elle-même pour ne pas broncher. Son sourire ne perdit rien de sa chaleur ni de sa gentillesse et elle parvint à garder une dignité pleine de désinvolture, ce qui, pour une femme en chemise, n'était pas si facile.

— L'amitié est une chose, dit-elle doucement, et la politique en est une autre, diamétralement opposée, il me semble. Ceci est un présent du cœur... bien que je le considère comme assez indigne d'être offert à Votre Majesté et que je déplore de n'avoir rien de plus précieux pour témoigner ma reconnaissance...

La Sultane eut un petit rire amusé :

— Je commence à croire que votre Empereur serait fort avisé en vous donnant la place de Latour-Maubourg ! Vous êtes un bien meilleur diplomate que lui...

Puis, relevant la robe trop longue, elle vint jusqu'à

sa visiteuse, mit ses bras autour de son cou et l'embrassa avec une chaleur toute créole. Sans la lâcher, elle dit, soudain grave :

— Je ne peux rien pour votre Empereur, mon enfant ! Ce n'est pas mauvais vouloir, croyez-le bien ! Ni même rancune à cause du divorce de Rose ou de la fameuse lettre ! La politique, je le sais bien, a ses exigences et, comme vous le dites, elle est tout le contraire des sentiments humains : ceux qui la servent doivent oublier qu'ils ont un cœur... et parfois une conscience ! Mais les choses vont très mal pour nous sur le Danube. Le Grand Seigneur, mon fils, qui souhaite une armée moderne et bien entraînée, doit faire face aux troupes russes avec une horde vaillante mais indisciplinée et rongée par la corruption, qui se bat comme au Moyen Age, embrasse les idées archaïques et les haines des janissaires et subit de ce fait de lourdes pertes. Notre Grand Vizir, enfermé dans Rouchtchouk, appelle au secours et demande que l'on fasse trêve...

— Vous songeriez... à demander la paix ? souffla Marianne la gorge soudain serrée.

— A moins d'un miracle... et je ne crois pas aux miracles en face d'un empire qui rêve de nous arracher même les Détroits... il nous faudra demander la paix avant la fin de l'hiver ! Le Grand Vizir Haled ne cache pas son désir de traiter avec Kutusov, car il subit sans discontinuer la ruée des cosaques de l'Ataman Platov et ses forces s'épuisent.

— Madame, supplia Marianne, il faut tenir ! Si l'Empereur vous demande de résister encore c'est avec raison. Bientôt...

— Dans presque une année...

— Plus tôt, peut-être. Je peux vous dire qu'en Allemagne le maréchal Davout et votre cousin, le prince Eugène, rassemblent une armée immense. Si vous tenez toujours, il faudra bien que le Tsar en vienne à vous débarrasser de Kutusov. Votre guerre, actuellement, est perdue, mais Napoléon peut vous apporter un retournement complet de la situation : la victoire et, certainement, la possession des principautés danubiennes.

Nakhshidil lâcha Marianne qu'elle avait retenue contre elle dans le cercle doux de ses bras et haussa les épaules avec un sourire dont la tristesse se teintait d'ironie :

— N'essayez pas de me faire croire, princesse, que c'est uniquement pour nous venir en aide que Napoléon s'apprête à attaquer Alexandre. Il y a beau temps que nous n'avons plus d'illusions, je vous l'ai dit, sur l'intérêt qu'il nous porte. S'il veut que nous tenions encore, il n'a qu'un moyen : nous envoyer des troupes... quelques-uns des régiments de cette immense armée. Alors, oui, le Grand Vizir qui n'a plus avec lui que quinze mille hommes pourra tenir encore ! En dehors de cela, c'est impossible...

— Lord Canning vous apportera-t-il une aide plus efficace ?

— Sur le plan militaire, non. Mais sur le plan diplomatique, oui. Quand nous discuterons les conditions de paix, il s'est engagé à nous aider et à obtenir du Tsar une certaine magnanimité.

— Madame, reprocha Marianne navrée, le Sultan renie-t-il à ce point le pays natal de sa mère ? Et, vous-même, l'avez-vous oublié ?

— Je n'oublie rien, soupira Nakhshidil, mais mon fils a malheureusement appris à considérer avec méfiance la patrie de sa mère. Comment voulez-vous que Mahmoud oublie que l'un de ses plus redoutables ennemis est français ?

— Français ? Qui donc ?

— Le gouverneur d'Odessa, l'homme qui depuis des années a fait surgir de terre, sur les rives de la mer Noire, une ville puissante, et surtout un port d'où partent les navires qui viennent nous attaquer jusqu'à l'entrée du Bosphore. Je veux parler du duc de Richelieu.

Il est l'ami du Tsar. Plus russe que les Russes eux-mêmes. Et Napoléon devra compter avec cet émigré irréductible, car il dispose de hordes tartares.

— Votre Majesté le dit elle-même : c'est un émigré. Un ennemi de l'Empereur !

— Mais il est français. Et aux yeux de mon fils, c'est la seule chose qui compte. Vous ne pouvez pas lui demander de laisser périr son peuple pour aider un souverain égoïste qui ne songe à nous que lorsqu'il en a besoin.

Il y eut un silence dans lequel Marianne vit lentement sombrer le succès de sa mission. Elle avait trop d'honnêteté pour ne pas comprendre les raisons du Sultan et de sa mère. Elles étaient non seulement fondées, mais respectables. Et il y avait bien longtemps qu'elle avait appris, à ses dépens, à mesurer l'égoïsme profond de Napoléon. A moins d'un miracle, comme le disait Nakhshidil, les Turcs demanderaient l'armistice avant peu et il fallait que Paris en fût averti aussi vite que possible.

Comprenant qu'insister serait maladroit, voire grossier après les bienfaits qu'on lui avait dispensés, elle renonça à poursuivre la discussion, du moins pour ce soir-là. Il fallait qu'elle rendît compte à l'ambassadeur en titre. Et puis, elle se sentait maintenant pleine de lassitude.

— Si Votre Majesté le permet, murmura-t-elle, je souhaiterais me retirer...

— Bien sûr ! Mais pas dans cet état !

Toute sa gaieté revenue, la Sultane distribua de nouveaux ordres et, un moment plus tard, Marianne, transformée en princesse ottomane par la vertu d'un fabuleux costume couleur d'aurore, entièrement brodé d'or, auquel la souveraine avec une impériale générosité ajouta une ceinture, un collier et des pendants d'oreilles ornés de perles et de rubis, plongeait avec quelque difficulté dans les dernières révérences sous les yeux du Kizlar Agha et des dames de la cour miraculeusement réapparues.

— Nous nous reverrons bientôt ! assura Nakhshidil en lui tendant sa main à baiser avec un sourire encourageant. Et n'oubliez pas que, demain soir, vous serez attendue là où je vous ai dit ! Pour le reste, faites-nous toute confiance : je crois que vous serez contente...

Sans s'expliquer davantage sur ces dernières paroles, que Marianne ne put s'empêcher de juger un peu énigmatiques, la Validé disparut dans les profondeurs du salon, suivie du nuage bleu de ses femmes et sa visiteuse, lentement, se laissa ramener vers sa litière par le grand eunuque noir.

Tandis que, balancée au pas rythmé de ses porteurs, elle retraversait les jardins pour gagner le bord de mer, elle essayait de mettre de l'ordre dans ses pensées et de faire le bilan de sa soirée. Ce n'était pas facile car son esprit se trouvait partagé entre des impressions aussi contradictoires que la reconnaissance, la déception et l'inquiétude. Incontestablement, elle avait échoué sur le plan politique, totalement échoué et elle osait à peine se demander comment Napoléon prendrait cette nouvelle. Mais elle avait conscience d'avoir fait son devoir entièrement et n'éprouvait ni regrets ni remords : dans l'état actuel des choses, personne n'aurait pu obtenir davantage et elle admettait volontiers, avec la Validé, que Napoléon aurait pu s'occuper de la Turquie avant que son armée ne fût à bout de souffle. L'annonce d'un corps expéditionnaire aurait certainement emporté la décision beaucoup plus que le plaidoyer d'une jeune femme sans expérience...

Résolument, elle écarta de son esprit la situation politique pour ne plus songer qu'à son avenir immédiat. Malgré le danger réel qui l'attendait la nuit prochaine, Marianne apercevait maintenant la lumière au bout du tunnel où elle se débattait depuis des semaines et ne pouvait s'empêcher d'y voir un présage heureux pour les jours à venir... Quand le cauchemar disparaîtrait...

Mais elle sentit tout à coup qu'il lui devenait de plus en plus difficile de réfléchir. La fatigue, l'émotion de cette nuit sans sommeil se joignaient au balancement de la litière.

Là-bas, vers l'Orient, derrière les collines de Scutari, le ciel pâlissait et de noir, devenait gris. Le jour n'était plus loin. La fraîcheur humide qui montait des jardins et de la mer faisait frissonner Marianne et l'engourdissait. Alors qu'elle avait eu tellement chaud en arrivant, elle avait maintenant presque froid et bénit les soieries et les voiles dont on l'avait emballée. Les resserrant de son mieux autour de ses épaules, elle se pelotonna au milieu des coussins et, renonçant à lutter, ferma les yeux.

Quand elle les rouvrit, le portail gothique de l'ambassade engouffrait la litière et elle comprit qu'elle avait dormi tout le long du chemin. Mais ce petit somme lui avait seulement donné envie d'en faire un plus long et, tandis que son escorte de janissaires redescendait vers l'échelle de Galata, elle entra dans le vestibule du palais sous l'œil offusqué d'un majordome, plus choqué qu'impressionné par la splendeur de son costume local.

Avec quelque froideur, il l'informa que « Son Excellence et Monsieur le vicomte avaient passé la nuit au salon où ils attendaient toujours Son Altesse Sérénissime ».

Pressée de gagner son lit, Marianne avait bonne envie de passer outre et de remettre à plus tard une explication qu'elle prévoyait longue, mais l'interminable veille que s'étaient imposée les deux hommes, n'était, à tout prendre, qu'une preuve d'amitié. Ils devaient être malades d'inquiétude. Ne pas les rejoindre serait se montrer ingrate. Avec un soupir elle se dirigea vers le salon.

Mais, quand elle en ouvrit la porte, le spectacle qui

s'offrit à elle lui arracha un sourire : assis de part et d'autre d'une petite table supportant un magnifique jeu d'échecs en cristal taillé, dans de profondes bergères garnies de coussins, l'ambassadeur et Jolival dormaient comme des bienheureux. L'un enfoncé dans son siège, le bas du visage disparaissant dans les plis de sa cravate remontée jusqu'aux oreilles et les lunettes sur le bout du nez, l'autre la joue gracieusement appuyée sur sa main, les pointes de sa moustache voltigeant doucement sous son souffle, mais tous deux ronflant à qui mieux mieux, encore que dans des registres différents. Ils dormaient avec tant d'application, que la jeune femme se refusa à troubler leur sommeil.

Doucement, elle referma la porte et, après avoir ordonné au majordome de laisser reposer ces messieurs, elle regagna sa chambre sur la pointe des pieds, bien décidée à prendre un long repos avant d'affronter l'épreuve qui l'attendait le soir même...

Néanmoins, tout à l'heure, il lui faudrait répéter par le menu à l'ambassadeur chacun des mots prononcés par la Sultane, afin qu'il pût adresser à Paris un rapport minutieux. Si Napoléon tenait tellement à l'appui ottoman, il se déciderait peut-être à envoyer l'aide militaire, seule capable de combattre l'influence anglaise... mais elle n'y croyait pas et, très certainement, Latour-Maubourg n'avait, à ce sujet, guère plus d'illusion qu'elle-même.

— Nous verrons bien ! fit-elle, pour elle-même, en manière de consolation.

CHAPITRE II

LE RUISSEAU DU ROSSIGNOL

La voiture qui pénétra, à la nuit tombée, dans la cour de l'ambassade de France, était une petite araba peinte de couleurs vives et fermée par des rideaux de velours vert comme en possédaient quelques-unes des épouses des riches négociants de Galata. Un vigoureux mulet, joyeusement harnaché de pompons rouges, la traînait, guidé par un petit cocher noir aux cheveux crépus, dont le visage nocturne luisait doucement sous la lumière de la lanterne accrochée aux montants de sa voiture.

La femme qui descendit de cet équipage avait l'air d'un fantôme. Enveloppée, des talons au sommet de la tête dans un long feredjé de drap vert, elle portait, sur le visage, l'épaisse gaze sans laquelle aucune dame turque n'oserait se montrer hors de chez elle.

Marianne attendait dans le vestibule, vêtue de la même manière, à la différence que son feredjé à elle était de drap violet et qu'elle ne portait pas de voile. Flanquée de Jolival, elle descendit vers la voiture près de laquelle la dame s'était immobilisée, attendant. Mais, constatant qu'un homme, un Européen, accompagnait celle qu'elle était venue chercher, elle s'inclina en silence, se contentant de tendre un rouleau de papiers, noués et scellés de bleu. Puis elle se redressa et attendit calmement que l'on en prît connaissance.

— Qu'est-ce que cela ? grogna le vicomte en allant

prendre une lanterne aux mains d'un valet. Faut-il tant de paperasses pour ce que vous voulez faire ?

Il était, depuis le matin, d'une humeur détestable. L'expédition dans laquelle se lançait Marianne lui déplaisait profondément et, surtout, lui faisait horriblement peur. L'idée que sa jeune amie, presque sa fille, allait livrer sa santé, peut-être sa vie, à des mains étrangères qui pouvaient se montrer maladroites, le hérissait. Il n'avait pas pris la peine de cacher son exaspération à fleur de peau, ni d'ailleurs son inquiétude.

— Vous commettez une folie, protesta-t-il. Autant j'étais prêt à vous aider à Corfou quand cette malencontreuse maternité n'était qu'à peine commencée, autant maintenant je désapprouve ! Non en vertu d'un principe dont nous n'avons que faire, mais parce que c'est dangereux !

Rien n'avait pu le faire démordre de cette position et Marianne avait perdu sa peine et ses objurgations lénifiantes : Arcadius était tout près d'employer n'importe quel moyen pour empêcher la jeune femme de se rendre chez Rébecca. Il avait même caressé un instant l'idée d'avertir Latour-Maubourg, de faire mettre l'ambassade en état de siège ou presque, ou encore d'enfermer Marianne à triple tour dans sa chambre avec des gardes sous sa fenêtre. Mais vraisemblablement l'ambassadeur l'aurait pris pour un fou. Et puis, il eût été cruel de détruire le climat rasséréné dans lequel vivait le malheureux diplomate.

Certes, il n'avait pas éprouvé beaucoup de joie en apprenant que la Porte songeait à demander l'armistice, mais au fond la nouvelle ne l'avait pas autrement étonné. En revanche, il tirait les plus favorables augures, pour ses propres relations diplomatiques à venir, de l'amitié qui s'était nouée si spontanément entre la Validé Sultane et la princesse Sant'Anna, amitié qui se traduisait par cette invitation à séjourner quelques jours, avec la souveraine, dans sa villa de Scutari.

Obligé d'abandonner ses projets de violence, le pauvre vicomte avait alors tenté de convaincre Marianne de le laisser l'accompagner et, une fois de plus, elle avait eu toutes les peines du monde à lui faire admettre que c'était impossible. Elle dut répéter encore et encore qu'une des femmes de confiance de la Validé l'accompagnerait, la protégerait contre toute mésaventure et que, de toute façon, la présence d'un Européen pouvait tout remettre en question en amenant Rébecca à refuser ses services. Enfin, qu'en tout état de cause, l'officine d'une sage-femme n'était vraiment pas la place d'un homme.

Vaincu mais non persuadé, Jolival avait ronchonné toute la journée, son humeur s'assombrissant par degrés à mesure que le temps s'écoulait et que le soir approchait...

Cependant, Marianne avait pris connaissance du rouleau d'épais parchemin. C'était une pièce officielle, écrite en caractères arabes et revêtue du toughra impérial. Bien entendu, elle n'y comprit rien. Une lettre plus petite était jointe au document. Celle-là montrait, sur un vélin soyeux, une écriture fine et ornée qui évoquait les longues heures passées, jadis, pour l'acquérir, sur un pupitre de couvent. Un parfum de jacinthe en émanait, ramenant la lectrice au salon bleu de la nuit précédente.

En un style délicieusement archaïque, fleurant Versailles et la poudre à la Maréchale, Nakhshidil renseignait sa « très chère et très aimée cousine » sur l'identité du grand parchemin. C'était tout simplement l'acte de propriété de la *Sorcière des Mers*...

Racheté par la Validé au reis Achmet, le navire américain était désormais le bien absolu de la princesse Sant'Anna. En outre, il allait être remorqué jusqu'aux chantiers navals de Kassim Pacha où il recevrait, sous la protection toute spéciale des services du Kapoudan Pacha [1], les réparations nécessaires avant d'être remis à sa propriétaire.

1. Amiral de la flotte ottomane.

« Nos charpentiers de marine », ajoutait la Validé non sans humour, « n'étant guère accoutumés aux techniques de vos grands vaisseaux d'Occident, nous avons prié lord Canning de nous procurer les services des charpentiers britanniques qui s'occupent des navires relâchant dans nos ports, afin qu'ils donnent les directives nécessaires à nos ouvriers et les mettent à même de restituer à "notre" vaisseau son état primitif... »

Ce beau morceau de littérature officielle eut le don de dissiper l'humeur noire de Jolival. Il se mit à rire et Marianne, entraînée, fit chorus.

— Si l'on pouvait encore douter de ce que votre impériale cousine fût demeurée bien de chez nous, constata le vicomte, ceci suffirait à nous montrer notre erreur. Il faut être née au pays de Voltaire et de Surcouf pour avoir cette idée saugrenue — obliger l'ambassadeur anglais à faire réparer un vaisseau appartenant à une ennemie, et lui laisser payer la facture. Car, à moins de se montrer goujat, sir Stratford Canning ne pourra se hasarder à présenter l'addition. En vérité, c'est irrésistible. Vive la royale mère de Sa Hautesse ! Elle est vraiment digne de la famille...

Heureuse de le voir enfin détendu, Marianne n'ajouta rien. Le geste de Nakhshidil l'émouvait profondément car, dans son instinct si spécifiquement féminin, la blonde créole avait mis le doigt, sans hésiter, sur ce qui pouvait toucher le plus profondément sa jeune cousine : le bateau de Jason, celui qu'il aimait autant et peut-être plus que la femme dont il portait l'image !

En lui offrant ainsi, avec cette royale générosité et cette délicatesse, et surtout en l'offrant à la minute précise où Marianne allait au-devant de nouveaux dangers pour son amour, la Validé donnait à son présent la valeur d'une sanction, d'un encouragement et d'une aide morale. C'était une merveilleuse manière de lui dire : « Tu vas souffrir mais, dans ton épreuve, tu songeras à ce navire car, avec lui, tu tiendras désormais dans le creux de ta main la clef de l'avenir et de toutes les espérances. La mort ne peut pas atteindre un être aussi puissamment armé... »

Marianne ferma les yeux. Elle se voyait déjà à bord de la *Sorcière* ressuscitée, quittant Constantinople toutes voiles dehors et visitant avec elle tous les ports du monde à la recherche du seul capitaine qui lui convînt. Comme l'horizon, tout à coup, s'élargissait, s'illuminait ! Demain, quand le soleil se lèverait, d'immenses projets d'avenir s'installeraient à son chevet pour l'aider à revivre, mais déjà, sûre de l'aide de sa puissante cousine et maîtresse du brick américain, Marianne n'était pas loin de penser que le monde lui appartenait.

Ouvrant les yeux, elle offrit à Jolival un sourire si radieux qu'il n'osa pas renouveler ses récriminations.

— Allons maintenant ! dit-elle avec entrain. Nous n'avons déjà perdu que trop de temps ! Gardez ces précieux papiers, mon ami. Je sais qu'avec vous ils seront dans les meilleures mains et puis, là où je vais, je n'en ai que faire. Maintenant, embrassez-moi, nous partons...

Dans un élan de chaude affection, il la prit dans ses bras et l'embrassa sur les deux joues. Il se sentait mieux tout à coup. La grande peur qui lui avait serré l'estomac tout le jour s'estompait. Par la vertu de cette lettre miraculeuse il en venait, comme Marianne elle-même, à penser que rien de vraiment fâcheux ne pouvait advenir à une femme ainsi protégée...

— Prenez soin de vous ! fit-il seulement. Je vais voir si Dieu consent encore à écouter les prières d'un mécréant afin que tout se passe bien.

Brusquement, de sous le voile blanc qui couvrait le visage de la femme turque, une voix tranquille sortit :

— Tout se passera bien, affirma-t-elle. La juive sait qu'elle sera bâtonnée à mort si un accident se produisait... Soyez sans inquiétude.

Un instant plus tard, Marianne avait pris place sur les coussins de l'araba et quittait l'ancien couvent des franciscains. Tirant vigoureusement sur son collier, le mulet se mit à remonter la forte pente de la ruelle grossièrement pavée. Un vent froid s'y engouffrait et fit s'envoler les rideaux du véhicule. Vivement, alors, la compagne de Marianne prit un voile de mousseline blanche et l'attacha devant le visage de la jeune femme.

— Cela vaut mieux, fit-elle en voyant celle-ci porter une main hésitante à son visage. Nos usages sont bien commodes pour qui souhaite n'être pas remarqué ou reconnu.

— Personne ne me connaît ici. Je ne crains pas grand-chose...

— Regardez : voici le veilleur de nuit qui commence sa ronde. Il suffirait qu'il s'avise de la présence d'une femme non voilée dans une araba pour déchaîner une marée d'histoires invraisemblables.

En effet, un homme grand et maigre, portant un caftan de grosse toile serré d'une large ceinture et une ronde calotte de feutre rouge enroulée d'une mousseline sale, venait de tourner le coin d'une ruelle. Tenant une lanterne d'une main, il s'appuyait de l'autre sur un long bâton ferré dont il faisait, à intervalles égaux, résonner les pavés. Il jeta, en passant, un coup d'œil indifférent aux occupantes de l'araba dont le vent continuait à malmener les rideaux. Marianne resserra d'elle-même le voile qui la masquait et frissonna.

— Il fait froid ce soir, alors qu'hier on étouffait...

La femme haussa les épaules avec indifférence.

— C'est le meltem, le vent glacial venu des neiges du Caucase. Quand il souffle toute la ville gèle mais ici le temps change aisément. Au fait, il serait temps que je me présente. Mon nom est Bulut. Cela veut dire « nuage ».

Marianne sourit. Ce nuage-là lui plaisait. Le feredjé n'arrivait pas à dissimuler qu'il était dodu et rassurant avec des yeux vifs qui brillaient gaiement au-dessus du voile blanc et, surtout, qui regardaient bien en face.

— J'ignore tout des usages de votre pays. Comment dois-je vous appeler ?

— On me dit Bulut Hanoum. Ce dernier mot signifie Madame et on l'applique directement au prénom. Si votre Hautesse le permet j'en userai de même avec elle pour éviter d'éveiller des curiosités. Rébecca ne doit pas savoir qui elle va... soigner ce soir.

— Alors, je suis Marianne Hanoum ? fit celle-ci amusée. Cela fait un joli nom...

Ce petit cours d'usages locaux avait brisé la glace. Mme Nuage, visiblement ravie d'une mission qui rompait si résolument avec la monotonie de l'existence, se mit à bavarder comme une pie. Elle devait être moins jeune que ne le laissait supposer sa voix fraîche et animée, car elle s'avouait comme une amie de longue date de la Validé qu'elle avait connue à son arrivée au harem, petite esclave blonde terrifiée par son enlèvement en Atlantique, son séjour à Alger et son voyage sur un chebec barbaresque. Bulut, elle-même, à cette époque, faisait partie dudit harem où, ayant eu par deux fois les honneurs de l'alcôve impériale, elle avait obtenu le titre d'ikbal[1]. Mais, après la mort du vieux sultan, elle avait fait partie du contingent de femmes que l'on « remerciait » et dont le nouveau maître faisait, pour ses hauts fonctionnaires, un présent commode. Elle avait épousé un dignitaire, Halil Moustafa Pacha, qui exerçait les fonctions difficiles mais enviées de Defterdar, autrement dit de ministre des Finances.

Ce changement de situation n'avait nullement chagriné Bulut, devenue Bulut Hanoum, qui n'avait vu aucun inconvénient à être comprise parmi les effectifs renouvelables du harem. Son mariage lui avait assuré une haute situation, un mari paisible et facile à contenter sur lequel elle régnait avec cette autorité, soigneusement cachée en général, avec laquelle une femme

_____

1. Les ikbals aspiraient au titre de *Kadines* ou favorites qui leur était appliqué lorsqu'elles avaient donné le jour à un enfant.

turque, digne de ce nom, se doit de dominer son époux. A entendre son épouse, Moustafa Pacha était un parfait kilibik [1] et avait adopté pour devise personnelle le proverbe kurde qui prétend : « Celui qui ne craint pas sa femme vaut moins qu'un homme... »

Malheureusement, ce mari modèle avait rejoint, depuis quelques années, le paradis d'Allah et Bulut Hanoum, devenue veuve, était entrée comme maîtresse de la garde-robe dans la maison de la Sultane Mère avec laquelle, de tout temps, elle avait entretenu les relations les plus chaleureuses. C'était à ces relations étroites qu'elle devait sa parfaite connaissance de la « langue franque », dont elle se servait avec une habileté... et une vélocité consommée.

Tandis que Bulut bavardait interminablement, l'araba, précédée d'un porteur de lanterne criant à intervalles réguliers « Dikka-a-at » [2] d'une voix de muezzin enrhumé, poursuivait son chemin à travers les escarpements de Péra où se côtoyaient, au milieu des vignes, les couvents chrétiens, les palais des ambassades d'Occident et les maisons des riches négociants. Le long de la grande rue, les petits cafés vénitiens ou provençaux étaient déjà fermés car, en dehors des nuits du ramadan, terminé depuis trois semaines, on ne sortait guère après le coucher du soleil dans la capitale ottomane, sauf peut-être justement dans l'ensemble Péra-Galata où les règlements de police étaient moins sévères, mais où néanmoins l'obligation de sortir avec une lanterne demeurait impérative sous peine de sanctions. Aussi les rares passants balançaient-ils au bout de leurs doigts ces lanternes de fer blanc et de papier plissé qui donnaient à la triple cité un petit air de fête perpétuelle.

Soudain, l'équipage tourna sur la droite le long d'un bâtiment aux murs énormes couronnés de coupoles et

1. « Mari-qui-se-fait-mener-par-le-bout-du-nez-par-sa-femme. »
2. Gare !

d'un minaret qui brillaient sous la lune à son lever. La bavarde se tut un instant, écoutant... La mélodie frêle d'une flûte se faisait entendre, sourdant de l'édifice comme un ruisselet d'une montagne.

— Qu'est-ce donc ? souffla Marianne. D'où vient cette musique ?

— De là ! C'est le tekké... Le couvent des Derviches mevlanis. Cela veut dire que leurs prières commencent et qu'ils se mettent à tourner, à tourner comme les planètes autour du soleil... cela va durer toute la nuit.

— Comme cette musique est triste ! On dirait une plainte...

— « Écoute la flûte de roseau », enseignait Mevlana le mystique, « elle dit : depuis que l'on m'a coupée dans les roseaux du marais, hommes et femmes se plaignent à ma voix... Tout être qui reste loin de son origine cherche le temps où à nouveau s'opérera l'union »...

La voix de Mme Nuage s'était faite lointaine et Marianne un instant se laissa emporter par la poésie des paroles qui trouvaient dans son âme un écho si étrange, en cette flûte un interprète si éloquent. Mais elle s'aperçut tout de même que, sur un geste de sa compagne, l'araba s'était arrêtée et que Bulut Hanoum, qui s'était retournée plusieurs fois, depuis un moment, bougeait une fois encore pour regarder par la fente des rideaux de l'arrière.

— Nous nous arrêtons ? Pourquoi ?

— Pour m'assurer de quelque chose. Il me semble que l'on nous suit... Quand j'ai donné ordre d'arrêter, j'ai vu une ombre se jeter derrière l'un des contreforts du couvent, une ombre qui se cache puisqu'elle ne porte pas de lanterne... Nous allons bien voir.

Tapant d'un coup sec sur l'épaule du cocher, elle donna le signal du départ et l'araba reprit sa descente dans le chemin en pente. A ce moment précis, Marianne qui s'était penchée elle aussi dans l'ouverture, aperçut distinctement une ombre qui se détachait de celle, plus dense, des murailles et reprenait son chemin à distance respectueuse.

— Qui cela peut-il bien être ? marmotta Bulut. Il faut une grande audace pour oser suivre une dame de la cour et une encore plus grande pour sortir sans lumière ! J'espère que ce n'est pas un ennemi ?

Une inquiétude tremblait dans sa voix, mais Marianne, elle, n'avait pas peur. L'obscurité qui régnait dans le véhicule cacha son sourire. Elle était à peu près certaine de connaître leur mystérieux suiveur. C'était, à coup sûr, ou bien Jolival, ou bien Gracchus-Hannibal... ou bien les deux, car il lui avait bien semblé que l'ombre en question était double.

— Je ne vois pas qui pourrait s'intéresser à nous, dit-elle si paisiblement qu'un soupir d'involontaire soulagement s'échappa de la poitrine généreuse de sa compagne. Sommes-nous encore loin de notre destination ?

— Dix minutes peut-être ! Le ruisseau du Rossignol coule au fond de ce vallon dont nous descendons le flanc, derrière cette ligne de cyprès. Au-delà, vous pouvez voir les bâtiments de l'Arsenal et toute la Corne d'Or jusqu'aux Eaux Douces d'Europe.

En effet, du pied du couvent, la vue était magique car on y découvrait le port tout entier, brillant sous la lune comme une langue de mercure piquée des aiguilles noires des mâts de navires. Mais la beauté du spectacle n'avait plus le pouvoir de captiver Marianne, car elle avait hâte maintenant d'être arrivée et d'en finir. Une vague inquiétude lui venait à retardement. Après tout, rien n'affirmait que les ombres fussent celles de Jolival et de Gracchus... Latour-Maubourg ne lui avait pas caché que son palais était surveillé et l'ambassadeur anglais pouvait souhaiter encore mettre la main sur l'envoyée de Napoléon. Ses services d'espionnage étaient trop bien organisés pour qu'il ignorât la longueur de l'audience nocturne accordée la veille à son ennemie... Avec une toute légère hésitation, elle demanda :

— Lorsque nous serons chez cette femme... serons-nous en sûreté ?

— En totale sûreté. Le corps de garde des janissaires qui veillent sur l'Arsenal et les chantiers navals sont tout près de la synagogue qu'ils surveillent, d'ailleurs par la même occasion. Le moindre bruit dans ce quartier les attire dans la minute même. Chez Rébecca, nous serons aussi tranquilles que derrière les murs du Sérail. Mais le tout est d'y arriver ! Plus vite, toi !... Allons, plus vite !

Elle reprit son ordre en turc et le mulet partit comme le vent. Heureusement, la pente, assez raide d'abord s'était considérablement adoucie et les pavés inégaux de la rue avaient fait place à de la terre battue. Bientôt, on roula sur un étroit chemin qui longeait le fond du vallon et le bord du ruisseau.

Vu de près, il était infiniment moins poétique que depuis les hauteurs de Péra et surtout que ne le laissait supposer son nom charmant. Des détritus y nageaient et une odeur pénible, faite de vase et de poisson pourri, s'en dégageait. Le quartier tout entier, d'ailleurs, tassé contre les murs crénelés de l'Arsenal qui le séparaient de la mer, était misérable. Des maisons de bois aux murs rongés par le vent et le sel s'agglutinaient autour d'une vieille synagogue croulante, découpant, sur le ciel d'ardoise bleue, leurs encorbellements et leurs toits aplatis. Des échoppes aux volets clos occupaient souvent le rez-de-chaussée et, de loin en loin, s'ouvrait la porte basse d'un entrepôt où les fenêtres lourdement grillées d'une banque au linteau de laquelle s'étalait l'étoile de David.

Mais, chose étrange, si les maisons étaient vétustes et mal entretenues, les portes en étaient solides, avec des ferrures brillantes de soin. D'imposants verrous et des barreaux, que ne rongeait pas la lèpre de la rouille, défendaient entrepôts et banques.

— Voilà, dit Bulut Hanoum. Nous sommes à Kassim Pacha et la maison de Rébecca est là.

Elle désignait le mur d'un jardin qui formait, au flanc de la synagogue, une sorte de protubérance. Les noires quenouilles de trois cyprès en dépassaient et au faîte du mur gris moussaient les flocons neigeux d'un jasmin.

— Est-ce ici le ghetto de Constantinople ? demanda Marianne péniblement impressionnée par la mine désolée des maisons.

— Il n'y a pas de ghettos dans l'empire ottoman, répondit doctement Bulut. Au contraire, quand l'Inquisition les a chassés, les Juifs d'Espagne ont trouvé ici accueil, liberté et même considération, car nous ignorons — et avons toujours ignoré — les préjugés de race. Tout nous est bon, Noirs, Jaunes ou café au lait, Arabes ou Juifs, pourvu qu'ils contribuent à la prospérité de l'empire. Les Juifs vivent où ils veulent et se groupent librement autour de leurs synagogues dont le nombre, ici, se monte à une quarantaine. La plus importante communauté se trouve dans le quartier voisin, mais celle d'ici n'est pas à dédaigner.

— S'ils ne sont pas parqués, du moins sont-ils réduits à la pauvreté sinon à la misère ?

Bulut Hanoum se mit à rire :

— Ne vous laissez pas impressionner par l'aspect misérable de ces maisons. L'intérieur, comme vous allez pouvoir en juger, est très différent. Les enfants d'Israël sont prudents car, s'ils font assez bon ménage avec nous autres Turcs, ils s'entendent comme chiens et chats avec les riches Grecs du Phanar qui les haïssent et leur reprochent de faire à leur commerce une concurrence trop souvent victorieuse. Ils préfèrent donc garder leurs richesses à l'abri des regards indiscrets et ne pas offrir, par l'éclat de leurs demeures, une prise trop forte à la hargne de leurs ennemis.

Malgré les paroles rassurantes de sa compagne, Marianne se défendait mal d'un sentiment d'angoisse et de gêne dont elle ne s'expliquait pas la source. Venait-il des deux ombres discrètes qui maintenant, disparues ou non, demeuraient invisibles, ou encore de ce vallon qui eût été charmant en dépit de ses bicoques mal entretenues, s'il ne venait buter contre les murs rébarbatifs d'un arsenal, aussi gais que les murs d'une prison, avec les silhouettes guerrières des janissaires qui veillaient aux créneaux en tenant allumée la mèche de leurs mousquets ? L'arsenal était là, installé, menaçant, semblable à une digue dressée entre ce quartier pauvre et la mer, comme pour lui en interdire l'accès. Il n'était jusqu'au petit ruisseau qui ne disparût, lui aussi, sous ces murailles, prisonnier d'une voûte basse armée d'énormes barreaux...

Mais, comme elle exprimait cette impression pénible et ajoutait qu'il était triste de voir « finir dans une cage le ruisseau du Rossignol », sa compagne se mit à rire de plus belle.

— Nous ne sommes pas fous ! s'exclama-t-elle. Bien sûr que nous avons séparé ce vallon de la Corne d'Or ! Aucun de nos souverains ne tient à ce qu'un conquérant s'avise de rééditer l'exploit de Mehmed le Grand !

Et elle expliqua, avec orgueil, comment au printemps de 1453, le sultan Mehmed II, décidé à réduire Byzance par mer aussi bien que par terre, avait fait franchir à sa flotte la colline de Péra au moyen d'un chemin de planches enduites de suif et de graisse de mouton. Hissés jusqu'au sommet du vallon grâce à un système de cylindres et de rouleaux, les navires avaient ensuite dévalé, toutes voiles dehors, le vallon de Kassim Pacha pour s'engouffrer dans la Corne d'Or à la grande terreur des assiégés.

— Nous avons préféré prendre nos précautions, ajouta-t-elle en conclusion. Il n'est jamais bon de donner des idées à un éventuel adversaire.

Cependant, l'araba s'arrêtait devant une porte de cèdre ouvragée qui trouait le mur. Sculptées avec un art naïf, des plantes et des fleurs s'y étalaient, sous une épaisse couche de poussière, au-dessus d'un petit heurtoir de bronze que la main impatiente de Bulut Hanoum actionna. La porte s'ouvrit presque aussitôt.

Une petite servante en robe safran parut et s'inclina profondément. Les senteurs diverses du jardin sautèrent au visage des visiteuses et emplirent leurs narines comme si on leur avait jeté un bouquet. Le parfum âpre du cyprès se mêlait à celui sucré du jasmin, la senteur des orangers chargés de fruits à celle des roses mourantes et des œillets poivrés. D'autres odeurs encore s'élevaient, indéfinissables.

C'était un jardin tout en contrastes où le foisonnement exubérant et presque sauvage des roses s'opposait aux massifs réguliers et bien ordonnés, sertis de petits buis, qui étaient le domaine des plantes médicinales. Herbes bienfaisantes ou mortelles y poussaient, touffues, autour d'un bassin semi-circulaire où la gueule usée d'un lion achéménide crachait inlassablement un mince filet d'eau.

Courbant peureusement l'échine, la petite servante trotta jusqu'à la maison, à peine moins vétuste et délabrée que ses voisines, mais qui rachetait cet avantage léger par une architecture à ce point délirante que Marianne ne pût retenir une grimace. La perspective de séjourner, même vingt-quatre heures, dans ce cauchemar de pierre et de bois la déprimait profondément. C'était, sous un étonnant assemblage de bulbes, de clochetons et de terrasses, une construction étrange où la brique et le bois sculpté alternaient avec des panneaux de faïence de Brousse ornés de monstres bizarres. Mais Bulut Hanoum devait être habituée depuis longtemps à l'étrangeté du lieu car, sans rien perdre de la majesté qui convenait à une amie de la Validé, elle engouffra ses formes opulentes sous l'arc surbaissé d'une porte aux ornements de cuivre, qu'elle obstrua un instant.

Marianne suivit, franchit derrière elle un petit vestibule et se trouva au seuil d'une grande pièce, mal éclairée par une lampe de bronze pendue au plafond au moyen de longues chaînes. Une grande femme se tenait debout, sous cette lampe, dont les courtes flammes dansaient au bout de leurs becs.

Elle s'inclina en silence à l'entrée de ses visiteuses, mais sans donner à ce geste la moindre nuance d'obséquiosité : elle saluait, sans plus, et Marianne la regarda avec étonnement.

Sans trop savoir pourquoi, elle s'était attendue à une créature replète, courte et grasse, assez semblable à ces revendeuses à la toilette qu'elle avait pu voir à Paris, au carreau du Temple. La femme qui la regardait calmement, sans rien dire, en était l'antithèse absolue...

Sous le hennin orfévré des femmes de Jérusalem, Rébecca montrait un visage couleur de parchemin, troué de grands yeux noirs au regard pénétrant. Un nez trop courbe, une bouche trop lourde ne parvenaient pas à lui enlever une certaine beauté, née surtout d'une intelligence que l'on devinait à fleur de peau.

Le malaise de Marianne grandit encore tandis qu'elle s'asseyait, machinalement, sur le divan bas que Rébecca lui indiquait. Quelque chose tremblait en elle, signe avant-coureur d'une panique impossible à expliquer. Elle avait l'impression qu'un danger la menaçait, un danger contre lequel il n'y avait pas de remède possible et, tandis que Bulut Hanoum prenait l'initiative d'entamer la conversation, elle s'efforça de lutter contre cette impression, ridicule très certainement... Qu'avait-elle à craindre de cette femme tranquille et, à tout prendre, assez distinguée, alors qu'en venant ici elle était prête à se livrer à toutes les manœuvres d'une espèce de sorcière sale et malodorante ? Où étaient son courage, sa volonté d'en finir avec ce poids insupportable qu'elle traînait en elle ?

Mais plus elle essayait de se raisonner, plus la crainte s'installait. Ses oreilles bourdonnaient au point qu'elle ne distinguait pas les paroles de sa compagne, ses yeux se troublaient, brouillant les murs tendus de cuir repoussé entre les panneaux desquels apparaissaient des rayonnages emplis de livres et d'autres chargés de fioles et de pots de toutes tailles. De toutes ses forces, elle serra ses mains glacées l'une contre l'autre, luttant contre une nausée sournoise mais aussi, paradoxalement, contre une folle envie de fuir...

Une main ferme et chaude glissa quelque chose entre ses doigts glacés. Elle sentit que c'était un verre.

— Vous êtes malade, remarqua une voix, dont le contralto musical la surprit, mais surtout vous avez peur. Buvez, vous vous sentirez mieux : c'est du vin de sauge...

Elle trempa ses lèvres dans le breuvage sucré, fort et doux tout à la fois, but quelques gorgées prudentes puis, finalement, vida le verre qu'elle rendit avec un regard reconnaissant. Les choses qui l'entouraient étaient redevenues nettes et, malheureusement aussi, le babil incessant de Bulut qui se répandait en sympathie et en compassion pour l'épuisement nerveux visible de la princesse française.

Debout auprès d'elle, Rébecca observait Marianne. Brusquement, elle sourit :

— La noble dame a raison. Vous devez vous reposer un moment avant que je ne procède au premier examen. Étendez-vous sur ces coussins et laissez-vous aller. Nous allons passer un moment dans la pièce voisine pour décider de ce que nous allons faire. Pendant ce temps, essayez de penser que personne ici ne vous veut de mal, tout au contraire... vous n'y avez que des amis... plus d'amis encore que vous ne croyez. Ayez confiance ! Reposez-vous...

La voix de Rébecca avait d'étranges pouvoirs de persuasion et Marianne, miraculeusement apaisée, n'eut même pas l'idée de lui résister. Docilement, elle s'étendit parmi les coussins de soie qui dégageaient une odeur d'ambre et se sentit bien. Son corps y perdait toute pesanteur et sa peur de tout à l'heure s'était envolée si loin qu'elle s'étonnait maintenant de l'avoir éprouvée. Envoyant une pensée reconnaissante à la Sultane qui l'avait menée jusqu'à Rébecca, elle regarda disparaître dans les ombres de la pièce le feredjé vert de Bulut Hanoum et la tiare brillante de la Juive...

En sortant, celle-ci ouvrit les trois petites fenêtres qui, durant le jour, éclairaient la grande pièce, sans doute aussi mal que la lampe de bronze. Mais, par ces ouvertures, les parfums du jardin arrivaient jusqu'à la jeune femme qui les respira avec délices. Ils lui apportaient la terre, la vie, le bonheur tranquille auquel toujours elle avait aspiré et qu'elle n'était jamais parvenue à atteindre. Se pouvait-il que cette maison si laide fût le port, le refuge où ses peines allaient fondre, où ses chaînes allaient tomber ? Quand elle en sortirait, elle serait libre... plus libre qu'elle ne l'avait jamais été, dépouillée de toute crainte comme de toute menace...

La lampe du plafond, éteinte par Rébecca afin que sa patiente pût mieux se reposer, avait été remplacée par une petite lanterne à huile posée sur une table basse au pied du divan. Sa courte flamme autour de laquelle se rassemblaient déjà les insectes nocturnes, fascinait Marianne. Elle la regardait avec amitié, car c'était une petite flamme courageuse qui luttait vaillamment contre les ténèbres environnantes et les faisait reculer...

Dans l'esprit de Marianne, les senteurs du jardin, l'obscurité et la mince langue brillante qui oscillait sur son support de cuivre se rejoignaient pour former un tout symbolique où elle croyait reconnaître les éléments de sa propre vie. Mais la flamme, surtout, qui lui semblait incarner son amour tenace, retenait son regard, tandis que tout le reste de son corps perdait consistance et se fondait dans la douceur moelleuse des coussins. Il y avait longtemps, des mois peut-être que Marianne ne s'était sentie aussi bien...

Puis, peu à peu, ce merveilleux bien-être se fit torpeur. Les yeux qui ne quittaient pas la lampe se fermèrent lentement, lentement... et ce fut au moment de sombrer dans le sommeil que Marianne vit l'ombre blanche sortir peu à peu des ténèbres qui emplissaient la majeure partie de la pièce...

C'était comme un fantôme, drapé de neige, voilé de fumée et qui grandissait, grandissait jusqu'à emplir progressivement tout son champ de vision... quelque chose d'immense et de terrifiant.

Marianne voulut crier. Sa bouche s'ouvrit mais, comme si elle se trouvait déjà aux prises avec un cauchemar, aucun son n'en sortit. Ses paupières luttaient frénétiquement contre leur incroyable pesanteur. Et le fantôme grandissait toujours, se penchait un peu... La jeune femme fit un effort désespéré pour échapper au pouvoir de la drogue qui la paralysait et pour s'arracher de sa couche, mais les coussins la retenaient comme si elle eût été sertie dans leurs profondeurs. Alors, doucement, l'ombre parla :

— N'ayez pas peur, dit-elle, je ne vous veux aucun mal, bien au contraire ! Je suis votre ami et vous n'avez rien à craindre de moi...

La voix était basse, presque sans timbre et d'une tristesse infinie mais, malgré les brumes qui envahissaient l'esprit de Marianne, le fil tenace du souvenir lui fit retrouver une autre voix, presque identique, entendue un soir, au fond d'un miroir terni, la voix d'un homme sans visage qui, ainsi que celle-ci, appartenait à une ombre. Se pouvait-il que ce fût la même, que le fantôme du mari mort dans son tragique isolement l'eût suivie jusqu'aux portes de l'Asie ?...

Mais la faculté de penser s'estompait elle aussi, après les réactions physiques. Les yeux de Marianne se fermèrent tout à fait et elle sombra dans un sommeil étrange, presque léthargique mais qui ne lui enlevait pas toute perception. Il y eut autour d'elle une rapide conversation dans une langue inconnue, où elle crut reconnaître cependant le timbre haut perché de Bulut Hanoum, visiblement affolée et celui, beaucoup plus sourd, de la Juive, alternant avec la voix basse du fantôme. Puis elle sentit que des bras l'enlevaient, avec assez de force pour que le mouvement fût sans secousse. Une odeur agréable emplit ses narines : celle du lattaquié, le tabac turc, mêlée à celle, plus fraîche, d'une lavande inattendue, tandis que sa joue venait reposer contre la finesse moelleuse d'une étoffe de laine... Et Marianne, à demi inconsciente, comprit qu'on l'emportait...

Il y eut à nouveau les parfums du jardin, la fraîcheur de la nuit, puis un balancement léger tandis que les bras qui la soutenaient l'abandonnaient soudain sur quelque chose qui devait être un matelas. Au prix d'un violent effort de volonté comme en produit parfois le dormeur inconscient qui cherche à échapper aux griffes d'un cauchemar, elle parvint à relever le rideau pesant de ses paupières, aperçut le ciel étoilé et la silhouette d'un homme tenant une longue perche qui avait l'air de ramer. Mais la gueule noire d'un tunnel s'approcha, armé d'une grille relevée dont les pointes ressemblaient aux dents d'un monstre et le parfum des saules fit place à une écœurante odeur de vase et de détritus, tandis que, dans un arbre proche, le chant d'un oiseau se faisait entendre un instant, ironique et dérisoire, pour s'éteindre aussitôt étouffé par le poids des murailles sous lesquelles coulait maintenant le ruisseau du Rossignol qui emportait Marianne, le ruisseau prisonnier comme elle-même... le ruisseau qui n'avait plus le droit de courir au grand air parce que les hommes en avaient ainsi décidé, le ruisseau...

De profondes ténèbres l'environnaient de toutes parts maintenant et Marianne, cessant alors de lutter, se laissa enfin couler au fond du sommeil total...

Elle en émergea avec la soudaineté d'un bouchon qui fait surface et se retrouva dans une chambre inconnue mais pleine de soleil. C'était une chambre magnifique, toute habillée de soie à ramages dans les tons bleus et mauves et qui, sans le flot de lumière qui en ôtait tout mystère, eût ressemblé assez à une chapelle à cause de la collection d'icônes d'or et d'argent qui couvrait l'un des murs.

Des cierges, dérisoires dans toute cette clarté, brûlaient devant les images saintes et, debout au milieu de leur forêt figée, un personnage en robe noire était occupé à remplacer les bougies usées par de nouvelles.

Aux tresses élégantes de sa chevelure à demi cachée sous un voile de dentelles, Marianne, qui avait d'abord cru apercevoir un pope, comprit vite que c'était une femme. Mais singulièrement imposante.

Cela tenait moins à sa taille, haute et mince, très droite malgré l'âge dénoncé par les cheveux gris et les rides, qu'au maintien rigide de cette femme et à la majesté d'un profil impérieux, d'une rigueur de traits toute hellène en dépit de la ténacité accusée par le menton.

Quand le dernier cierge eut été remplacé et les morceaux usagés jetés dans un sac de cuir, la femme inconnue prit une canne à pommeau d'or qu'elle avait placée contre l'un des chandeliers et, tournant résolument le dos aux images brillantes après un rapide signe de croix à l'envers, marcha vers le lit en maîtrisant habilement une boiterie accentuée. Elle s'arrêta à quelques pas, s'appuya des deux mains sur sa canne et considéra Marianne avec gravité.

— Quelle langue préférez-vous parler ? fit-elle dans un italien roucoulant mais irréprochable.

— Celle-ci me convient parfaitement, répondit la jeune femme dans son meilleur toscan, à moins que vous ne préfériez le français, l'anglais, l'allemand ou l'espagnol ?...

Si Marianne avait cru impressionner son interlocutrice par l'étalage de ses connaissances, elle fut rapidement obligée d'en rabattre, car l'inconnue se mit à ricaner :

— Pas mal ! apprécia-t-elle, en français cette fois. Je parle tout cela, plus six ou sept autres langues, dont le russe, le moldo-valaque, le serbo-croate, le chinois et l'ouralo-altaïque.

— Mes félicitations ! riposta Marianne qui, pour rien au monde, n'eût voulu montrer qu'elle était impressionnée, mais, ceci établi, me jugerez-vous très ridicule, Madame, si je vous demande de me dire qui vous êtes et où je suis ?

La vieille dame s'approcha assez pour que Marianne remarquât qu'elle sentait l'encens et l'ambre et eut, de nouveau, son ricanement sarcastique.

— Vous êtes chez moi, fit-elle. Dans ma maison du Phanar [1] et je suis la princesse Morousi, veuve de l'ancien hospodar [2] de Valachie. Très heureuse, en outre, de vous souhaiter la bienvenue !

— Merci beaucoup. C'est tout à fait aimable à vous de me dire que je suis bien venue, princesse, mais, justement, je voudrais bien savoir comment je suis venue ! Hier soir, en compagnie d'une amie de la Validé, une noble dame turque, je m'étais rendue...

— Je sais ! coupa la princesse. Mais je sais aussi qu'il est des endroits où une femme n'a pas le droit de se rendre sans la permission de son époux. En conséquence, vous êtes venue ici parce qu'il vous y a amenée.

— Mon époux ? Madame, il doit y avoir erreur. Mon époux est mort et je suis veuve !

La vieille princesse poussa un soupir plein de commisération et frappant le sol de sa canne pour mieux affirmer ses paroles :

— Je crois que c'est vous, ma chère, qui êtes dans l'erreur. A moins que vous ne soyez pas la princesse Sant'Anna, l'épouse du prince Corrado ?...

— C'est bien moi. Cependant...

— Alors, nous sommes bien d'accord et je répète :

1. Quartier grec de Constantinople.
2. Prince gouverneur.

Corrado Sant'Anna vous a lui-même amenée... ou plutôt apportée dans cette maison hier soir !

— Mais ce n'est pas possible ! s'écria Marianne prête à pleurer. Ou alors...

Une effarante idée venait de lui traverser l'esprit, mais l'invraisemblable et le bizarre ayant été son lot presque quotidien depuis l'incendie de Selton Hall, Marianne n'y vit rien de tellement surprenant. Si vraiment elle était arrivée dans ce lieu étrange en compagnie de son défunt mari, c'est qu'elle était clle-même trépassée et cette chambre inhabituelle, cette femme parlant tous les langages de la terre se trouvaient dans l'au-delà... Rébecca, la Juive, l'avait simplement empoisonnée et elle s'était endormie sur la terre pour ne plus se réveiller, sinon dans cette espèce de purgatoire, somme toute plutôt confortable, veillée par un ange aussi peu conventionnel que possible. Mais qui pouvait se vanter de savoir, à coup sûr, comment les choses se passaient une fois franchies les portes de la mort ?

Elle s'attendait presque, dans son esprit troublé, à voir la porte s'ouvrir sur un patriarche ou sur n'importe quel personnage disparu depuis longtemps, peut-être même son propre père ou sa mère, quand son interlocutrice, se dirigeant vers les icônes, prit un cierge, l'apporta jusqu'à Marianne et le lui tendit :

— Touchez la flamme, ordonna-t-elle, vous constaterez qu'elle brûle et qu'en conséquence vous êtes aussi vivante que moi-même ! Et, à moins que je ne me trompe, vous n'êtes pas davantage malade. Je suppose que vous avez bien dormi ?

— En effet ! reconnut Marianne après avoir tendu, sans hésitation, vers la flamme un doigt aussitôt retiré. Je me sens même mieux que depuis bien longtemps. Cependant, je n'arrive pas à comprendre ce que vous me dites : mon époux vivant... venant dans cette maison ? Cela veut dire que vous le connaissez et que... vous l'avez vu ?...

— Alors qu'il ne s'est jamais laissé voir de vous, admit tranquillement la princesse. Tout cela est parfaitement exact ! Mon enfant, ajouta-t-elle en tirant jusqu'au lit un curieux siège en X, recouvert de peau de chèvre, mon âge me permet de vous appeler ainsi car vous êtes vraiment fort jeune, il est tout naturel que vous vous posiez beaucoup de questions au sujet de votre étrange situation. Je peux, je crois, répondre à quelques-unes d'entre elles... mais pas à toutes ! Voyez-vous, je connais de longue date la famille Sant'Anna. Don Sebastiano, le grand-père de votre époux, a fait de nombreux séjours chez mes parents lorsque j'étais enfant. Il nous aimait beaucoup et il a légué cette amitié à ses descendants. Tout naturellement, après la suite du drame qui a ensanglanté sa famille, le jeune Corrado, qui fuyait bien souvent l'Italie où il ne pouvait vivre au grand jour, a repris le chemin de nos demeures, sûr d'y trouver accueil et compréhension à la suite de son affreux malheur...

La curiosité, brutalement réveillée de Marianne, balaya toutes les autres sensations, toutes les craintes qu'elle avait pu ressentir depuis son réveil. Cette femme tenait sans doute la clef du mystère dont s'enveloppait son invisible époux. Et cette clef, elle voulait au moins la détenir elle-même. Incapable de se contenir plus longtemps, elle interrompit son hôtesse :

— Ainsi, Madame, vous savez ?

— Que sais-je, selon vous ?

— La raison pour laquelle mon époux vit pratiquement séquestré dans la maison de ses ancêtres ? La raison pour laquelle je ne connais de lui qu'une voix, dans un miroir, une main gantée de blanc passée à travers un rideau noir et une silhouette lointaine de cavalier masqué de blanc ? La raison pour laquelle il m'a épousée, moi, inconnue et enceinte d'un autre, parce que cet autre était empereur au lieu de procréer lui-même son héritier ?

La princesse Morousi approuva gravement de la tête :

— Je connais toutes ces raisons qui n'en font qu'une seule.

— Alors, dites-la-moi ! Je veux savoir. J'ai le droit de savoir.

— En effet ! Mais je n'ai pas, moi, le droit de vous le dire car vous me posez la seule question à laquelle je ne peux, en conscience, répondre moi-même. Je peux vous dire que, contrairement à ce que vous a dit ce démon de Damiani, Corrado n'est pas mort. Je crois qu'au dernier moment quelque chose de plus fort que lui a retenu la main de ce misérable. Il avait manqué son coup : Corrado n'était que blessé. Alors il n'a pas osé l'achever et s'est contenté de l'enchaîner dans un cachot, au fond du vieux palais Soranzo à Venise, pensant qu'il y mourrait de lui-même. Mais au lieu de mourir, le prince a réussi à guérir, à reprendre des forces et à s'échapper...

D'un seul coup, Marianne revit le grand vestibule du palais vénitien qui avait été sa prison, à elle aussi. Elle revit les servantes noires égorgées, le corps massif de Matteo Damiani toujours drapé dans sa dalmatique d'or, se vidant lentement de son sang, couché en travers des marches du grand degré, une poignée de fer et de chaînes sur la poitrine. Et tous ces mystères qu'elle avait repoussés au plus profond de sa mémoire, à cause des abominables souvenirs auxquels ils étaient liés, resurgissaient maintenant éclairés d'une lumière nouvelle...

— Ainsi, fit-elle lentement comme pour bien se pénétrer des paroles même qu'elle prononçait, ainsi... c'était lui qui, à Venise et par cette nuit terrible, a frappé Damiani et ses esclaves ?

— C'était lui, en effet. Et, ce faisant, il n'a pas exercé vengeance mais simplement appliqué la plus élémentaire justice seigneuriale. Damiani a été par lui condamné pour tous les forfaits qu'il avait commis et exécuté de sa main. C'étaient son droit et son devoir.

— Ce n'est pas moi qui dirai le contraire. Mais alors pourquoi s'est-il enfui ? Pourquoi n'être pas venu vers moi pour tout me dire ? J'étais prisonnière moi aussi dans ce palais, il a dû vous le dire ?

— En effet ! approuva la princesse.

— Au lieu de cela, il a ouvert ma prison et il s'est enfui je ne sais où sans même prendre la peine de m'éveiller. Cependant, il était chez lui et nul ne pouvait rien lui reprocher. Nous aurions pu faire disparaître les corps, attendre ensemble la police, je ne sais pas moi... Il m'a délivrée et cependant sa fuite me mettait en danger, car la police aurait pu m'accuser.

— Non, puisque vous aussi étiez chez vous. Quant à lui, il fallait qu'il se cache car, à Venise pas plus qu'à Lucques, il ne pouvait montrer son visage. S'il l'avait fait, personne ne l'aurait cru. Les gens du gouverneur militaire l'auraient pris pour un imposteur, on l'aurait arrêté, exécuté certainement. Croyez-moi, il lui était impossible de rester.

Toujours cette irritante énigme contre laquelle Marianne butait continuellement ! Se trouverait-il un jour quelqu'un qui accepterait enfin de la traiter en adulte, en véritable femme et de lui révéler un secret qui avait appartenu déjà à quelques personnes ? Il est vrai que la plupart avaient cessé de vivre...

Néanmoins, cherchant instinctivement à cerner le mystère, à le forcer dans ses retranchements, Marianne remarqua :

— Comment se fait-il, alors, qu'il n'ait pu se présenter, en tant que prince Sant'Anna, en Italie et qu'il puisse le faire ici ?

— Qui vous a dit qu'il vivait ici sous son nom réel ? La chose était à peine plus aisée sous notre ciel que sous celui de la Toscane. Moi seule et mon jeune frère,

Jean Karadja, qui est Drogman[1] de la Porte, savons quelle identité se cache sous celle de Turhan Bey[2].

— Turhan Bey ? fit Marianne abasourdie, vous voulez dire que le prince Sant'Anna s'est fait... musulman ?

La vieille dame se mit à rire de bon cœur. C'était un rire franc, sonore et d'une nature si particulière que Marianne se crut soudain au centre d'une volière peuplée de tourterelles.

— En aucune façon ! s'écria la princesse dont le rire s'acheva en toux caverneuse. Votre mariage, alors, serait nul et je ne crois pas qu'un prince de l'Église aurait prêté la main à une aussi sinistre plaisanterie. C'est votre parrain, n'est-ce pas, qui a arrangé ce mariage ?

— C'est bien lui, fit la jeune femme saisie d'un nouvel espoir. Est-ce que vous le connaissez lui aussi ?

— Non ! Mais je sais qui il est. Pour en revenir au pseudo Turhan Bey, il a gagné son droit de cité ici grâce au Sultan Mahmoud, en reconnaissance d'avoir sauvé son auguste vie menacée par un couple de serpents au cours d'une chasse en Cappadoce. Sa Hautesse honore de son amitié celui dont il ignore le véritable nom et qu'il croit être un riche marchand étranger séduit par la beauté de sa ville impériale et par le genre de vie que l'on y mène...

Marianne retint un soupir de déception. Il était impossible, apparemment, d'amener cette vieille dame à trahir ce qu'elle paraissait considérer comme un secret ne lui appartenant pas. Et cependant, à mesure qu'elle découvrait de nouveaux détails concernant l'étrange personne qu'elle avait épousée, son besoin d'en savoir davantage grandissait et s'irritait.

— Madame, je vous en supplie, pria-t-elle enfin, ne m'en dites pas davantage... ou alors dites-moi tout. Je

1. Interprète auprès de la Cour.
2. En turc, Bey signifie simplement « Monsieur ».

suis excédée par toutes ces questions qui me hantent et auxquelles personne, jamais, n'accepte de répondre.

La princesse Morousi s'appuya sur sa canne à deux mains, se leva avec un effort visible et offrit à la jeune femme le plus inattendu des sourires. Inattendu parce que incroyablement jeune et malicieux :

— Personne ? Que si ! Dans un moment, quelqu'un va venir qui répondra à toutes vos questions. Je dis bien toutes, sans la moindre exception.

— Quelqu'un et qui donc ?

— Mais... votre époux ! L'affaire de cette nuit l'oblige à sortir enfin de son silence. En outre, il souhaite mettre un peu de clarté dans votre vie et dans la situation fausse où vous vous débattez.

Une espèce de fièvre traversa Marianne à la manière d'un courant électrique et la galvanisa. Elle se redressa dans ce lit étranger et fit le geste de rejeter ses couvertures, sous lesquelles, d'ailleurs, elle avait beaucoup trop chaud.

— Il est ici ? demanda-t-elle en baissant instinctivement la voix.

— Non. Mais il va venir dans un moment, une heure, je pense. Cela vous laisse le temps de vous préparer pour cette entrevue et je vais vous envoyer une femme de chambre.

De sa démarche lente, presque poignante tant elle mettait d'application à maîtriser sa boiterie, la vieille princesse se dirigea vers la porte. Elle y prit un long cordon de soie mauve qui pendait contre le vantail et sonna deux fois. Mais, au moment de franchir le seuil, elle se retourna tout d'une pièce et Marianne, qui déjà se levait, s'arrêta saisie par l'angoisse et la douleur qui venaient de s'inscrire sur ce visage dont les rides n'avaient pas réussi à éteindre toute la beauté.

— Je voudrais vous dire encore une chose... fit la vieille dame d'une voix hésitante qui ne lui était visiblement pas habituelle.

— Bien sûr. Qu'est-ce donc ?

— Lorsque vous serez en face de Corrado, vous éprouverez une grande surprise... qui sera peut-être de l'horreur ou de la répulsion ! Oh, n'ayez pas peur ! se hâta-t-elle d'ajouter en voyant s'agrandir les prunelles vertes de son invitée involontaire, il n'a rien d'un monstre. Mais je ne vous connais pas assez et même je ne vous connais pas du tout. J'ignore donc comment vous allez réagir devant son visage nu. Alors, je vous supplie de vous rappeler qu'il est avant tout une victime, qu'il a souffert profondément et longuement... et que vous avez le dangereux pouvoir de lui faire, en quelques instants, beaucoup plus de mal encore que la vie, avec ses farces sinistres, n'a jamais réussi à lui en faire. Souvenez-vous aussi que l'enveloppe... inhabituelle pour un prince italien, que vous allez contempler, recouvre un cœur noble, profondément généreux et dépourvu de toute bassesse comme de toute méchanceté. Souvenez-vous, enfin, qu'il vous a donné son nom dans des circonstances où d'autres eussent refusé avec dédain de le faire...

— Madame, protesta Marianne froissée par cette dernière vérité appliquée d'ailleurs d'un ton assez rude, pensez-vous qu'il soit habile de m'insulter alors que vous paraissez souhaiter surtout que je ne fasse rien qui soit de nature à froisser le prince ?

— Je ne vous insulte pas. La vérité n'est jamais une injure et il importe parfois de la dire tout entière, même si elle n'est pas agréable à entendre ! N'êtes-vous pas de mon avis ? Le cas contraire me décevrait.

— Si ! admit Marianne qui éprouva la désagréable sensation d'être battue une fois encore. Mais, je vous en prie, acceptez de répondre à une question, une seule et qui ne concerne que vous-même...

— Laquelle ?

— Vous aimez beaucoup, n'est-ce pas, le prince Sant'Anna ?

La vieille dame se raidit et sa main libre alla toucher la grande croix orfévrée qui pendait sur sa poitrine, comme si elle souhaitait en faire le garant de ses paroles :

— Oui ! affirma-t-elle, je l'aime beaucoup. Je l'aime... comme j'aurais aimé le fils que je n'ai jamais eu. Voilà pourquoi je ne veux pas que vous lui fassiez du mal...

Et elle sortit brusquement en claquant la porte.

CHAPITRE III

TURHAN BEY

Une heure plus tard, Marianne tournait en rond dans une vaste pièce du rez-de-chaussée, voûtée comme une cathédrale, mais ouvrant par de grandes baies en fer de lance sur un jardin planté de cyprès, où des masses de roses mourantes s'efforçaient de faire croire au printemps.

Sur le sévère salon, meublé de raides cathèdres d'ébène, régnait le gigantesque portrait d'un seigneur superbement moustachu, portant dolman soutaché et bonnet emplumé d'une aigrette jaillissante comme un feu d'artifice, un long poignard serti de pierreries passé dans sa ceinture de soie : le feu hospodar Morousi, époux de la princesse. Mais Marianne, en entrant dans cette salle, beaucoup trop grande pour un entretien privé, ne lui avait jeté qu'un regard indifférent... Elle se sentait nerveuse, inquiète...

Le face à face inattendu qui se présentait à elle si brutalement, après tout ce temps où elle l'avait inconsciemment espéré avant de le croire relégué dans les choses impossibles, la désorientait.

Depuis le jour où elle l'avait épousé, Corrado Sant'Anna avait été pour elle une énigme, irritante et pitoyable à la fois, car elle s'était sentie blessée qu'il n'acceptât pas de lui faire confiance en se montrant à visage découvert. En même temps, elle avait souhaité, de tout son cœur généreux, apporter une aide, un adoucissement à un sort qu'elle devinait cruel et qui était cependant celui d'un homme dont la grandeur d'âme et la royale munificence ne faisaient aucun doute, d'un homme qui donnait tellement et réclamait si peu.

Elle l'avait pleuré sincèrement en apprenant la mort misérable qu'il avait trouvée, ainsi qu'on le lui avait dit, aux mains d'un meurtrier auquel il n'avait accordé que trop de confiance. Elle avait souhaité le châtiment du coupable et, en face de Matteo Damiani se vantant impudemment de son crime, elle s'était sentie véritablement princesse Sant'Anna, son épouse aussi pleinement que si des années de vie commune les eussent liés.

Et voilà que, soudainement, on lui assenait coup sur coup les nouvelles les plus effarantes : le prince au mystère tragique n'était pas mort, il allait paraître devant elle et elle allait le voir, le toucher peut-être dans l'espace relativement restreint de cette pièce qui, malgré ses dimensions, lui paraissait tout à coup trop petite pour un tel événement. Le cavalier fantôme, le maître d'Ildérim le Magnifique, l'homme qui ne sortait jamais que la nuit et sous un masque de cuir blanc, allait venir ici... C'était à peine concevable !

Porterait-il encore le masque entrevu par une nuit tragique ? Marianne se reprochait de n'avoir pas songé à le demander à son hôtesse et maintenant il était trop tard : la princesse Morousi paraissait avoir totalement disparu...

Tout à l'heure, après que Marianne eut procédé à sa toilette aux mains d'une femme de chambre experte, un valet barbu comme un prophète était venu la prier de bien vouloir descendre dans le salon de réception et elle avait espéré y rencontrer son hôtesse. Mais le valet s'était retiré, refermant silencieusement la porte derrière lui et n'avait pas reparu. Et Marianne avait compris qu'elle serait seule pour affronter l'instant le plus dramatique peut-être de toute son existence.

Le sommeil commencé dans la maison de Rébecca la Juive avait été de longue durée car le soleil, qu'en s'éveillant elle avait cru matinal, se couchait maintenant derrière les longues quenouilles noires des vieux arbres. Sa lumière roussissait les pierres nues de l'antique salle, dont les fondations devaient remonter à la croisade déviée du doge aveugle Henri Dandolo, et faisait danser les infimes particules de poussière devant les mains gantées de l'hospodar défunt.

Les bruits du jardin s'affaiblissaient. Quant à ceux de l'énorme cité, ils ne franchissaient qu'à peine les murailles de ce vieux palais. Bientôt, ils cesseraient tout à fait lorsque les cris des muezzins appelleraient les vrais croyants à la prière du soir...

Les nerfs crispés, Marianne serra ses deux mains l'une contre l'autre et se mordit les lèvres. Le visiteur, plus redouté qu'espéré, se faisait attendre... Et Marianne, qui s'était arrêtée un instant devant le portrait qu'elle regardait avec une sévérité dont elle n'avait pas conscience, s'apprêtait à reprendre sa promenade fiévreuse quand la porte s'ouvrit de nouveau, livrant passage au valet barbu qui se rangea sur le côté en s'inclinant profondément, tandis qu'une haute forme blanche s'encadrait dans le chambranle... et que le cœur de la jeune femme manquait un battement.

Ses yeux s'ouvrirent démesurément, ses lèvres s'arrondirent mais aucun son n'en sortit cependant qu'entrant dans la lumière du soleil le visiteur, à son tour, s'inclinait sans un mot. Et Marianne, rendue muette par la stupeur, comprit cependant qu'elle ne rêvait pas : entre le caftan clair et le turban de mousseline blanche, c'étaient bien le visage sombre et les yeux bleus de Kaleb qui se tournaient vers elle...

Le temps parut s'arrêter. Un profond silence s'établit entre ces deux êtres unis par les liens du mariage et cependant séparés par trop de choses. Sentant d'instinct ce que son regard agrandi pouvait avoir d'offensant, Marianne se raidit tandis qu'un curieux sentiment de soulagement l'envahissait.

Malgré tout ce que son parrain ou Dona Lavinia avaient pu lui dire, elle s'était attendue au pire. Prête à découvrir quelque créature atrocement défigurée dont la vue serait difficilement supportable, elle pouvait constater que la réalité, même si elle était étrange, n'avait rien de terrifiant.

Se souvenant de son premier mouvement quand sur le pont de la *Sorcière* elle avait rencontré Kaleb, Marianne trouvait presque du plaisir à contempler ce visage magnifique et impassible. Sous quelque nom que ce soit, cet homme était sans doute le plus beau qu'elle eût jamais vu.

En revanche, cette réalité posait de nouveaux problèmes et des problèmes singulièrement difficiles à résoudre. Entre autres celui-ci : que faisait le prince Sant'Anna, de même que le marchand Turhan Bey, dans les hunes du navire de Jason sous l'aspect d'un esclave éthiopien ? D'ailleurs, à le revoir, elle s'apercevait maintenant que cette étiquette éthiopienne lui avait paru bizarre car, si la peau du pseudo Kaleb était réellement sombre, elle n'atteignait cependant pas au noir véritable des natifs de cette contrée.

Voyant qu'elle ne se décidait pas à parler la première et se contentait de le dévorer des yeux, Corrado Sant'Anna se décida à rompre le silence. Il le fit doucement, d'une voix volontairement assourdie, comme s'il craignait de faire fuir une sorte d'état de grâce, car le sentiment qu'il pouvait lire sur le visage de la jeune femme n'était pas celui qu'il avait tant redouté d'y voir. Non, les grands yeux verts qui le contemplaient ne reflétaient ni répulsion, ni crainte, seulement une surprise infinie.

— Vous comprenez, maintenant ? murmura-t-il.

Sans le quitter des yeux, Marianne hocha la tête :

— Non ! Je crois même que je comprends de moins en moins. Vous n'avez rien de repoussant... bien au contraire. Je dirais même que... vous êtes très beau. Mais je suppose que vous le savez. Alors, pourquoi le masque, pourquoi la réclusion, pourquoi tout ce mystère ?

Les lèvres couleur de bronze eurent un sourire mélancolique qui laissa voir l'éclair des dents.

— Je pensais qu'une femme de votre rang devinerait les raisons de mon attitude. Je porte le poids d'une faute qui n'est pas mienne, qui n'était pas davantage celle de ma mère et pour laquelle, cependant, on lui a arraché sa vie. Vous savez, n'est-ce pas, qu'après ma naissance, mon père, qui se croyait trompé, a étranglé ma mère sans se douter un seul instant que ce sang noir qui teintait ma peau, c'était lui, et aucun autre, qui l'avait transmis sans qu'il le sût !

— Comment est-ce possible ?

— Vous ignorez tout, n'est-ce pas, des lois de l'hérédité ? Moi, je les ai étudiées quand j'ai été en âge de comprendre. Un savant médecin de Canton m'a expliqué un jour comment l'enfant d'un Noir et d'une Blanche pouvait ne montrer aucune trace négroïde et donner cependant, à son tour, la vie à un rejeton noir. Mais comment mon père aurait-il pu imaginer que sa mère, ce démon qui a souillé toute notre race, l'avait eu d'Hassan, son esclave guinéen, et non du prince Sebastiano, son époux ? Hanté par la légende satanique de Lucinda, il a cru que ma pauvre mère avait sombré, elle aussi, dans le déshonneur... et il l'a tuée.

— Je connais cette horrible histoire, s'écria Marianne. Léonora Franchi... Je veux dire Mrs Crawfurd me l'a raconté. Quelle cruauté et quelle sottise !

Le prince haussa les épaules :

— N'importe quel homme aurait réagi de même façon. Votre père lui-même, peut-être, si pareille aventure lui était advenue. Je n'ai pas le droit d'en vouloir au mien... d'autant moins qu'il m'a tout de même laissé la vie, ce dont je n'ai pas eu autrement à me louer. J'eusse préféré qu'il laissât vivre ma mère et me supprimât, moi, le monstre qui le déshonorait...

Il y avait tant d'amertume dans la voix basse et grave du dernier des Sant'Anna qu'en Marianne quelque chose s'émut. Elle eut conscience, tout à coup, de ce qu'il y avait d'un peu ridicule dans leur face à face au milieu d'une vaste salle presque vide et, s'efforçant à sourire, elle désigna l'embrasure d'une fenêtre où deux sièges de pierre, garnis de coussins, se faisaient vis-à-vis.

— Ne voulez-vous pas vous asseoir, prince ? Nous serons mieux pour parler... et nous avons tant à dire. Cela peut être long.

— Croyez-vous ? Je n'ai pas l'intention, Madame, de vous imposer longuement une présence qui ne peut vous être que pénible. Croyez que, si les circonstances eussent été différentes, je n'aurais jamais accepté de vous révéler ma véritable personnalité. Vous me croyiez mort et c'était sans doute beaucoup mieux ainsi car vous avez beaucoup souffert à cause de moi, alors que je ne le voulais pas ! Dieu m'en est témoin : lors de notre mariage, je souhaitais de tout mon cœur que vous trouviez, sinon le bonheur, du moins le repos et la paix de l'âme.

Cette fois, le sourire de Marianne fut spontané et, comme le prince n'avait pas bougé, ce fut elle qui fit un pas vers lui :

— Je le sais, fit-elle doucement. Mais venez vous asseoir, je vous en prie ! Comme vous venez de le rappeler... nous sommes mariés.

— Si peu !

— Croyez-vous ? Dieu qui nous a unis n'est pas peu de chose... et nous pouvons au moins être amis. Ne m'avez-vous pas sauvé la vie, la nuit où Matteo Damiani s'apprêtait à me tuer près du petit temple en ruine ? Ne m'avez-vous pas libérée en le tuant à Venise ?

— Ne me l'avez-vous pas rendu en me sauvant du fouet de John Leighton ? riposta-t-il.

Mais il cessa de résister, se laissa mener vers l'embrasure que le soleil rouge envahissait encore.

A être tout à coup plus proche de lui, Marianne retrouva l'odeur de lavande et de lattaquié dont elle avait gardé, de la nuit précédente, le souvenir fugitif et cela la ramena aux événements étranges de ladite nuit, rejetés un instant dans l'ombre par la surprise qu'elle venait d'éprouver. Elle ne put s'empêcher de poser la question qui, soudain, lui brûlait les lèvres.

— C'est vous, n'est-ce pas, qui m'avez enlevée de chez Rébecca, hier soir ? La princesse Morousi me l'a dit...

— Je ne songeais pas à nier. C'est moi, en effet.

— Pourquoi ?

— Cela fait partie, Madame, de ces circonstances auxquelles je faisais allusion il y a un instant et sans lesquelles vous auriez pu continuer à me croire mort. Elles se résument en un seul mot : l'enfant !

— L'enfant ?

Il eut, à nouveau, ce sourire un peu triste qui donnait un charme profond à son visage presque trop parfait. Marianne qui pouvait maintenant le détailler de près et en pleine lumière s'étonnait de retrouver intacte la sensation d'admiration spontanée qu'elle avait éprouvée en le découvrant sur le pont de la *Sorcière des Mers* : « Un dieu de bronze... un magnifique animal... » avait-elle alors pensé. Mais ce dieu avait des pieds d'argile et le grand fauve était blessé.

— Avez-vous donc oublié la raison de notre mariage ? Lorsque mon vieil ami, Gauthier de Chazay, m'a parlé de sa filleule, elle portait l'enfant de Napoléon. En faisant d'elle ma femme, j'obtenais l'héritier digne de continuer notre vieille lignée, l'enfant que je n'osais plus espérer et que je me suis toujours refusé à procréer pour ne pas continuer notre malédiction. Cet enfant, vous l'avez perdu au cours de l'incendie de l'ambassade autrichienne, il y a un peu plus d'un an. Mais, aujourd'hui, vous en portez un autre !

Soudain très rouge, Marianne se dressa comme si une guêpe l'avait piquée. Tout devenait clair, maintenant, beaucoup trop clair même et tellement qu'elle avait peur de comprendre.

— Vous ne voulez pas dire que vous souhaitez ?...

— Si ! Je désire que vous gardiez cet enfant. Depuis mon arrivée ici, je fais surveiller la maison de la Juive. Elle est la seule à qui vous pouviez demander ce genre de service sans trop risquer d'y laisser votre vie. Et cela, je ne le voulais à aucun prix ! Voyez-vous, lorsque j'ai compris que vous attendiez de nouveau un enfant, j'ai repris espoir...

Marianne se cabra :

— Espoir ? Vous avez de ces mots. Vous n'ignorez cependant pas, vous qui paraissez savoir tant de choses, qui en est l'auteur ?

Le prince Sant'Anna se contenta d'incliner la tête en signe d'acquiescement, mais ne manifesta pas autrement ses sentiments. Devant ce visage impassible, la colère emporta Marianne.

— Vous le savez ! s'écria-t-elle. Vous savez que ce valet, ce Damiani, m'a violée, obligée à le subir encore et encore, moi, votre épouse, durant des semaines au cours desquelles j'ai cru devenir folle et vous osez me dire que ce calvaire vous a rendu l'espoir ? L'idée ne vous vient pas que vous dépassez les bornes ?

— Je ne crois pas ! riposta-t-il froidement. Damiani a payé sa dette envers vous. A cause de ce qu'il vous a fait subir, je l'ai tué et j'ai tué ses trois sorcières...

— A cause de ce qu'il m'a fait ou à cause de ce qu'il vous a fait, à vous ? Est-ce mon déshonneur que vous avez vengé ou la mort de cette pauvre Dona Lavinia ?

— Uniquement pour vous, croyez-le, car, en ce qui me concerne, je suis toujours vivant. Et ma vieille Lavinia l'est autant que moi. Elle a eu le bon esprit de faire la morte quand Damiani l'a attaquée et il croyait, de bonne foi, l'avoir abattue, mais elle vit toujours et j'imagine qu'à l'heure présente elle régente notre villa de Lucques. Pour en revenir à Matteo, il demeure que ce misérable, si criminel et vil qu'il se soit montré, n'en était pas moins du même sang que moi. Un bâtard, sans doute, mais un Sant'Anna beaucoup plus réel et plus proche que ne l'eût été le fils de Napoléon.

Si Marianne avait senti, un instant, sa colère céder devant la bonne nouvelle que constituait la survie de Dona Lavinia, elle n'en fut pas moins blessée par la comparaison et ce fut avec véhémence qu'elle reprit :

— Mais moi j'exècre jusqu'au souvenir de cet homme ! Et j'ai horreur de ce que je porte en moi, de cette « chose » à laquelle je refuse de donner le nom d'enfant et dont je ne veux pas, vous entendez ? Dont je ne veux à aucun prix !

— Il faut vous raisonner ! Que vous le vouliez ou non, cette « chose », comme vous dites, n'en est pas moins un être humain, déjà entier à l'heure présente, mais ce sont uniquement votre chair et votre sang qui le construisent. Il est une partie de vous-même et sera fait de même matière...

Comme un enfant qui se débat contre une évidence redoutable, Marianne protesta :

— Non ! non ! C'est impossible ! Cela ne peut pas être et je ne veux pas que cela soit...

— Allons donc ! Vous n'êtes pas sincère car vous ne vous révolteriez pas avec tant de passion si votre cœur était libre, si... Jason Beaufort n'avait jamais traversé votre vie. C'est à cause de lui, uniquement à cause de lui, que vous voulez rejeter cet enfant.

Ce n'était pas un reproche. Simplement une constatation paisible, mais dans le regard bleu qui s'attachait au sien Marianne put lire soudain tant de tristesse résignée que, sur le point de revendiquer hautement, âprement la puissance de son amour et son droit à le vivre, elle se souvint juste à temps qu'elle portait le nom de cet homme et que Jason, pour sa part, l'avait un jour condamné à mourir sous le fouet.

Un peu gênée, elle détourna la tête.

— Comment avez-vous su ?

Il eut un geste évasif et, de nouveau, haussa les épaules.

— Je sais beaucoup de choses vous concernant, Madame. Par votre parrain d'abord, que j'aime profondément, car il est la bonté, la compréhension mêmes. Et puis n'était-il pas normal que je m'intéresse à ce qui était votre existence ? Non !... se hâta-t-il d'ajouter en remarquant le geste de protestation de la jeune femme, je ne vous ai pas fait espionner... pas directement tout au moins car ce n'eût été digne ni de vous ni de moi. Mais un autre s'en chargeait, malgré mes ordres et sans d'ailleurs tout me dire. Quant à la majeure partie de mes connaissances, je les tiens de l'Empereur lui-même.

— De l'Empereur ?

— Mais oui ! Après l'aventure de notre mariage, il était naturel et courtois que je l'en informe personnellement et que je lui offre, en quelque sorte, une profession de foi vous concernant, puisque je devais donner mon nom à son fils. Je lui ai écrit, il m'a répondu... et cela plusieurs fois.

Il y eut un silence que Marianne employa à méditer ce qu'elle venait d'apprendre. Il n'était pas difficile de deviner l'identité de celui qui l'avait fait surveiller : Matteo Damiani de toute évidence. Mais cette correspondance entre Napoléon et le prince Sant'Anna l'étonnait un peu, encore qu'à son retour de Bretagne en compagnie de François Vidocq l'Empereur lui eût signifié son désir de la voir rejoindre le foyer conjugal en faisant mention d'une lettre du prince. Elle ne savait trop si elle devait interpréter cela comme une preuve d'affection ou comme un témoignage de méfiance, mais elle préféra ne pas approfondir davantage pour le moment, car bien d'autres points demeuraient obscurs qu'elle souhaitait éclaircir.

Respectant son silence, Corrado avait tourné la tête vers le jardin que l'ombre gagnait peu à peu. Le soleil ne se montrait plus derrière les arbres qu'il nimbait tragiquement, en longues traînées de pourpre et d'or. Dans la salle, une fraîcheur se glissait, tandis que l'appel strident des muezzins vrillait l'air de tous côtés.

Marianne remonta sur ses épaules l'écharpe de soie verte qui avait glissé.

— Est-ce aussi l'Empereur qui vous a appris le voyage de Jason Beaufort à Venise ? fit-elle enfin après une courte hésitation.

— Non. Je me trouvais alors dans l'impossibilité absolue d'apprendre la moindre chose. J'ai su le piège où l'on vous avait fait tomber... et ce qui a suivi, par Matteo lui-même. L'ambition avait fini, je crois bien, par le rendre fou. J'étais enchaîné, réduit à l'impuissance, et il a pris un vif plaisir à me détailler tout cela. A la réflexion, j'ai fini par penser que c'était pour pouvoir jouir de ce plaisir-là qu'il m'avait laissé la vie.

— Alors, comment en êtes-vous venu à embarquer sur la *Sorcière* ?

Il eut encore son bizarre sourire, un peu timide et sans gaieté.

— Cette fois, c'est le hasard qui a tout fait. Quand j'ai pu me libérer, je n'ai eu d'abord qu'une idée : faire justice et vous délivrer sans que vous puissiez me voir. Damiani m'avait dit que vous me croyiez mort et je ne voyais alors aucune raison de vous détromper.

— Il vous avait dit, cependant, qu'il voulait obtenir de moi l'héritier Sant'Anna dont il avait besoin ?

— En effet... mais je l'avais vu malade, drogué, presque insensé et je ne croyais pas qu'il pût réussir. J'ai donc frappé et puis je me suis enfui pour ne pas avoir à rendre, à la police impériale, des comptes difficiles. Je voulais gagner Lucques, le seul endroit où je puisse me faire reconnaître sans danger. Dans la chambre de Matteo, j'ai trouvé un peu d'or. Cela m'a permis d'atteindre Chiogga où un batelier m'a conduit. Et c'est là que le hasard dont je vous parlais a joué, quand j'ai vu le brick américain... et sa figure de proue. Il y avait longtemps, déjà, que je savais qui en était le skipper, mais votre effigie m'a appris que je ne me trompais pas et j'ai voulu savoir si ce navire venait pour vous. La suite, vous la connaissez, je pense... Et je voudrais, pour cela, obtenir votre pardon.

— Mon pardon ? Qu'ai-je à vous pardonner ?

— De n'avoir pas su vaincre l'impulsion qui m'a conduit sur ce navire. Je m'étais cependant juré de n'être jamais une entrave à votre vie, mais, ce jour-là, je n'ai pas pu résister : il fallait que je voie ce Beaufort, que je le connaisse. Cela a été plus fort que moi...

Pour la première fois depuis qu'il était apparu, Marianne sourit. La violente poussée d'indignation de tout à l'heure tremblait encore en elle, mais elle ne pouvait s'empêcher d'éprouver pour cet homme étrange et malheureux une sympathie spontanée.

— Ne le regrettez pas. Sans vous, je ne sais ce que nous serions devenus au cours de ce voyage infernal... et mon vieil ami Jolival serait, à l'heure actuelle, esclave ou pis encore ! Quant au capitaine Beaufort... il n'a pas dépendu de vous qu'il pût éviter un sort... certainement tragique !

Sa voix se fêla et, comprenant qu'elle allait se laisser emporter par l'émotion, elle s'arrêta. Le seul nom de Jason la bouleversait et, cependant, elle avait conscience qu'il était déplacé ici et que, malgré les modalités inhabituelles de leur accord, il ne pouvait qu'être désagréable au prince Sant'Anna d'évoquer l'amant de sa femme...

D'ailleurs, il se levait avec quelque brusquerie, lui tournait le dos, faisait quelques pas dans la pièce. Comme naguère, sur le pont de la *Sorcière*, Marianne fut frappée par la souplesse nonchalante de son allure et l'impression de force contenue qu'elle lui donnait, mais elle découvrait que, même à visage nu, même après avoir rejeté le masque de cuir dont la blancheur s'expliquait d'elle-même, cet homme demeurait une énigme difficile à déchiffrer.

Elle était trop femme pour ne pas se demander quel genre de sentiment elle pouvait bien lui inspirer. L'effarante déclaration de tout à l'heure, ce désir nettement exprimé d'obtenir d'elle l'enfant engendré dans des conditions si abominables avait quelque chose d'insultant. Cela donnait à penser que le prince faisait bon marché de ses sentiments et qu'à ses yeux elle n'était, après tout, qu'un « ventre » pour reprendre l'expression chère à Napoléon !

Pourtant, alors qu'il pouvait regagner tranquillement son domaine toscan, après le meurtre de Damiani, il avait choisi délibérément une dangereuse aventure afin de suivre une épouse dont, à tout prendre, il n'avait pas tellement à se louer. Qu'avait-il dit, tout à l'heure ? « Je n'ai pas pu m'en empêcher... Cela a été plus fort que moi... » Peut-être était-ce surtout Jason qui l'intéressait ? Après tout, la curiosité ne constituant pas un monopole féminin, il était peut-être normal qu'il souhaitât rencontrer l'homme qu'aimait sa femme. Mais c'était prendre un bien gros risque pour une bien mince satisfaction car, en s'embarquant sur la *Sorcière*, Corrado Sant'Anna se coupait de toutes ses bases habituelles. Tout ce qu'il pouvait trouver au bout du voyage primitivement décidé c'était, au-delà de l'océan, l'immense Amérique inconnue... et l'esclavage sans rémission auquel le condamnait presque certainement sa couleur de peau.

Incapable de trouver une réponse valable à tous ces points d'interrogation, Marianne regardait avec angoisse la haute silhouette blanche, ne sachant plus bien comment reprendre un dialogue devenu extrêmement épineux, mais ce fut le prince qui rompit le silence.

Debout devant le portrait de l'hospodar qu'il contemplait avec une attention insolite, il déclara, sans le quitter des yeux :

— L'homme éprouve le besoin profond de se continuer. Celui que vous voyez ici l'a tenté vainement toute sa vie sans y parvenir. Moi, je suis, dans la lignée de ma famille, une erreur qui s'effacera et que l'on oubliera, mais à la seule condition qu'un héritier... normal, exempt du risque de me continuer, vienne prendre ma place. Pour cela... vous êtes ma seule chance. Voulez-vous me donner cet héritier ?

Comprenant que le moment difficile était venu, Marianne rassembla son courage pour le combat qui venait. Sa voix s'éleva, douce mais têtue :

— Non ! fit-elle. Je ne peux pas. Et vous n'avez pas le droit de me demander cela, sachant ce que cet enfant représente de répulsion pour moi.

Toujours sans la regarder, il remarqua :

— Dans la chapelle de notre maison, vous avez juré, un soir, obéissance... et fidélité !

L'intention était claire et Marianne se sentit frémir, emplie soudain d'une honte amère, car ce mari insolite, qu'elle pensait tenir toujours à l'écart de sa vie intime, avait appris mieux que personne comment elle avait tenu le serment du mariage. Ce qu'elle avait cru simple formalité se révélait, maintenant, assez gênant.

— Vous pouvez me contraindre, murmura-t-elle... et c'est d'ailleurs ce que vous avez fait en m'amenant ici, mais vous n'obtiendrez jamais de moi que j'accepte de bon gré.

Il revint lentement vers elle et, instinctivement, elle recula, car il n'y avait plus, sur le beau visage sombre la moindre trace de mélancolie ou simplement de douceur. Les yeux bleus s'étaient faits de glace et Marianne, croyant y voir paraître la déception, n'y lut qu'un dédain glacé.

— Vous serez donc, dès ce soir, ramenée chez la Juive, fit-il, et demain à pareille heure il ne restera rien de ce qui vous répugne tellement. Quant à moi, je n'ai plus, Madame, qu'à vous faire mes adieux.

— Vos adieux ? Alors que nous venons seulement de nous reconnaître ?

Il inclina sèchement la tête :

— C'est ici que nous nous séparons. Mieux vaut que vous oubliiez m'avoir jamais vu à visage découvert et je compte que vous me garderez le secret. Quand vous le jugerez bon, vous me ferez connaître votre décision par l'entremise de la princesse Morousi.

— Mais je n'ai pas encore pris de décision ! Tout ceci est si soudain, si subit...

— Vous ne pouvez porter mon nom et vivre avec un autre homme ouvertement. Les lois nouvelles instaurées par Napoléon vous permettent un divorce qui eût été impossible en d'autres temps : profitez-en. Mes hommes d'affaires feront le nécessaire pour que vous n'ayez rien à regretter. Ensuite, il vous sera possible de reprendre les projets si dramatiquement interrompus à Venise et de suivre Beaufort en Amérique, ainsi que vous l'aviez décidé initialement. Je me charge d'informer l'Empereur et votre parrain quand je le reverrai.

Blessée par le ton méprisant du prince, Marianne haussa les épaules :

— Suivre Jason ? fit-elle amèrement. Vous avez beau jeu de me le permettre sachant bien que c'est impossible ! Nous ne savons ni où il se trouve, ni même s'il vit encore...

Ces quelques mots eurent le pouvoir de faire voler en éclats l'impassibilité du prince. Brusquement il se laissa emporter par la colère :

— C'est tout ce qui vous intéresse en ce monde, n'est-ce pas ? gronda-t-il. Ce marchand d'esclaves s'est comporté envers vous comme un goujat, il vous a traitée comme la dernière des filles... Avez-vous oublié qu'il a voulu vous livrer au plus vil des hommes de son navire ? A cet esclave en fuite qu'il avait recueilli sur les quais de Chioggia et dont son ami Leighton comptait tirer un si bon prix au premier marché venu ? Et, cependant, vous êtes encore prête à lécher ses bottes, à vous traîner sur sa trace comme une chienne en folie sur la piste du mâle ! Eh bien, soyez tranquille, vous le retrouverez, vous pourrez continuer à vous détruire vous-même pour lui plaire.

— Comment le savez-vous ?

— Il vit, vous dis-je ! Les pêcheurs de Monemvasia qui l'ont recueilli, blessé et inconscient quand son cher Leighton qui n'en pouvait plus rien tirer l'eût jeté à la côte, comme on se débarrasse d'un colis encombrant, l'ont soigné et le soignent encore. Ils ont, en outre, reçu de l'or et des instructions précises : lorsque l'Américain sera guéri, il prendra connaissance d'une lettre lui apprenant que vous êtes à Constantinople... et que son navire s'y trouve aussi ! Car, après tout, ajouta-t-il avec un rire méprisant, il n'est pas certain que votre seule présence suffise à l'attirer jusqu'ici ! Il vous reste donc à l'attendre et vous retrouverez votre héros favori. Adieu, Madame !...

Il s'inclina brusquement et, avant que Marianne, foudroyée par cette sortie, eût pu seulement esquisser un geste, le prince Sant'Anna avait quitté les lieux...

Au milieu de la grande salle que l'obscurité gagnait, Marianne, pétrifiée, demeura un moment immobile, écoutant un pas irrité décroître sur les dalles du vestibule. Une bizarre sensation de solitude et d'abandon l'envahit. Cette entrevue rapide, ce premier contact qui risquait fort d'être sans second, la laissaient curieusement vidée de ses forces, mal à l'aise et avec l'impression déprimante d'être tombée, par sa propre volonté, d'une espèce de piédestal...

A découvrir la véritable personnalité de son insolite époux, les choses avaient pris une couleur et une dimension différentes qui ne lui permettaient plus le détachement et la grande liberté d'esprit qu'elle avait éprouvés jusqu'à présent pour tout ce qui le concernait. Il en allait tout autrement désormais et si la colère du prince — elle en avait pleinement conscience — était faite surtout de déception, cette déception visait peut-être moins l'enfant refusé que la femme qui le refusait.

Et Marianne, maintenant, éprouvait une telle somme de honte et de remords que la joie de savoir Jason vivant ne réussissait à apporter qu'une bien petite lumière.

Le pseudo-Kaleb, en veillant sur la vie de l'homme qui l'avait traité si cruellement, en le faisant secourir, soigner et en lui donnant les moyens de rejoindre tout ce à quoi il pouvait tenir en ce bas monde, leur donnait à tous deux, à Jason aussi bien qu'à Marianne, une leçon de générosité et de grandeur difficile à égaler.

Un peu accablée par ce mauvais rôle qu'elle avait choisi de jouer en pensant que c'était son droit, Marianne eut envie de courir après le prince, de le rattraper, mais le portail d'entrée avait résonné depuis un moment quand elle put vaincre enfin l'espèce de paralysie qui l'avait saisie. Toute poursuite serait inutile et ridicule ! Aussi choisit-elle d'aller vers le jardin dont le calme et la fraîcheur l'attiraient. Serrant son écharpe autour de ses épaules, elle franchit la baie de pierre, fit quelques pas sur le chemin de mosaïque bleue qui traçait sa route capricieuse à travers les buissons de roses et les massifs de dahlias rutilants qui éclataient partout comme de minuscules feux d'artifice.

Se rendre au jardin était, chez elle, une réaction naturelle quand elle avait besoin de réfléchir ou de retrouver son calme. Petite fille, à Selton, elle courait se tapir au fond du parc, là où l'ombre des grands arbres se faisait la plus dense, lorsqu'elle avait l'un de ces chagrins d'enfant qui font sourire les grandes personnes. Et, à Paris, bien souvent, le petit jardin clos de la rue de Lille avait reçu la visite d'une Marianne soucieuse et solitaire qui venait lui demander, sinon une aide ou une réponse, du moins un instant de détente.

Elle s'enfonça dans ce jardin étranger comme dans

un bain lénifiant, mais elle découvrit bien vite que la solitude y était tout à fait relative car, en approchant d'un banc à demi caché sous un berceau de clématites, elle vit se lever une forme masculine, tout à fait occidentale cette fois et dans laquelle la jeune femme n'eut aucune peine à reconnaître son vieil ami Arcadius de Jolival. Il apparut si vite qu'elle n'eut pas le temps d'avoir peur et, quant à s'étonner, elle avait eu son compte de surprise depuis deux heures et sa faculté de réaction s'en trouvait quelque peu émoussée.

— Tiens ! se contenta-t-elle, de remarquer, vous étiez là ? Comment êtes-vous venu ?

— Aussi vite que j'ai pu ! grogna Jolival. Sans nouvelles de vous depuis hier au soir nous étions, à l'ambassade, de la dernière inquiétude et quand on est venu nous dire que vous vous trouviez chez la princesse Morousi où cette noble dame avait la grâce de m'inviter à séjourner avec vous je n'ai pas hésité un instant, vous le pensez bien : j'ai pris ma petite laine et je suis accouru. Quant à ce cher Latour-Maubourg, encore qu'il n'ait pas bien compris comment, partie pour séjourner à Scutari chez la Sultane, on vous retrouve au Phanar chez la veuve de l'hospodar de Valachie, il brûle des cierges à tous les saints de sa connaissance qui s'occupent peu ou prou de diplomatie, tant il est content de vous voir aussi bien introduite dans les milieux proches de la Cour ottomane. Il va être très déçu de vous voir revenir. En dehors du fait qu'il ne comprendra plus rien du tout...

— Me voir revenir ?

— Dame ! Si vous réintégrez ce soir l'officine de votre faiseuse d'anges, ce ne sera pas, j'imagine, pour revenir ensuite passer votre convalescence ici ?

Marianne regarda fixement son vieil ami qui d'ailleurs soutint son regard sans broncher.

— Vous avez entendu ce qui s'est dit... dans cette salle ? demanda-t-elle en désignant la baie qu'elle venait de franchir.

Jolival s'inclina.

— Sans en manquer une parole ! Et ne me demandez pas par quel miracle cela a pu se produire : je vous répondrai tout uniment que j'ai écouté. Voyez-vous, je suis comme votre cousine Adélaïde : je n'ai jamais considéré le fait d'écouter aux portes comme une tare infamante, mais bien comme une sorte d'art mineur, d'abord parce que c'est moins facile qu'on ne pense et ensuite parce que cela permet d'éviter bien des sottises, outre le fait que cela économise de longues explications, souvent difficiles, toujours oiseuses. Ainsi vous n'aurez pas à me raconter ce qui s'est passé entre vous et le prince Sant'Anna, je le sais...

— Ainsi, vous savez vous aussi qui il est ?

— Je l'ai même su avant vous, puisque c'est lui-même qui s'est présenté à l'ambassade. Je dois ajouter qu'il l'a fait sous le nom de Turhan Bey, mais, en échange de ma parole d'honneur, il a bien voulu lever pour moi son... masque blanc !

— Qu'avez-vous pensé en découvrant la vérité ? J'imagine que vous avez été, au moins, surpris d'apprendre que l'esclave Kaleb cachait le prince Sant'Anna ?

Le vicomte de Jolival tortilla la mince moustache noire et raide qui, jointe à ses grandes oreilles, lui conférait une ressemblance assez étonnante avec une souris, hocha la tête et soupira :

— Eh bien, pas tellement ! Je crois même que je n'ai pas été surpris du tout. Il y avait, autour de ce Kaleb, trop de détails anormaux, trop d'étrangetés pour que ce personnage d'esclave en fuite ne cachât pas une personnalité beaucoup plus distinguée, que nous ne le pensions. Je crois, d'ailleurs, vous avoir fait part de mes soupçons à son sujet. Évidemment, je n'allais pas jusqu'à imaginer qu'il ne pût faire qu'un avec le mystérieux époux que l'on vous avait donné, mais cette identité expliquait bien des choses. Tellement même qu'en me trouvant en face de lui j'ai surtout éprouvé le sentiment de satisfaction d'un homme qui voit se résoudre une énigme irritante. En revanche, ajouta-t-il avec un demi-sourire, j'aimerais bien connaître vos impressions à vous. Qu'avez-vous ressenti, Marianne, en face de ce sombre époux.

— Honnêtement, je n'en sais rien, Arcadius. De la surprise, bien sûr, mais au fond une surprise moins désagréable que je ne le craignais. Et même, je vous avoue que je n'ai pas tellement compris ces précautions, ce mystère dont il s'enveloppe...

— Je sais ! Vous le lui avez dit. Vous ne comprenez pas parce que vous êtes femme... et parce que cet homme est, malgré la couleur de sa peau, ou peut-être à cause d'elle, d'une exceptionnelle beauté. Le sang noir a renforcé, je dirais presque revirilisé, une race, sinon affaiblie, tout au moins parvenue à cet extrême degré de raffinement qui annonce la décadence. Mais croyez-moi si je vous dis qu'il n'y a pas, au monde, un seul gentilhomme et même un seul homme tout court qui ne le comprenne, ou qui ne comprenne la réaction dramatique de son père en face d'un bébé à la peau noire ! Posez, si vous en avez un jour l'occasion, la question à notre ami Beaufort...

— Jason est d'un pays où l'on réduit les Noirs à l'esclavage, où ils sont traités comme des bêtes de somme...

— Pas partout ! Ne généralisez pas. D'autant plus que les Beaufort n'ont jamais fait partie, autant que je puisse le savoir, de la catégorie des maîtres-bourreaux. J'admets cependant que son éducation puisse influencer sa réponse. Mais, adressez-vous à n'importe quel passant... ou même à moi...

— Vous, mon ami ?

— Mais oui, moi ! J'ai toujours détesté mon épouse légitime, mais s'il m'avait pris fantaisie de lui faire un enfant et qu'elle m'eût servi un moutard couleur de suie, d'autant qu'à son arrivée le prince devait être plus noir encore qu'il ne l'est actuellement, je crois bien,

foi de Jolival, que j'aurais moi aussi étranglé Septimanie... et soigneusement caché un fruit aussi exotique.

— On peut avoir la peau sombre et se faire respec-
ter. Othello était un Maure et Venise le portait au
pinacle.

Cette fois Jolival se mit à rire, fourra deux doigts
dans la poche de son gilet damassé, y pêcha une pincée
de tabac et l'approcha de ses narines avec volupté.

— L'ennui avec vous, Marianne, c'est qu'en votre
enfance vous avez trop lu Shakespeare... et trop de
romans ! Othello, en admettant qu'il soit un personnage réel, était une espèce de génie de la guerre et les
grands hommes peuvent se permettre bien des extrava-
gances. Mais croyez-vous que si Napoléon était né
avec la peau de bronze de votre bel époux, il serait
actuellement sur le trône de France ? Non, n'est-il pas
vrai ? Et, pour en revenir au prince, je crois que sa
claustration volontaire, cette vie séquestrée qu'il s'imposait sont autant de preuves d'amour envers sa mère.
C'est pour elle, pour sa réputation qu'il a accepté ce
calvaire et qu'il s'est condamné à ne jamais aimer...
J'ai le plus grand respect pour cet homme, Marianne,
et aussi pour ce désir poignant de continuer sa lignée
en sacrifiant ses plus légitimes aspirations et jusqu'aux
besoins normaux de son cœur et de sa nature.

A mesure que le vicomte parlait, sa voix se chargeait
d'une gravité, d'une profondeur qui allèrent chercher
un écho jusqu'au fond du cœur de Marianne.

— Vous me donnez tort, n'est-ce pas ? J'aurais dû,
selon vous, accepter de lui donner cet enfant ?

— Je n'ai ni à vous approuver, ni à vous improuver,
ma chère petite. Et pas davantage le droit de vous
juger. Vous êtes pleinement maîtresse de vous-même,
de votre destin et de votre personne car, ce droit-là,
vous l'avez acquis chèrement.

Elle le regarda intensément, sans pouvoir déceler
dans ce visage amical la moindre trace de reproche ou

de déception, mais elle devina que, s'il l'avait moins aimée, son vieil ami l'eût peut-être jugée sévèrement.

— Je peux bien vous l'avouer à vous, Jolival : j'ai honte de moi. Cet homme ne m'a jamais fait que du bien. Il a tout risqué pour moi, pour me défendre... et cette protection s'est étendue jusqu'à Jason, dont cependant il n'avait pas tellement à se louer. Cela ne lui fait certainement aucun plaisir que le père de l'enfant soit ce misérable Damiani et cependant, cet enfant, il le désire comme la plus grande bénédiction que le Ciel puisse lui offrir. Cela aussi, j'ai peine à le comprendre.

— Il ne vous vient pas à l'idée qu'il puisse faire table rase de ce Damiani et qu'il ne voie dans l'enfant à venir que votre fils, à vous, Marianne ?

La jeune femme haussa légèrement les épaules.

— Cela supposerait des sentiments beaucoup plus intenses que je ne pourrais croire. Non, Jolival, le prince ne voit dans cet enfant qu'un Sant'Anna, un peu dévié, mais un Sant'Anna tout de même.

— Que vous importe, au fond, les intentions qui animent le prince Corrado puisque vous refusez. Car... vous refusez toujours, n'est-ce pas ?

Marianne ne répondit pas. Elle s'éloigna de quelques pas comme si elle cherchait à disparaître dans l'ombre, dense maintenant, du jardin, mais c'était pour mieux échapper à toute influence autre que ses voix intérieures. En elle, un combat s'achevait et elle voulait seulement se donner le temps de l'admettre. Elle savait déjà qu'elle était vaincue, mais n'en éprouvait aucune amertume. C'était même une délivrance, une espèce de joie et d'orgueil, car ce qu'elle allait donner aucune autre qu'elle ne le pourrait. Et puis, la joie qu'en ressentirait l'homme qui s'était réprouvé lui-même serait tissée, magnifiée en quelque sorte par ses répugnances vaincues et par l'épreuve physique qu'elle affronterait pour lui. Ce serait peut-être un moyen de conjurer le sort et de poser la première pierre d'un bonheur impossible à concevoir tant qu'il serait fait de la douleur d'un autre.

Le cri d'un oiseau de mer éclata, non loin de là. C'était une mouette sans doute, semblable à toutes celles dont le vol planant tournoyait si souvent autour des huniers de la *Sorcière*. Elle faisait entendre l'appel de l'océan, des grands espaces libres au bout desquels se couchait le soleil de l'Europe et se levaient d'autres soleils inconnus. Il fallait mériter tout cela...

Marianne tourna les talons. Près du banc de pierre, la silhouette noire de Jolival était demeurée à la même place, immobile, attendant quelque chose. Elle revint lentement et, quand elle fut tout près, elle dit, très doucement :

— Vous savez sans doute où habite le prince Sant'Anna, Jolival ?

Il fit oui de la tête et, dans l'ombre, elle vit briller ses yeux.

— Voulez-vous lui faire dire que j'accepte ? Je lui donnerai l'enfant qu'il désire tant...

DEUXIÈME PARTIE

SEBASTIANO

CHAPITRE IV

LA NIÈCE DE PITT

Traînée par quatre caïques chargés de rameurs dont les oripeaux, joyeusement bariolés, mettaient une note chaude dans ce froid matin où l'hiver s'annonçait, la *Sorcière des Mers* quitta les bassins de radoub de Kassim Pacha, doubla les tours de l'Arsenal et, coupant la Corne d'Or, s'avança majestueusement vers l'échelle du Phanar pour venir s'embosser à l'emplacement qui lui avait été réservé.

Dirigés par un sévère maître d'œuvre écossais, les charpentiers turcs avaient fait du bon travail et le navire, ses voiles neuves sagement ferlées, ses cuivres bien astiqués, ses acajous luisants comme du satin, brillait comme un jouet neuf sous les rayons diffus d'un soleil rond dont le disque blanc semblait voyager dans le ciel derrière les épaisseurs fuligineuses d'un léger brouillard. Et Marianne, debout sur le quai au côté de Jolival, regardait avec une joie orgueilleuse le navire ressuscité de Jason venir à elle.

Les rameurs tiraient bien et, dans quelques instants, le grand quart de lieue qui séparait Kassim Pacha du Phanar serait franchi. Le brick américain, dont le drapeau avait été remplacé, par ordre de la Validé et pour éviter de regrettables complications diplomatiques, par un pavillon aux armes des Sant'Anna, viendrait se joindre à la forêt de mâts qui bordait le quai et s'incrusterait entre deux gros bateaux grecs, des polacres pansues dont le voisinage accuserait sa finesse de grand coureur des mers, pour y attendre sagement que son maître légitime vînt en reprendre possession avec autant de discrétion qu'il serait possible.

La situation politique, en effet, se détériorait rapidement entre l'Angleterre et les jeunes États-Unis d'Amérique. Le conflit, qui allait porter dans l'Histoire le nom de la Seconde Guerre d'Indépendance, était dans l'air et Nakhshidil, connaissant l'intransigeante vigilance de l'ambassadeur anglais, sir Strafford Canning, se souciait peu de voir mettre sur le navire qu'elle avait offert à sa cousine, un embargo impossible à refuser.

La manœuvre, assez compliquée, pour amener le flanc du brick à quai s'accomplissait au milieu d'un concert de cris et d'encouragements. Une véritable foule entourait Marianne et son compagnon, attirée par la présence insolite de ce navire occidental au milieu des bateaux grecs ou turcs, le rivage stambouliote étant réservé à ces derniers, tandis que les vaisseaux européens n'avaient droit d'accoster qu'en face, aux échelles de Galata.

C'était une foule bruyante et colorée, faite de matelots et de tous les petits marchands ambulants qui encombraient journellement le quai du quartier grec : vendeurs de fruits, de pâtisseries dégoulinantes de miel, frituriers avec leurs chaudrons noirs, marchands d'anisette et de rosolio, cette liqueur de roses dont raffolaient les autochtones, confiseurs de plein vent et rôtisseurs ambulants mêlés à la population bizarre et disparate qui, de jour comme de nuit, envahissait les nombreux cabarets du port. L'air matinal s'emplissait d'une bonne odeur de mouton rôti et de caramel et Marianne sentit qu'une fois de plus elle avait faim...

Il y avait bientôt deux mois qu'elle avait accepté de remplir, envers son époux, ce qu'elle en était venue à considérer comme son devoir. Et, depuis ce jour, comme si le Ciel n'avait attendu que cette marque de bonne volonté pour lui accorder sa rémission, les malaises si pénibles qui l'avaient torturée depuis le début de sa grossesse avaient totalement disparu. Par contre, elle s'était mise à dévorer avec un appétit qui n'allait pas sans l'inquiéter sur ce que pourrait devenir son tour de taille après la naissance de l'enfant.

— Je ne pourrai plus entrer dans aucune de mes robes, gémissait-elle presque chaque matin après sa toilette.

Et elle ne manquait pas d'ajouter, d'un ton tragique :

— Je vais sûrement ressembler à la Visconti, faisant ainsi allusion à l'importante maîtresse du maréchal Berthier, célèbre pour les gaines étranges qu'elle se faisait confectionner dans le but de contenir ses exubérances de chair.

Le bon Jolival l'assurait alors qu'elle n'avait jamais eu aussi bonne mine, que sa vie douillette lui avait donné un teint de camélia, ce qui était vrai, et que, de toute façon, les hommes dignes de ce nom préféraient de beaucoup des chairs moelleuses, voire un peu rembourrées, aux assemblages d'ossements que réclamait trop souvent la mode.

— Et puis, ajoutait-il, si nous partons enfin pour l'Amérique, vous aurez plusieurs semaines au régime de mer pour redevenir aussi svelte qu'un chat maigre si cela vous chante.

Marianne alors souriait, soupirait et, abandonnant les créations du couturier Leroy, se rabattait sur les modes locales, beaucoup moins cintrées et beaucoup plus confortables à porter pour une future mère...

Pour l'heure présente, le vicomte-homme de lettres, une lorgnette vissée à l'œil, suivait avec attention les évolutions du navire que l'époux d'Agathe, le Reis Achmet, à qui la Validé avait acheté le bateau, avait accepté de sortir du bassin du radoub et d'amener à son mouillage.

— Les Turcs sont d'excellents marins, commenta

Jolival. Quel dommage qu'ils ne se décident pas à quitter le Moyen Age et à construire des bateaux modernes, des bateaux qui n'aient pas l'air d'avoir combattu à Lépante ! Dieu me pardonne si ce n'est pas encore une galère que j'aperçois là-bas !

— Les Français ont désarmé leur dernière galère il n'y a pas un siècle. Ne soyez pas si pointilleux, Jolival. Et puis c'est une question de temps. Le sultan Mahmoud, si Allah lui prête vie, est fermement décidé à promouvoir des réformes profondes et à ouvrir son empire au progrès. Mais tant qu'il n'aura pas définitivement maté les janissaires et réduit au silence définitif leurs damnés chaudrons de cuisine, rien ne sera possible. Sa Hautesse, ainsi que sa mère, guettent l'instant propice et cultivent, en attendant, la vertu de patience, mais c'est là leur souci majeur...

Depuis qu'elle était l'hôte de la princesse Morousi, Marianne avait rendu plusieurs visites à son impériale cousine et une amitié se développait entre les deux femmes, amitié à laquelle se joignait celle, bruyante et tumultueuse, de Bulut Hanoum qui n'avait encore rien compris à ce qui s'était passé chez Rébecca mais qui, en sujette dévouée, s'était inclinée sans poser une seule question puisque sa maîtresse était d'accord... Cela valait à Marianne d'utiles informations dont elle faisait généreusement bénéficier le pauvre Latour-Maubourg de plus en plus dépassé par les événements car, naturellement et ainsi que Marianne l'avait pensé, aucune réponse n'était venue donner le sentiment de l'Empereur sur la suite de la guerre russo-turque.

La *Sorcière* était à quai, maintenant, et le dominait de sa muraille de bois, semblable, au milieu de ses voisins plus courtauds, à quelque épervier des mers parmi une assemblée de poules. Elle était si pimpante et si nette que les yeux de Marianne s'emplirent de larmes et qu'elle en oublia sa fringale.

Le ciel était à l'optimisme, ce matin... Quand Jason reviendrait, il serait si heureux de retrouver son cher navire remis à neuf que les nuages amassés entre lui et Marianne s'effaceraient certainement d'eux-mêmes. Un peu de calme explication et tout rentrerait dans l'ordre, le mauvais rêve s'envolerait... Le prince aurait l'héritier tant désiré et son épouse d'un moment, redevenue Marianne d'Asselnat par la grâce des légistes impériaux, serait désormais libre d'unir sa vie à celle de l'homme qu'elle aimait toujours autant...

Évidemment, il y avait bien, quelque part au monde, une créature qui portait légalement le nom de Beaufort, mais Marianne l'écartait systématiquement de son esprit, comme de son souvenir. Pilar avait choisi l'Espagne, le pays d'origine de ses ancêtres dont elle avait la sombre violence et la piété austère et sans doute avait-elle enfoui au fond de quelque couvent ses passions impitoyables. Elle ne représentait plus une gêne. Mais quand donc Jason reviendrait-il ?

Au cours de l'une des visites, courtoises et protocolaires, que « Turhan Bey » rendait à la princesse Morousi, Marianne s'était risquée, quelques jours plus tôt, à lui parler timidement de ce retour en marquant un peu d'étonnement qu'il se fît tellement attendre. Cela n'avait pas été sans un battement de cœur un peu plus rapide, tant elle craignait de blesser le prince, mais la question n'avait pas paru le choquer autrement. De ses yeux d'azur sombre, immuablement calmes, il avait regardé la jeune femme avec cette expression impénétrable qui la mettait toujours un peu mal à l'aise et il avait répondu gravement :

— Il n'y a là rien d'étonnant. Ses blessures étaient graves car Leighton l'avait laissé pour mort dans la barque à la dérive où il a été retrouvé. En outre, il le tenait, depuis Corfou, sous l'empire d'une drogue dangereuse que l'on a pensé être de l'ergot de seigle et qui n'arrangeait rien. Néanmoins, le médecin personnel du pacha de Morée qui le soigne m'a répondu de sa vie mais non sans laisser entendre que la convalescence serait longue. Soyez cependant certaine qu'il est bien soigné.

— Le médecin du pacha de Morée ? avait remarqué alors Marianne. Comment se fait-il dans ce cas qu'il soit hébergé par des pêcheurs ?

— Parce que c'est infiniment meilleur pour lui. Hassani Hadj[1] est un homme de Dieu et mon ami. C'est à ce titre et secrètement qu'il soigne le capitaine Beaufort. Aux mains de Vali Pacha, l'Américain ne s'en tirerait pas sans une solide rançon. Souvenez-vous que Vali et son père, le pacha de Janina, comme d'ailleurs celui d'Égypte, Méhémet Ali, ont pris depuis quelque temps leurs distances vis-à-vis de la Porte et se conduisent actuellement en seigneurs indépendants... ce dont, d'ailleurs, ils pourraient bien se repentir quelque jour. Mais, pour en revenir à Jason Beaufort, six mois de convalescence me paraissent un minimum convenable...

Six mois ! Marianne avait alors fait mentalement le calcul. Si l'on partait du fait que Jason avait été recueilli dans les tout premiers jours du mois d'août, cela ne le faisait pas apparaître à Constantinople avant le plein cœur de l'hiver et peut-être même le printemps, suivant le temps qu'il lui faudrait pour rejoindre le Bosphore. Cela représentait encore une longue attente, puisque le mois d'octobre bien que très avancé, n'était pas encore terminé, mais, d'autre part, une voix secrète soufflait alors à Marianne que les choses n'en iraient peut-être que mieux, puisque la naissance de l'enfant était prévue pour la fin de février.

Cela lui permettrait de se montrer à lui sous un jour normal, tandis qu'elle redoutait très fort de se retrouver en face de Jason avec les joues bien nourries qu'elle arborait depuis un moment et l'aspect peu engageant d'une barrique...

---

1. Hadj signifie qu'il s'agit d'un croyant ayant accompli le pèlerinage de La Mecque.

— Vous êtes vraiment d'une grande imprudence, Madame, déclara tout à coup une voix grondeuse qui fit sursauter Marianne. Il fait froid et humide sur ce port et voilà trois bons quarts d'heure que vous y êtes, debout et au milieu d'une foule, en danger d'être bousculée. Je vous avais pourtant bien recommandé de vous ménager.

Arrachée à sa songerie, la jeune femme s'aperçut que Jolival n'était plus auprès d'elle. Il avait rejoint Achmet sur la dunette du navire. En revanche, un homme de taille moyenne, blond avec de jolis favoris frisés et une élégance toute britannique se tenait à sa place et la regardait d'un air mécontent. Elle lui sourit gentiment et lui tendit la main.

— Me feriez-vous l'honneur de me surveiller, mon cher docteur ? En ce cas, vous faites preuve d'une grande patience si vous avez réussi à rester trois quarts d'heure sans venir me faire des reproches...

— Je ne vous surveillais pas, princesse, mais depuis tout ce temps, nous sommes là-bas, Lady Hester et moi, à parlementer avec une armée de capitaines de bateaux grecs, tous plus bavards et plus filous les uns que les autres et j'espérais toujours que nous allions en finir pour que je puisse vous faire rentrer à la maison, mais ces gens-là connaissent l'art des palabres autant et mieux qu'une tribu guinéenne ! Quant à Lady Hester, elle en remontrerait à un roi nègre ! J'ai fini par perdre patience, mais elle y est encore. Voyez-la, dans un de ces costumes aberrants qu'elle adore, debout sur cette planche avec ce grand diable en bonnet rouge, crasseux comme il n'est pas permis ! Ma parole, je jurerais qu'elle prend plaisir à ce genre de discussion. Si ses amis de Londres pouvaient la voir...

Marianne se mit à rire de bon cœur. Ce n'était pas l'une des moindres étrangetés de sa situation que son médecin actuel fût un Anglais bon teint et que ce médecin, le docteur Charles Meryon, fût devenu un ami. Mais, au lendemain de son installation dans le palais du Phanar, elle s'était trouvée tout naturellement mêlée à la vie de son hôtesse et elle avait découvert que cette vie était très cosmopolite.

La politique, en effet, n'intéressait guère la princesse Morousi qui trouvait normal de recevoir pêle-mêle des gens qui, sur un autre terrain que son salon, se fussent au moins tourné le dos. Elle n'avait pas plus de préjugés raciaux que d'opinions concernant le bien-fondé de telle ou telle guerre ou de telle ou telle querelle privée. Ses amis étaient grecs, turcs, albanais, russes, valaques, français ou anglais, peu lui importait ! Tout ce qu'elle leur demandait, c'était de lui plaire et, surtout, de ne se montrer jamais ennuyeux. Moyennant quoi elle leur dispensait une hospitalité fastueuse et une amitié qui ne se reprenait à aucun prix, mais qui, déçue, ne pardonnait pas.

Et Marianne, amie personnelle et ambassadrice occulte de Napoléon, s'était retrouvée, grâce à elle, pratiquement dans les bras de la nièce du grand Pitt, de l'homme qui avait été le mortel ennemi de la France en général et de Napoléon en particulier, autrement dit de Lady Hester Stanhope à laquelle l'avait aussitôt liée une sympathie aussi spontanée qu'immédiate, dont elle n'avait même pas cherché à se défendre.

Lady Hester était sans doute l'un des personnages les plus curieux et les moins conformistes que l'Angleterre eût jamais produits. La mort de son oncle, dont elle avait été le soutien, la collaboratrice et l'Égérie pendant plusieurs années, puis celle de son fiancé, le général John Moore, tué en Espagne dans la dure bataille de La Corogne, auraient dû normalement l'abattre et la réduire à l'ombre discrète d'une espèce de veuve doublée d'une orpheline. Mais, après avoir régné sur la politique et sur la gentry, Lady Hester, à trente-quatre ans, s'était refusée à la vie étroite, étouffante d'une vieille fille au fond d'un comté anglais.

Elle avait choisi l'aventure et, un an et demi plus tôt, le 18 février 1810 exactement, elle avait secoué de ses souliers la poussière du pays natal. Sans grand esprit de retour, elle s'était embarquée à Portsmouth pour les pays d'Orient dont la magie, depuis toujours, agissait sur son imagination passionnée. Mais elle ne partait pas seule : avec elle s'embarquaient sur la frégate *Jason* cette vieille connaissance de Marianne, toute une suite, comme il convient à une reine en exil.

Après un voyage de plusieurs mois, on avait enfin atteint Constantinople et la voyageuse, gagnée par le charme de la ville, y résidait depuis un an, recevant la meilleure société et reçue par elle, y compris par le Sultan, menant grand train, grâce aux abondants subsides que le père de Michael Bruce son ami de cœur faisait parvenir à son fils, car Lady Hester, malgré ses goûts fastueux, n'avait guère de fortune... et entretenait une fureur latente au cœur de l'ambassadeur anglais.

Canning, en effet, n'avait pas tardé à considérer Lady Hester comme la onzième plaie d'Égypte et, de son côté, l'altière voyageuse n'avait guère caché au beau diplomate qu'elle le classait, sans espoir de retour, dans la catégorie déprimante des empêcheurs de danser en rond.

En revanche, elle avait cherché par tous les moyens, depuis son arrivée, à se faire présenter l'ambassadeur de France. Elle désirait vivement, en effet, visiter la France après son périple oriental (d'autant plus vivement d'ailleurs que la chose était interdite aux Anglais !) et constater par elle-même les résultats d'un gouvernement impérial sur un pays sortant tout juste d'une révolution, dont le principal but avait été la suppression de la monarchie. Et, pensant que nul mieux que l'ambassadeur français ne pourrait lui ouvrir les portes de cette curieuse contrée, Lady Hester faisait des pieds et des mains depuis des mois pour rencontrer Latour-Maubourg qui, ne sachant plus que faire pour lui échapper, avait définitivement choisi la séquestration. Il demeurait terré dans son ancien couvent et en sortait le moins possible.

Sa situation, en effet, était déjà suffisamment épineuse et embrouillée sans qu'il allât se mêler de la compliquer davantage et de se créer des ennuis supplémentaires du côté de Napoléon en demandant un passeport pour la nièce de feu Lord Chatham. La seule évocation du froncement de sourcil impérial devant une demande aussi intempestive lui donnait la chair de poule.

Pour l'heure présente, la bête noire de l'ambassadeur réunissait autour de sa personne presque autant de monde que le brick américain avec lequel, d'ailleurs, elle offrait un certain air de ressemblance. Très grande, même pour une Anglaise, elle portait un étrange costume mi-masculin mi-féminin, habillant d'une espèce de feredjé noir, fastueusement soutaché d'or, une silhouette qui eût fait honneur à une matrone romaine. Mais, au lieu de s'envelopper complètement de ce vêtement, elle en portait le capuchon négligemment rejeté sur les épaules et dressait au-dessus une tête altière au profil de médaille, au nez arrogant, aux lèvres rouges et sensuelles, drapée d'un volumineux turban de mousseline blanche.

Ayant ainsi emprunté, au masculin et au féminin, ce qui lui convenait le mieux, elle tenait tête à un marin grec beaucoup plus petit mais beaucoup plus nerveux qu'elle, sur la tête hirsute duquel Lady Hester, avec un demi-sourire indulgent, laissait tomber de temps en temps quelques paroles, calmes cependant, mais qui semblaient mettre le bonhomme en transes.

Marianne et le docteur Meryon, qui observaient la scène avec amusement, virent tour à tour le marin grec se signer frénétiquement trois ou quatre fois, prendre le ciel à témoin à grand renfort d'yeux suppliants et de bras tendus, arracher son bonnet, le jeter à terre, le piétiner puis le ramasser et le replacer, tel quel, c'est-à-dire agrémenté d'un supplément de poussière, sur sa tête. Finalement, il parut retrouver sa sérénité, tendit une main noire dans laquelle brilla soudain quelque chose qui était incontestablement une pièce d'or.

— Miséricorde ! gémit Meryon. Elle a traité avec ce pirate...

— Traité de quoi ? Et que veulent dire ces palabres, cette pièce d'or ? demanda Marianne.

— Que nous allons partir, Madame, et pour le bout du monde ! Lady Hester renonce à son désir d'un voyage en France, mais refuse de passer aussi un second hiver à Constantinople. Elle dit qu'elle a eu trop froid, l'an passé, et elle a décidé de se rendre en Égypte. Et par n'importe quel moyen comme vous pouvez voir. Comme elle n'a réussi à trouver aucun navire de bon chrétien pour l'y conduire, elle s'adresse à ces espèces de pirates, à ces gens sans foi ni loi...

— Hé là ! docteur, comme vous y allez. Les Grecs sont aussi bons chrétiens que vous et moi. Différents, peut-être, mais c'est tout.

— Peu m'importe ce qu'ils sont. La vérité est que me voilà condamné à souffrir mille morts, en plein hiver, sur une affreuse et inconfortable polacre. J'aimerais encore mieux un chebec turc.

— C'est pour le coup que vous seriez sur un navire infidèle, mon cher docteur, remarqua Marianne qui, amusée par le ton tragique de son interlocuteur, cacha son sourire dans le haut col de martre qui réchauffait sa grande cape de drap couleur de mousse.

Cependant, elle s'écria aussitôt :

— Mais, dites-moi, cher ami, si vous partez, je vais me trouver abandonnée ? Que vais-je devenir sans vos soins ?

— Voilà exactement ce que j'essaie de faire comprendre à Lady Hester ! J'ai ici toute une clientèle d'amis, fort agréable, qui, outre le besoin qu'elle a de moi, me tient fort à cœur. Il est de mon devoir de rester jusqu'à votre délivrance. Et puis, je ne sais comment les nobles dames turques vont prendre ce départ brusqué ! Je songe surtout à l'épouse du Kapoudan Pacha...

Marianne aussi y songeait et elle cacha de nouveau son sourire car les soins que le docteur Meryon rendait à l'épouse du chef de la marine ottomane passaient pour déborder un peu ceux qu'exige la simple sollicitude médicale. D'autres dames aussi faisaient pleine confiance au jeune médecin anglais et il ne cachait pas le plaisir qu'il trouvait dans leur compagnie soyeuse et douce d'oiseaux chanteurs.

— Et que vous a répondu Lady Hester ?

Meryon haussa les épaules :

— Rien... ou si peu que rien. Elle refuse de m'entendre car elle veut aller en Égypte et y aller tout de suite.

— Quoi ? Comment cela ? Je croyais qu'elle tenait tellement à rencontrer M. de Latour-Maubourg ! Est-ce qu'elle y renoncerait ? Je ne la pensais pas femme à cela.

Le docteur toussota et jeta autour de lui quelques regards circonspects :

— Justement ! chuchota-t-il. Elle l'a vu...

— Elle l'a vu ? En voilà une nouvelle ! Mais où ? Mais quand ? Dites vite ! Je meurs d'impatience.

— La semaine dernière, à Bebek... Ils se sont rencontrés sur le bord du Bosphore, non loin de notre résidence, dans un yali[1] qui appartient à une amie. Votre ambassadeur avait accepté de s'y rendre discrètement, parce que Lady Hester l'avait fait menacer de se rendre en plein jour au palais de France et de tirer sa sonnette jusqu'à ce qu'il lui ouvre... Mais, chut ! La voici...

Lady Stanhope, en effet, approchait à grands pas de cette démarche décidée qui faisait dire à Lady Plymouth qu'il était grand dommage que l'on n'acceptât pas les femmes chez les Grenadier Guards. En un instant, elle les eut rejoint et, en manière de plaisanterie, elle s'inclina légèrement en portant sa main successivement à sa poitrine, sa bouche et son front :

1. Palais.

— Salam Aleikum ! fit-elle. Si j'en juge sa mine, ce cher Charles est en train d'emplir votre cœur compatissant de toute l'amertume dont déborde le sien, ma chère Marianne ! Et, bien sûr, vous le plaignez ?

— Je ne le plains pas, Hester, je me plains. Il me dit que vous allez me priver de mon médecin et d'une amie chère. J'ai grande envie de faire chorus avec lui.

Lady Hester se mit à rire.

— Vous autres, Français, êtes passés maîtres dans l'art de dire des choses charmantes en ayant l'air d'en dire de désagréables... et vice versa ! Mais j'espère que vous ne vous laissez pas prendre à sa dramatique évocation de toutes les pauvres créatures, à l'article de la mort, que son départ va jeter dans les pires extrémités ? La vérité est qu'il ne soigne que des femmes admirablement bien portantes, mais qu'il regrettera les beaux yeux de Mme Nénuphar, de Mme Tulipe et de Mme Étoile... sans parler des vôtres, ma belle amie, avec tout le respect qui leur est dû...

Soudain, elle changea de ton, quitta le mode badin et gravement :

— L'autre vérité, la mienne, est qu'il faut que je parte, fit-elle plus bas. Meryon vous a-t-il parlé de mon entrevue avec Latour-Maubourg ?

— Il m'en parlait justement...

— Mais il n'a pas eu le temps de tout dire parce que je suis arrivée... L'entrevue a été agréable, mais n'a rien donné. L'ambassadeur m'a fait comprendre qu'il était impossible pour moi d'aller chez Bonaparte. D'ailleurs, je le savais depuis longtemps, mais cela m'amusait de terroriser cet excellent homme...

Elle s'interrompit, regarda autour d'elle, fronça les sourcils en constatant que deux cavas [1] se rapprochaient en tendant une oreille si visible qu'elle avait l'air de traîner par terre et, prenant le bras de Marianne :

1. Gendarmes turcs.

— Ne pourrions-nous aller bavarder ailleurs ? Il faut que je vous parle seule à seule...

— Voulez-vous que nous rentrions au palais Morousi ? La princesse s'est rendue dans sa maison d'Arnavut Koy et nous serons tranquilles.

— Je ne suis jamais tranquille dans une maison grecque. Il y a toujours foule derrière toutes les portes et à toutes les serrures.

— Alors, venez !... Je ne vois qu'un endroit possible.

— Lequel ?

— Celui-ci, fit Marianne, entraînant son amie vers la *Sorcière*. Personne ne viendra nous déranger...

« Et, après tout, ajouta-t-elle intérieurement, il est normal que je visite "mon" navire ».

Elle éprouvait un vif plaisir à employer ce possessif. Pourtant, elle ne pensait pas, en arrivant au port ce matin, franchir la lisse du bateau. Dans son esprit, le vaisseau de Jason devait attendre, inviolé, le retour de son maître et c'était Jason qui, en faisant résonner le pont sous ses bottes de mer, lui donnerait une sorte de nouveau baptême. Mais peut-être n'était-ce au fond qu'un enfantillage et, après tout, la *Sorcière* payée grâce à la fortune des Selton, rachetée par Nakhshidil, appartenait à Marianne presque autant qu'à Jason. Et maintenant, un grand désir lui venait de se retrouver sur ce pont où elle avait vécu tant d'heures au visage divers...

Laissant le docteur Meryon, très mécontent, arpenter le quai, les deux femmes montèrent donc à bord et, adressant un signe amical à Jolival qui bavardait sur la dunette avec Achmet, elles gagnèrent le roof où l'ancienne cabine de Marianne avait été soigneusement restaurée.

— Voilà ! soupira la jeune femme en faisant asseoir son amie auprès d'elle sur la couchette. Je crois que nous ne pouvons trouver mieux ! Ici, personne ne nous entendra. Vous pouvez parler sans crainte.

Mais Lady Hester ne répondit pas tout de suite. Elle regardait autour d'elle avec une curiosité et un intérêt qu'elle ne cherchait même pas à dissimuler.

— Est-ce que ce navire vous appartient ? fit-elle enfin... J'ai vu les armes de votre famille sur le pavillon... J'ignorais que vous fussiez armateurs...

Marianne se mit à rire.

— Ma famille est des plus réduite, chère amie, et personne n'y exerce le beau métier d'armateur, moi encore moins que quiconque. Ce navire, en fait, appartient à un ami... très cher, mais il avait été capturé par les Turcs. Sa Hautesse la Sultane Validé, qui est, vous le savez, ma cousine, l'a racheté et m'en a fait présent. Le pavillon est une grâce de plus, mais je ne me considère pas vraiment comme la propriétaire. Disons que je suis, momentanément, dépositaire de la *Sorcière*...

— Qui en est le capitaine ?

— Ne me le demandez pas. Je ne peux pas vous le dire, fit-elle avec une fermeté qu'elle corrigea aussitôt d'un sourire et en ajoutant : Permettez que je mette une espèce de superstition à ne pas prononcer son nom jusqu'à ce qu'il revienne...

— Et ce sera quand ?

— Je l'ignore. Peut-être demain, peut-être dans une heure... ou peut-être dans six mois. Il vient d'être gravement malade et se remet lentement, assez loin d'ici. Mais laissons cela et parlons de vous.

Décidément, Hester Stanhope n'avait plus aussi grande envie de parler car, à nouveau, elle garda le silence. Elle semblait avoir complètement oublié ces choses importantes qu'elle souhaitait dire seulement dans le plus grand secret. Depuis qu'elle avait mis, sur le pont du vaisseau, son grand pied à la courbure aristocratique, son œil gris s'était allumé et ses narines palpitantes avaient l'air de se dilater.

« Elle ressemble à un chien de chasse qui flaire le gibier... », songea Marianne. Aussi ce qui suivit ne l'étonna guère qu'à moitié.

Lady Hester prit une profonde respiration et regarda sa voisine avec sévérité :

— Voulez-vous dire que ce brick, fait pour courir les mers, va demeurer enlisé dans ce port, inutile et désert, sans hisser une seule voile en attendant l'arrivée problématique d'un skipper dont vous ignorez où il se trouve et quand il viendra ?

— En effet. C'est exactement ce que j'ai voulu dire.

— Permettez-moi de vous faire remarquer que c'est ridicule. Et dangereux. Vous feriez beaucoup mieux d'engager sur l'heure un capitaine expérimenté, de lui dire de rassembler le meilleur équipage qu'il pourra trouver et de lui donner au plus tôt l'ordre de mettre à la voile.

— Mettre à la voile ? Mais je n'en ai pas la moindre envie. Et pour aller où ?

— En Égypte. Avec moi. J'ai besoin d'un navire car il faut que je m'en aille très bientôt. Faute de mieux, je me résignais à m'embarquer sur une misérable polacre, mais ce brick est un don du ciel.

Cette fois, Marianne fronça les sourcils. Elle connaissait la passion des Anglais pour les bateaux, mais elle trouvait que, cette fois, Lady Stanhope exagérait.

— Inutile d'y compter, Hester. Je suis désolée de vous refuser mais, outre que mon état m'interdit de prendre la mer, je vous répète que ce bateau n'est pas vraiment à moi ; il ne partira pas sans son maître.

Elle avait employé un ton fort sec et pensait que l'Anglaise allait s'en formaliser, mais il n'en fut rien. La voix de Lady Hester ne contenait pas la plus petite trace de mécontentement en déclarant paisiblement :

— J'ai dit que je devais partir, chère amie... mais vous aussi feriez mieux de quitter Constantinople, si vous voulez éviter de graves ennuis.

Cette fois, Marianne ouvrit de grands yeux et regarda son amie comme si elle perdait la raison. Mais aucune trace de démence ne se lisait sur le beau visage impérieux. Simplement une solide détermination et une certaine inquiétude.

— Voulez-vous répéter cela ? demanda Marianne. Je ferais mieux de partir ? Et pour quelle raison, s'il vous plaît ?

— Je vais vous la dire... Le cher Charles vous a raconté, j'imagine, l'entrevue que j'ai eue avec votre ambassadeur ?

— En effet, mais je ne vois pas...

— Vous allez voir...

Passant rapidement sur les détails d'un entretien qui, se soldant par un échec, n'avait plus pour elle qu'un intérêt secondaire, Lady Stanhope en vint à ce qui avait suivi son équipée romantique dans un yali désert : autrement dit la convocation qu'elle avait reçue, dès le lendemain, d'avoir à se rendre à l'ambassade d'Angleterre où Canning souhaitait sa visite.

Un peu inquiète de ce désir trop soudain, elle s'était rendue sans tarder à l'invitation, et Canning ne l'avait pas laissée longtemps dans l'expectative :

— Lady Hester, où avez-vous passé la journée d'hier ? lui demanda-t-il à peine eut-elle franchi le seuil de son cabinet.

Mais elle n'était pas femme à se laisser malmener sans se défendre et la réponse avait valu, en arrogance, la question :

— Vos espions ne vous ont donc pas renseigné ?

Commencé de la sorte, le dialogue n'allait pas tarder à s'envenimer. L'ambassadeur fit entendre à sa turbulente ressortissante sa lassitude de la voir entretenir des relations suivies avec l'entourage du chargé d'affaires français. L'entrevue clandestine de la veille faisait, selon lui, déborder le vase et la nièce de Pitt devait à son rang et à ses apparentements de ne pas supporter les conséquences graves de ses folies... à condition, bien entendu, qu'elle renonçât à ses relations scandaleuses... « avec une maîtresse de Buanoparte qui était, en outre, une espionne notoire »...

— J'ai fait entendre au jeune Canning en retour que j'étais assez grande pour choisir moi-même mes amis et l'ai prié de se mêler de ce qui le regardait. Naturellement, il n'a pas aimé du tout cela et pas davantage que je le rappelle à plus de respect pour vous, ainsi qu'à vos liens de parenté avec la mère du Sultan. J'ai cru, alors, qu'il allait, entrer en transes : « Lady Hester », m'a-t-il dit, « ou bien vous allez me donner votre parole de rompre toutes relations avec ces gens-là en général et cette femme en particulier, ou bien je vous fais expulser de la ville et rembarquer pour l'Angleterre par le premier bateau venu. Quant à votre princesse de pacotille... — je vous demande pardon, ma chère, mais je cite textuellement ! — j'obtiendrai sous peu de Sa Hautesse qu'elle soit embarquée sur un navire en direction de son pays, mais, à peine sortie du Bosphore, nous nous assurerons de sa personne et nous nous arrangerons pour qu'elle ne nous cause plus de soucis... »

Suffoquée, Marianne resta un instant sans voix. Partagée entre la colère et l'indignation, elle choisit cependant de garder son calme et réussit à offrir à sa compagne un sourire dédaigneux.

— Est-ce que sir Stratford ne s'illusionnerait pas un peu sur son influence auprès de la Porte ? Faire chasser comme une servante la propre cousine de la Sultane ? C'est impensable !

— Moins que vous ne l'imaginez. Canning entend faire de vous une clause secrète, une sorte de préalable à l'accord qu'il va conclure prochainement avec Mahmoud... un accord pour lequel Sa Hautesse ne demandera pas l'avis de sa mère, pour une fois. Vous serez expulsée... très discrètement, embarquée sans le moindre bruit et quand Sa Hautesse, votre cousine, vous réclamera, vous serez loin... et il ne restera plus à la Validé qu'à vous oublier.

— Mais enfin, cet accord, savez-vous ce qu'il est ? demanda Marianne qui, cette fois, se sentit pâlir.

— Je ne le sais pas exactement, mais je m'en doute. Le bruit court qu'une escadre russe approcherait des Détroits et la marine turque est bien incapable de lui barrer le chemin si elle décide de forcer le Bosphore et de venir canonner Constantinople. Canning a demandé le secours d'une flotte anglaise et, à cette heure, celle de l'amiral Maxwell doit faire route vers nous. Entre la jolie princesse Sant'Anna et quelques gros vaisseaux de ligne, croyez-vous que le Sultan hésitera ?

— Je croyais l'Angleterre plus ou moins alliée à la Russie ? Ou bien n'est-elle son amie que quand il s'agit de s'en prendre à l'empereur Napoléon ?

— Il y a de cela. En outre, il n'est pas question que les deux flottes en viennent à se taper dessus. Simplement, la présence des navires anglais pourrait dissuader les Russes d'aller trop loin avec un État protégé par l'Angleterre et qui, d'ailleurs, est tout prêt à signer le traité de paix ! Vous voyez bien que votre seule chance est de partir avec moi ?

Marianne se leva et, sans répondre, elle alla vers les hublots cerclés de cuivre où tant de fois elle s'était appuyée et qui apportaient la lumière à la cabine, mais sans prêter la moindre attention au spectacle que l'on y découvrait. Le port tumultueux, la foule bigarrée, le pâle soleil, tout cela n'avait aucun intérêt pour elle. Elle avait l'étrange sensation d'être prisonnière d'une gangue glacée qui ne lui laissait éprouver qu'une espèce de dégoût, une lassitude profonde...

Ainsi, la politique des hommes la poursuivait encore et s'acharnait alors même qu'elle avait définitivement renoncé à y jouer le moindre rôle. Elle découvrait qu'il ne suffisait pas, pour qu'on la laissât tranquille, d'abandonner, de vivre paisiblement comme elle vivait depuis deux mois, en permettant de se développer en elle l'enfant qui était le gage de son avenir.

Canning, qui rêvait depuis son arrivée à Constantinople de la renvoyer captive en Angleterre pour y pourrir au fond de quelque forteresse, ne s'était pas laissé désarmer par cette existence discrète de future mère installée au foyer d'une vieille amie. Peut-être même ne voyait-il dans cette discrétion même qu'une source d'intrigues cachées, un paravent commode pour faire peser sur sa politique ottomane une menace. L'agent secret, Marianne Sant'Anna, camouflé en femme enceinte pour tisser plus activement que jamais ses sombres trames...

Et il allait jusqu'à faire de son élimination une clause secrète, un préalable à un important accord diplomatique ! C'eût été sans doute extrêmement flatteur si ce n'avait été d'un ridicule aussi intense. Mais c'était aussi fort inquiétant puisque cet ambassadeur de vingt-quatre ans n'hésitait pas, pour assouvir sa rancune, à faire table rase de la protection d'une reine...

La situation de Marianne était d'autant plus dangereuse qu'il ne serait pas bien difficile à quelques hommes déterminés de pénétrer, de nuit et avec discrétion, dans le vieux palais Morousi, dont les portes ne savaient pas ce que c'était que demeurer fermées, d'y enlever Marianne et de l'emporter jusqu'à un bateau... Malgré ses contreforts médiévaux, le palais n'offrait aucune défense et ses domestiques étaient presque tous aussi âgés que leur maîtresse. Enfin, son entrée principale ouvrait directement sur le quai du Phanar : la prisonnière passerait de son lit à la cale d'un bateau sans même avoir le temps de s'éveiller...

Sous ses pieds, Marianne sentit soudain le navire bouger doucement. Il tirait sur ses ancres avec un léger grincement et elle crut voir, dans ce bruit discret, un appel, peut-être aussi une réponse. C'était comme une invitation au voyage. Pourquoi, après tout, ne partirait-elle pas avec « son » bateau et ses amis ? Pas pour l'Égypte, bien sûr, où elle n'avait que faire, mais pour la Morée... Pourquoi ne pas aller au-devant de Jason et lui éviter ainsi de revenir dans cette ville qu'il avait détestée d'instinct et où il ne voulait pas se rendre ?

La voix d'Hester, un peu anxieuse, la rappela brutalement à une présence qu'elle avait oubliée.

— Alors ? Que décidez-vous ? Nous partons ?

Elle tressaillit, lui jeta un rapide regard et hocha la tête.

— Non ! Il ne peut en être question. Quel que soit le danger, je dois rester ici.

— Vous êtes folle.

— Peut-être, mais c'est ainsi. Ne m'en veuillez pas, Hester, et surtout ne croyez pas que je n'apprécie pas la preuve d'amitié que vous venez de me donner. Je vous suis vraiment très reconnaissante de m'avoir avertie...

— Mais vous ne croyez guère à cet avertissement ! Vous avez tort si vous vous imaginez que Canning a proféré là une menace en l'air. Je le connais trop bien pour ne pas savoir qu'il ira jusqu'au bout, aussi bien en ce qui me concerne qu'en ce qui vous regarde.

— Je n'en doute pas un seul instant car j'ai, moi aussi, appris à le connaître. Peut-être, en effet, faudra-t-il que je parte, mais pas pour l'Égypte. Je n'aurais, admettez-le, rien à y faire. Le mieux et le plus naturel serait encore pour moi de rentrer en France ou en Toscane...

A peine les eut-elle prononcés qu'elle regretta ces deux mots, car les yeux de Lady Stanhope s'étaient remis à briller. Est-ce que l'enragée voyageuse n'allait pas lui proposer de l'accompagner, au besoin déguisée en homme et munie d'un faux passeport ? Malgré la sympathie profonde qu'elle éprouvait pour la grande Anglaise, cette perspective ne lui souriait guère, car elle y voyait poindre une source d'ennuis de toutes sortes. Mais, aussi soudainement qu'il s'était allumé, le regard gris s'éteignit, comme une lampe que l'on souffle.

A son tour, Lady Hester se leva, étirant sa haute taille en un mouvement qui amena son turban à deux doigts du plafond.

— Si votre Latour-Maubourg ne m'avait pas fait toucher du doigt les difficultés diplomatiques et les ennuis sans nombre que ma présence en France pourrait créer, soupira-t-elle, je me serais attachée à vos pas, et avec quelle joie ! Mais ce serait vraiment défier le sort. Réfléchissez encore, cependant, ma chère, et prenez conseil de vos amis. De toute façon, je ne partirai pas avant trois jours. D'ici là vous avez encore le temps de changer d'avis et de souhaiter passer l'hiver au soleil égyptien. Venez maintenant ! Allons rejoindre le pauvre Meryon qui doit battre la semelle en nous attendant ! Le cher garçon ne peut supporter de me perdre de vue plus de quelques instants...

Mais, quand les deux femmes redescendirent sur le quai, le docteur Charles Meryon avait disparu. Malgré ses soucis, Marianne, qui n'avait pas les mêmes raisons que Lady Stanhope de croire à la toute-puissance de ses charmes sur le jeune médecin, ne put s'empêcher de penser qu'il avait au contraire profité de l'occasion pour s'esquiver. Peut-être pour porter ses regrets à la ravissante épouse du Kapoudan Pacha ?...

Une heure plus tard, ayant laissé son amie regagner seule, et très déçue, sa maison de Bebek, Marianne, enfermée avec Jolival dans le salon du palais Morousi, le mettait au courant de ce qu'elle venait d'apprendre.

Arcadius l'écouta sans mot dire, mordillant sa moustache comme il avait l'habitude de le faire lorsqu'il était préoccupé, mais sans montrer cependant une grande inquiétude.

— Voilà où nous en sommes ! fit Marianne en conclusion. Mylord Canning médite tout simplement, à l'heure présente, de me faire officiellement jeter à la porte et, officieusement enlever comme un paquet encombrant.

— Je craindrais davantage l'officieux que l'officiel, mâchonna Jolival. Même en froid avec Napoléon, le Sultan y regarderait à deux fois avant d'expulser l'une de ses amies. Selon moi, Canning... s'il a vraiment prononcé les paroles que l'on vous a rapportées, s'est quelque peu vanté.

— Comment ça : « s'il a vraiment prononcé ces paroles » ? Vous voulez dire qu'Hester aurait inventé toute cette histoire ?

— Toute, non... mais une partie. Ce qui m'étonne, dans tout cela, c'est qu'elle ne soit pas accourue ici, depuis une semaine que son algarade a eu lieu, pour vous avertir. C'eût été amical. Au lieu de cela, elle attend paisiblement de vous rencontrer sur le port et elle se précipite pour vous mettre en garde juste au moment où elle s'aperçoit que vous possédez en toute propriété, un navire plus beau et plus confortable que tout ce qu'elle peut espérer trouver ici pour la porter vers ses rêves orientaux. Acceptez de l'emmener en Égypte et elle vous fera faire le tour du monde.

— Il n'est pas question de faire le tour du monde, ni même d'aller en Égypte. Mais, ajouta Marianne frappée malgré tout par la justesse de ce raisonnement, vous croyez qu'elle aurait inventé tout cela ?

— C'est ce qu'il faut savoir, soupira Jolival. De toute façon, avant de prendre la plus petite décision, il convient d'en référer au prince Corrado. Puisqu'il est la cause première de votre immobilisation ici, en dehors du fait que vous êtes légalement sa femme, c'est à lui de décider de ce qu'il faut faire. Je vais immédiatement lui faire porter un mot, après quoi je me mettrai à la recherche d'un mien ami, assez bien introduit à l'ambassade britannique. Il pourra peut-être me dire ce qui est vrai et ce qui l'est moins dans les confidences de Lady Hester !

— Vous avez des amis anglais, vous, Jolival ? s'étonna Marianne qui connaissait le peu de sympathie que son ami nourrissait pour un pays dont sa femme avait fait sa terre d'élection.

— J'ai des amis là où il faut. Et rassurez-vous, celui-là n'est pas anglais. Il est russe. C'est un ancien page de la Grande Catherine, mais il est l'un des hommes les mieux introduits dans les milieux diplomatiques que je connaisse...

Les réflexions pleines de bon sens de son ami avaient un peu rasséréné Marianne. Par-dessus l'ouvrage de broderie auquel elle occupait ses doigts durant les longues heures de repos exigées par le docteur Meryon, elle lui adressa un sourire plein de malice, tandis que, debout devant la table, il griffonnait hâtivement quelques mots.

— Je vois ce que c'est. Si votre ami est aussi bien introduit dans les ambassades que dans les maisons de jeu, il doit, en effet, être une mine de renseignements.

Jolival haussa les épaules, chiquenauda les revers de son élégant habit gris perle, prit sur un meuble sa canne, son chapeau et, se penchant, posa un baiser rapide sur les cheveux de Marianne.

— Ce qu'il y a de terrible, avec vous autres femmes, bougonna-t-il, c'est que vous ne rendez jamais justice aux efforts que l'on fait pour vous... Maintenant, restez bien tranquille en attendant mon retour et, surtout, ne recevez personne. Je ne serai pas longtemps absent.

Il revint, en effet, peu de temps après, mais la belle assurance dont il faisait preuve au départ avait fait place à une certaine tension que dénonçait le pli profond creusé entre ses sourcils et la fréquence accélérée de ses prises de tabac. Son mystérieux ami, si bien introduit, avait, en effet, confirmé le caractère épineux de la dernière entrevue entre Lady Stanhope et l'ambassadeur anglais, ainsi d'ailleurs que la prochaine conclusion d'un accord entre Canning et le Sultan, mais il ignorait tout des intentions britanniques concernant la princesse Sant'Anna et surtout si une mesure d'ostracisme la concernant faisait partie de l'accord en question.

— Il n'y a aucune raison pour que ce ne soit pas exact, s'écria Marianne. Vous comprenez bien, mon ami, que si Canning est disposé à chasser une femme du rang de Lady Stanhope, la propre nièce de feu Lord Chatham, il n'a aucune raison de prendre des gants avec une ennemie déclarée.

— D'abord, il n'a jamais dit qu'il « chasserait » Lady Hester. Simplement, il lui a fait entendre, selon le comte Karazine, qu'il serait sage à elle de quitter cette ville plutôt que de s'obstiner à entretenir des relations amicales avec « ces damnés Français ». Rien de plus ! Et je croirais assez que c'est là une meilleure interprétation, Canning étant un homme trop courtois pour employer des termes du genre « chasser » ou « expulser » quand il s'agit d'une dame...

— Cela prouverait tout simplement que je ne suis pas une « dame » à ses yeux. Souvenez-vous, Jolival, qu'il m'a traitée de princesse de pacotille !

— Je conçois que la fille du marquis d'Asselnat trouve l'épithète amère mais, je vous le répète, il ne faut pas dramatiser. Je crois surtout, en ce qui concerne notre amie, qu'elle préfère s'expulser elle-même et surtout qu'elle ne tient pas à attendre ici le résultat de certaine lettre, écrite par elle sous le coup de la colère à Lord Wellesley après son algarade avec Canning et dans laquelle l'ambassadeur est tourné en ridicule. Lisez plutôt.

Avec la soudaineté d'un prestidigitateur, Jolival produisit, au bout de ses doigts, un papier blanc qu'il tendit à Marianne qui le prit machinalement mais sans cacher son étonnement.

— Comment possédez-vous cette lettre ?

— Toujours le comte Karazine ! C'est vraiment un fort habile homme... Mais, naturellement, ceci n'est qu'une copie qui, d'ailleurs, n'a pas été très difficile à obtenir, car Lady Stanhope était si furieuse qu'elle n'a pas résisté au plaisir de lire à quelques amis son épître vengeresse. Karazine en était et, comme il possède une étonnante mémoire... Je dois dire que c'est un assez joli morceau de littérature.

Marianne commença de parcourir la lettre et, dès le début, ne put retenir un sourire.

« Mr Canning », écrivait Hester, « est jeune et inexpérimenté, plein de zèle, mais plein de préjugés... » Suivait une spirituelle version de leurs démêlés, puis la noble épistolière concluait :

« Avant de terminer, je supplie Votre Seigneurie de ne pas recevoir Mr Canning avec un petit salut très sec et un visage grimaçant ou de permettre aux belles dames de se moquer de lui. La meilleure récompense pour tous les services qu'il a rendus serait de le nommer, chez nous, commandant en chef et ambassadeur extraordinaire chez les peuples qui ont besoin de supprimer le vice et de cultiver le patriotisme : ce dernier consistant à se mettre dans de plus grandes convulsions que des derviches au seul nom de Bonaparte... »

Cette fois, Marianne rit de bon cœur.

— Vous n'auriez pas dû me montrer cette lettre, Arcadius. Elle me console de tant de choses que pour un rien je serais disposée à conduire Hester à Alexandrie ! Si jamais Canning apprend ce que contient cette lettre...

— Mais il n'en ignore rien et soyez certaine qu'elle hante ses nuits à l'heure actuelle. Il doit avoir constamment l'horrible vision de la boîte rouge des dépêches circulant à travers le Foreign Office, au milieu de la joie générale...

— Les mauvaises nuits de l'ambassadeur n'arrangent pas ma situation, Jolival, bien au contraire, reprit Marianne redevenue grave. S'il me rend responsable des incartades d'Hester, il n'en sera que plus acharné après moi. La question demeure la même : que dois-je faire ?

— Rien pour le moment, j'en ai bien peur. Attendre que votre époux prenne pour vous la décision, car, honnêtement, je ne sais quelle réponse vous donner.

La réponse arriva le soir même, en la personne du prince Corrado qui s'annonça peu avant le coucher du soleil, tandis que Marianne, au bras de Jolival, effectuait une lente promenade dans le jardin où les feuilles mortes recouvraient les allées de mosaïque bleue et se laissaient rouler par le bas de la robe de la jeune femme avec un bruit de papier froissé.

Avec son habituelle et froide courtoisie, il s'inclina devant Marianne avant de serrer la main de Jolival.

— J'étais chez moi lorsque l'on m'a apporté votre lettre, dit-il à celui-ci, et je n'ai pas voulu perdre un instant pour venir à votre appel. Que se passe-t-il ?

En quelques phrases, le vicomte restitua l'essentiel de l'entretien de Marianne avec Lady Stanhope et de l'enquête rapide à laquelle il s'était livré par la suite. Corrado l'écouta attentivement, mais Marianne remarqua bien vite qu'il ne prenait pas l'affaire à la légère car, à la fin du récit, le pli soucieux qui creusait le front de Jolival marquait également celui du prince.

— Peut-être Lady Hester a-t-elle beaucoup exagéré, conclut le vicomte, et peut-être pas ! Nous n'avons aucun moyen de nous en assurer et nous ne savons quelle décision prendre.

Le prince réfléchit un instant.

— Même s'il y a eu exagération, la menace demeure, articula-t-il enfin. Il faut la prendre au sérieux, car avec un homme tel que Canning, il n'y a jamais de fumée sans feu. Il y a certainement beaucoup de vrai dans ce que l'on vous a dit... Que désirez-vous faire, Madame ? ajouta-t-il en se tournant vers la jeune femme.

— Je ne souhaite rien, prince. Simplement éviter de graves ennuis. C'est à vous, il me semble, de décider pour moi. N'êtes-vous pas... mon époux ?

C'était la première fois qu'elle employait le mot et elle crut voir l'ombre d'une émotion troubler l'impassibilité du beau visage sombre, mais ce ne fut qu'un instant fugitif comme une risée sur l'eau calme d'un lac. Corrado s'inclina.

— Je vous remercie de vous en souvenir à cette minute, car je veux y voir une marque de confiance.

— C'en est une, n'en doutez pas...

— Vous accepteriez de vous en remettre à ma décision ?

— Je vous demande de prendre cette décision car, pour ma part, je ne sais à laquelle m'arrêter. J'avais pensé, ajouta-t-elle timidement, quitter Constantinople, peut-être... faire voile vers la Morée... ou vers la Francc.

— Ce serait inutile et dangereux, coupa calmement le prince. Vous risqueriez de tomber sur la flotte anglaise et vous ne pourriez pas échapper cette fois au sort que vous réserve Canning. En outre... il se peut que le capitaine Beaufort ait quitté Monemvasia à l'heure présente. Voyagera-t-il par terre ou par mer, nous l'ignorons. D'ailleurs, même sur mer, rien n'est plus facile que se croiser sans se voir...

Tout cela était d'une justesse accablante. Marianne baissa la tête pour que le prince ne vît pas la déception qu'elle éprouvait et qui devait se lire trop clairement sur son visage. Elle avait caressé avec bonheur, durant tout cet après-midi, l'idée d'un départ vers la Grèce qui lui eût permis de retrouver Jason plus tôt...

Comprenant ce qu'elle éprouvait, Jolival se chargea de poser la question suivante :

— Que faut-il faire alors ?

— Rester à Constantinople, mais quitter cette maison, bien entendu. Au Phanar, un enlèvement est trop facile.

— Où irons-nous donc ?

— Chez moi... à Bebek...

Il se tourna de nouveau vers Marianne et, sans lui laisser le temps d'émettre un son, il ajouta, très vite :

— Je regrette, Madame, de vous imposer une cohabitation que vous ne pouvez souhaiter et que je désirais éviter, mais c'est la seule solution. Vous auriez pu, bien sûr, prier la princesse Morousi de vous héberger dans son domaine d'Arnavüt Koÿ, qui est voisin de Bebek, d'ailleurs, mais le danger resterait le même. C'est là que l'on vous cherchera en premier lieu et si sir Stratford Canning a obtenu du Sultan cette aide misérable contre une femme, les gens de l'Anglais pourraient trouver une aide efficace dans la garnison du château de Roumeli Hissar qui est voisin.

— Mais il est encore plus voisin de Bebek, objecta Jolival.

Le prince eut un lent sourire qui fit briller ses dents blanches.

— En effet... cependant personne n'aura l'idée de chercher la princesse Sant'Anna dans la demeure de Turhan Bey, ce riche marchand noir honoré de l'amitié du Sultan...

Il y avait, dans ces derniers mots, une ironie qui cachait peut-être une amertume, mais Marianne commençait à penser qu'avec le prince il valait mieux qu'elle ne laissât pas vagabonder son imagination, car il était impossible de déchiffrer la réalité de ses sentiments ou même de ses impressions. Dans ces vêtements orientaux qui lui convenaient mieux sans doute que ne l'eussent fait des habits européens, il était toujours semblable à ce qu'il avait été sur le tillac de Jason : une admirable statue dont, même sous le fouet, il était impossible de vaincre l'impassibilité. Il était de ces gens qui meurent sans articuler un son... Mais, pour l'heure présente, ce qu'il disait n'était pas dépourvu d'intérêt.

— Si vous acceptez mon offre, reprit-il, demain, dans la journée, une femme turque, suivie d'un rameur, viendra ici ostensiblement porter un message à votre hôtesse. Vous prendrez ses vêtements et sous la protection du voile et du feredjé vous quitterez cette maison et, avec la pérame qui l'aura amenée, vous gagnerez ma demeure. Rassurez-vous, c'est une très grande demeure que je dois d'ailleurs à la générosité de Sa Hautesse et elle est suffisamment vaste pour que ma présence ne vous gêne en rien ! En outre, vous y recevrez des soins qui, je l'espère, vous seront agréables. J'entends : ceux de ma vieille Lavinia.

— Dona Lavinia ? Elle est ici ? s'écria Marianne, heureuse tout à coup à l'idée de retrouver la vieille femme de charge qui, au moment de son étrange mariage, lui avait montré une si réconfortante sympathie et l'avait aidée de ses conseils au cours de ce séjour, si difficile, à la villa dei Cavalli.

L'ombre d'un sourire passa sur le visage du prince.

— Je l'ai fait venir quand vous avez accepté de garder l'enfant car, naturellement, c'est elle et personne d'autre qui aura à s'en occuper. Elle vient d'ailleurs d'arriver et je comptais vous l'amener, car elle désire beaucoup vous revoir. Je... Je crois qu'elle vous aime...

— Moi aussi je l'aime et...

Mais Corrado ne souhaitait sans doute pas se laisser entraîner sur un chemin trop sentimental.

— Quant à Monsieur de Jolival, ajouta-t-il en se tournant vers le vicomte, j'espère qu'il me fera l'honneur d'accepter mon hospitalité ?

Arcadius s'inclina en gentilhomme qui sait son monde :

— Ce sera pour moi un très vif plaisir. D'ailleurs, vous n'ignorez pas, prince, que je quitte rarement la princesse qui veut bien voir en moi une espèce de mentor doublé d'une assez bonne imitation de vieil oncle.

— Soyez rassuré, l'imitation est parfaite. Malheureusement, vous allez être obligé de vivre aussi cloîtré que la princesse elle-même, car, si Canning ne concevrait guère qu'elle se soit enfuie sans vous, il aurait vite fait de vous faire suivre si l'on vous rencontrait dans la ville. J'ai, heureusement, à vous offrir une excellente bibliothèque, de très bons cigares et une cave qui devrait vous plaire, sans compter un beau jardin bien abrité des curieux.

— Tout cela sera parfait ! approuva Jolival. J'ai toujours rêvé de faire retraite en quelque monastère. Le vôtre me va tout à fait.

— Parfait. Dans ce cas vous entrerez... en religion demain soir. Pour gagner Bebek, le mieux sera que vous vous rendiez, avant le coucher du soleil, à l'ambassade de France, comme il vous arrive de vous y rendre parfois pour faire la partie d'échecs de M. de Latour-Maubourg. Vous y passez alors la nuit, puisqu'en dehors des embarcations impériales aucun bateau n'est autorisé à traverser la Corne d'Or après le coucher du soleil.

— En effet...

— Cette fois, vous en ressortirez en pleine nuit. Je viendrai vous y chercher moi-même à minuit. J'attendrai dans la rue. Vous n'aurez qu'à inventer je ne sais quel prétexte. Dire par exemple que vous passez la nuit chez des amis de Pera ou ce que vous voudrez. L'important est que vous ayez quitté Stamboul avant l'heure interdite.

— Encore un détail !... la princesse Morousi, si je peux me permettre de la qualifier ainsi..., fit Jolival.

— Après votre départ à tous deux, elle fera tout le bruit dont elle est capable... et c'est beaucoup... Elle s'en prendra à votre ingratitude et à la façon cavalière dont vous aurez quitté sa maison pour une destination inconnue sans prendre la peine de l'avertir. Mais, rassurez-vous, elle saura parfaitement à quoi s'en tenir. Elle sera même la seule avec vous et moi, mais je sais que je peux lui faire entière confiance.

— Je n'en doute pas, dit Marianne. Mais croyez-vous que Canning sera dupe de ces grands cris ?

— Qu'il le soit ou non est sans importance. Ce qui compte c'est qu'il ignore où vous êtes. Au bout de quelques jours, d'ailleurs, il pensera que vous avez eu peur, que vous êtes loin et il cessera de vous chercher.

— Sans doute avez-vous raison. Mais, il reste encore un détail à régler : le navire ?

— La *Sorcière* ? Elle restera où elle est... jusqu'à nouvel ordre. Sa Hautesse a commis une erreur en faisant hisser nos armes au pavillon. C'est une grâce, une amabilité, tout ce que vous voudrez, mais une erreur tout de même. Dès ce soir, il faut que ce pavillon disparaisse. A la place, je ferai hisser la marque habituelle de mes navires.

— La marque de vos navires ? Vous avez des bateaux ?

— Je vous ai dit que je passais pour un riche marchand. En fait, c'est ce que je suis. Mes bateaux portent une flamme rouge timbrée d'un lion qui tient dans sa patte une torche en forme de T. Si vous acceptez que l'on hisse cette marque sur le brick, on pensera, en haut lieu, que vous m'avez vendu le navire afin de vous procurer l'argent nécessaire à votre fuite. Et cela n'empêchera aucunement M. Beaufort de récupérer son bien...

Cette fois, Marianne ne répondit rien. Elle découvrait qu'elle était encore loin de tout savoir de ce qui concernait l'homme extraordinaire dont elle portait le nom. Elle avait remarqué, en effet, dans le port de Stamboul, plusieurs bateaux, chebecs ou polacres sur lesquels flottait le bizarre pavillon au T flamboyant, mais jamais elle n'eût imaginé qu'ils pussent appartenir à son mari. Après tout, il serait sans doute intéressant de vivre quelque temps auprès d'un tel homme, en dehors de la sécurité qu'il lui promettait et de la joie qu'elle aurait à retrouver Dona Lavinia.

Tout en discutant, les trois personnages avaient achevé le tour du jardin et se retrouvaient sur l'épais berceau de vigne qui prolongeait le salon. L'automne en avait fait un dais de pourpre et les lampes qui maintenant s'allumaient un peu partout dans la maison, le faisaient plus rouge encore, mais une insidieuse odeur d'oignons frits et de viande rôtie venant des cuisines dépouillait l'heure de son effet dramatique et lui restituait sa réalité : c'était celle du souper et, naturellement, Marianne avait faim.

Comme un vieux serviteur aux longs cheveux blancs apparaissait dans la salle de réception, pliant sous le poids d'un chandelier allumé qui semblait plus grand que lui, le prince s'inclina et, à la manière orientale, toucha sa poitrine, ses lèvres et son front :

— Je vous souhaite une excellente nuit, fit-il sur le ton de la politesse mondaine et j'espère que nous nous reverrons bientôt.

Marianne plongea dans une petite révérence :

— Ce sera très bientôt, si l'avenir répond à mes souhaits, Turhan Bey ! Bonne nuit à vous aussi.

Le vieux valet se hâta vers la porte pour la lui ouvrir et le prince le suivit rapidement, mais, avant de franchir le seuil, il ne put retenir une dernière recommandation :

— Si je peux me permettre... ne revoyez à aucun prix la grande dame que vous savez. L'intérêt qu'elle avait à vous faire peur n'est que trop évident et elle est beaucoup trop intelligente. Les gens de sa sorte font des amis dangereux.

Le lendemain soir, enveloppée d'un feredjé noir, un voile de la même nuance joyeuse sur le visage, Marianne quitta le palais Morousi. Un grand diable d'Albanais, le ventre barré d'un poignard long comme un sabre d'abordage, la suivit comme son ombre. Sa longue moustache tombante le faisait ressembler à Attila et il posait sur toutes choses un regard noir et sauvage qui ne donnait envie à personne d'entrer en lutte avec lui. Mais il y avait beaucoup d'Albanais qui lui ressemblaient sur les quais de Stamboul et son costume bariolé ne tranchait en rien sur la foule colorée qui y grouillait de la prière de l'aube à celle du crépuscule. Et puis il avait l'immense avantage d'être muet...

Sous sa protection, Marianne gagna une petite pérame anonyme qui attendait, perdue au milieu d'une centaine d'autres, à l'échelle d'Aykapani. Un moment plus tard, sous une pluie fine et insistante, fort désagréable mais presque aussi opaque qu'un brouillard, elle glissait sur l'eau grise du port en direction de sa nouvelle résidence.

CHAPITRE V

LA GRANDE COLÈRE D'ARCADIUS

La pluie ! Elle avait commencé tout de suite après un Noël un peu trop doux et, depuis, elle ne cessait plus, petit crachin rageur et insistant où se dissolvait tout le paysage. De l'autre côté du Bosphore, sur la rive d'Asie, le village de pêcheurs de Kandilli n'offrait plus guère qu'une masse diffuse d'où émergeait l'obligatoire minaret, gros comme un porte-plume. Dans toute cette brume liquide, les couleurs vives des barques, celles des maisons peintes en rose, en vert, en jaune, en bleu ou en mauve, se fondaient dans une espèce de grisaille d'où les quenouilles noires des cyprès n'arrivaient même plus à se détacher. Le Bosphore était sinistre... Sous le cri angoissé des oiseaux de mer, le grand fleuve marin charriait la tristesse à longueur de journée...

Ces journées, Marianne les passait presque toutes dans le « tandour » dont les fenêtres aux grilles dorées surplombaient l'eau grise. C'était une pièce de taille réduite et de forme ronde, toute garnie de divans dont les pieds convergeaient vers le centre. Et ce centre était formé d'un gros poêle de faïence carré, recouvert d'une pièce de laine brodée de mille couleurs dont les occupants des divans soulevaient les pans afin de les étendre sur leurs jambes et de s'assurer ainsi une meilleure défense contre le froid humide.

Le palais d'Hümayünâbâd, construit au siècle précédent par Ibrahim Pacha, et devenu la demeure de Turhan Bey, par la grâce de Mahmoud II, comportait plusieurs de ces pièces confortables mais si Marianne avait élu celle-ci c'est que ses fenêtres en encorbellement donnaient directement sur le Bosphore et lui permettaient de suivre les allées et venues des navires qui l'empruntaient journellement.

C'était une vue beaucoup plus vivifiante que celle des jardins sous la pluie, magnifiques cependant, mais que leurs grands murs de défense rendaient presque aussi lugubres que la forteresse de Rumeli Hissar dont les murailles crénelées et les trois donjons circulaires, étagés au bord de l'eau pour garder le détroit sous le feu de leurs canons, étaient si massifs et si hauts qu'ils demeuraient visibles même quand les brouillards glacés de la mer Noire toute proche enveloppaient cette jonction de deux mondes...

Sauf peut-être pour une brève promenade au jardin, quand une courte rémission de la pluie le permettait, la jeune femme restait là des heures malgré les objurgations de Jolival qui l'implorait de prendre un peu d'exercice et celles du médecin persan que le prince avait attaché à sa personne en remplacement du docteur Meryon. Sa grossesse approchait de son terme. Elle se sentait lourde, fatiguée, n'osant même plus regarder dans un miroir une silhouette dont la déformation était désormais impossible à dissimuler et un visage réduit où les grands yeux verts semblaient avoir tout dévoré.

Mais la vue de la mer était devenue pour Marianne aussi indispensable qu'une drogue et elle ne parvenait plus à s'en arracher qu'au prix d'une peine infinie. Les nuits qui l'obligeaient à quitter son divan étaient interminables, malgré les calmants doux que le médecin, inquiet de sa nervosité croissante, lui administrait.

Les mains abandonnées sur une broderie qu'elle n'achèverait sans doute jamais ou sur un livre qu'elle ne lisait pas, elle demeurait là depuis le coup de canon qui annonçait le lever du jour, jusqu'à celui qui le clôturait, enfermée dans cette cage vitrée qui ressemblait à la chambre de poupe d'un navire, observant les embarcations glissant sous le palais et le petit débarcadère dont les marches de marbre plongeaient dans l'eau trouble, cherchant une silhouette qui ne venait jamais...

L'année 1811 s'était achevée dans le silence, laissant la place à une nouvelle venue dont, déjà, le premier mois s'était écoulé. Et cependant, Jason n'était pas encore venu. Et chaque jour nouveau mordait un peu plus cruellement dans l'espoir de Marianne qui, maintenant, n'était plus loin de désespérer le revoir un jour. S'il n'y avait eu la *Sorcière*, elle eût même été certaine qu'il avait définitivement renoncé à elle, Marianne, et que son amour était mort à jamais. Le brick, toujours ancré sous la marque de Turhan Bey à l'échelle du Phanar, était l'unique espoir auquel de toutes ses forces elle se raccrochait. Il ne pouvait pas se désintéresser d'un bateau qu'il aimait, même si la femme dont ce bateau portait l'image n'était plus rien pour lui.

Affaiblie, malade, l'angoisse installée dans le cœur, Marianne s'en voulait de ce qu'elle appelait tout bas sa lâcheté. L'ancienne Marianne, celle de Selton qui pourfendait son époux au soir de ses noces pour venger son honneur, eût tourné le dos à un homme qui l'avait si gravement meurtrie. Mais depuis ce temps, deux siècles avaient coulé. Et la femme frileuse et déprimée qui se blottissait dans ses coussins comme un chat malade, n'avait plus que la force de savourer l'unique désir qui la soutînt encore : le revoir !

Par un navire du marchand Turhan Bey qui accomplissait régulièrement le voyage de Monemvasia, afin d'approvisionner les entrepôts de son maître en vin de Malvoisie, on avait appris que, dans les premiers jours de décembre, l'Américain avait quitté la Morée pour Athènes. Mais depuis, nul ne pouvait dire ce qu'il était devenu. Il semblait s'être volatilisé comme une fumée dans le ciel de l'ancienne capitale de la sagesse.

Cent fois, Marianne s'était fait répéter par Jolival ce que les pêcheurs avaient dit à l'envoyé de Turhan Bey, chargé d'ailleurs par celui-ci de ramener Jason s'il en exprimait le désir : l'étranger avait lu la lettre qu'on lui avait remise fidèlement avec un peu d'or quand sa guérison avait été complète. Puis la glissant dans sa poche sans autre commentaire, il s'était borné à s'inquiéter d'un bateau pour gagner Athènes. Remerciant chaleureusement ses infirmiers bénévoles, il les avait forcés à accepter la moitié de l'or qu'on lui remettait et un matin, à l'aube, il s'était embarqué sur une petite sacolève qui faisait du cabotage le long des côtes et remontait jusqu'au Pirée. Lorsque le capitaine de Turhan Bey était arrivé, Jason était parti depuis une quinzaine de jours.

Qu'avait-il cherché dans Athènes ? La trace de l'homme qui l'avait trompé, détruit, volé et abandonné à la mer cruelle après lui avoir arraché tout ce à quoi il tenait le plus au monde : son amour, son bateau et ses illusions ?... Ou bien un moyen de gagner Constantinople ? A moins que, dégoûté de l'Europe et de son humanité, il n'eût cherché tout simplement un navire qui le ramènerait vers Gibraltar et l'immensité atlantique ?

Et, malheureusement, à mesure que le temps s'étirait, Marianne penchait de plus en plus vers cette dernière hypothèse : elle ne reverrait jamais Jason en ce monde... mais peut-être Dieu lui ferait-il la grâce de prendre sa vie en échange de celle de l'enfant qui allait venir...

Chaque soir, à la même heure, c'est-à-dire quand les premières lumières s'allumaient sur la rive d'Asie, le prince Corrado venait prendre des nouvelles et se présentait à l'entrée du pavillon qui avait été attribué à la jeune femme et qui était éloigné du sien propre de toute la largeur du jardin. En effet, fidèle au curieux style turc du XVIIIe siècle, le palais d'Hümayünâbâd était un étonnant assemblage de toits aigus, de rocailles, de festons et d'astragales, de kiosques ornés de trèfles et d'arabesques s'avançant sur l'eau ou sur les parterres comme d'énormes cages grillées d'or, de bassins et de pavillons à usages différents, destinés aux bains ou aux rites de la vie quotidienne mais tous ornés de colonnettes peintes.

Le cérémonial était toujours le même. Comme s'il voulait marquer nettement son désir d'éviter toute intimité avec sa singulière épouse, le prince arrivait en compagnie d'Arcadius qu'il était allé prendre à la bibliothèque où le vicomte passait la totalité de ses journées environné d'un épais nuage de fumée, entre les auteurs grecs et l'étude du persan. La porte du pavillon leur était ouverte par Gracchus qui, avec la dignité d'un maître d'hôtel chevronné, les conduisait jusqu'au salon où Dona Lavinia surveillait discrètement la future mère, les remettait à la femme de charge et revenait à son poste du vestibule où il n'avait rien d'autre à faire que jouer au bilboquet, bâiller interminablement et garder la porte.

Le jeune cocher avait quitté l'ambassade de France la même nuit que Jolival et avec le même luxe de précautions. Renseigné par Jolival qui lui avait expliqué aussi succinctement que possible le miracle qui avait métamorphosé l'Éthiopien Kaleb en Turhan Bey, Gracchus avait fait preuve d'une étonnante maîtrise de soi en s'abstenant de poser la moindre question supplémentaire ou même de montrer le plus léger étonnement. Et si, depuis son entrée dans le palais de Bebek il s'ennuyait ferme, pour rien au monde il ne se fût éloigné de la porte qu'on l'avait chargé de garder, par crainte des machinations de sir Stafford Canning.

Il n'avait jamais éprouvé pour les Anglais une chaude affection. En digne fils de la Révolution, Gracchus-Hannibal Pioche détestait en bloc tout ce qui pouvait rappeler les affreux « Pitt et Cobourg » de son enfance. Il avait toujours vu d'un très mauvais œil les relations de sa maîtresse avec la nièce dudit Pitt. En outre, il regardait sir Stafford comme un suppôt de Satan, ses serviteurs comme autant de marmitons infernaux et la nouvelle que tous ces gens osaient menacer sa chère princesse l'avait pratiquement mis en transe. Aussi gardait-il l'élégant battant de cèdre peint qu'on lui avait confié avec l'attention sourcilleuse d'un janissaire préposé à la garde du Trésor. Et, chaque soir, il devait se tenir à quatre pour ne pas faire subir au prince et à Jolival une fouille en règle, tant il craignait que « Canningue » ne se fût glissé sous l'une ou l'autre de leurs apparences pour mieux surprendre sa victime.

A son tour, Dona Lavinia guidait les deux hommes jusqu'au tandour, puis elle aussi revenait reprendre son ouvrage et son poste de vigie, prête à répondre au premier appel de la jeune femme qui, souvent d'ailleurs, la priait de s'installer auprès d'elle, sa présence étant de celles que pouvait supporter même une âme écorchée vive comme celle de Marianne. Car Lavinia, cette silencieuse, savait se taire comme personne.

C'est sans un mot superflu que les deux femmes s'étaient retrouvées. Elles s'étaient embrassées comme s'embrassent une mère et une fille après une longue absence et, ensuite, Dona Lavinia avait pris son service auprès de la jeune femme aussi naturellement que si elles ne s'étaient jamais quittées. Depuis, elle l'entourait des soins attentifs que demandait son état, mais sans jamais faire la moindre allusion à l'enfant attendu et, surtout, sans avoir jamais montré la satisfaction de mauvais goût qu'une autre n'eût pas manqué d'étaler. Elle savait trop ce que coûtait à la jeune princesse Sant'Anna l'héritier tant désiré...

Aussi était-elle la seule qui fût autorisée à pénétrer auprès de Marianne. Elle lui donnait son bain, l'aidait à s'habiller, la coiffait, lui portait ses repas et, la nuit, couchait dans la chambre voisine dont la porte demeurait ouverte, prête à répondre au moindre appel.

Au fond de son marasme mental, Marianne était sensible à cette sollicitude silencieuse. Elle se laissait soigner comme une enfant mais, à mesure que son heure approchait, elle réclamait Lavinia de plus en plus souvent à ses côtés, comme si elle éprouvait le besoin de s'assurer qu'au moment difficile elle serait là, prête à l'aider.

Quant au prince, ses visites étaient toutes copiées sur le même modèle. Il entrait, s'enquérait de la santé de la jeune femme, essayait doucement de l'arracher à sa mélancolie en lui rapportant les bruits extérieurs et les nouvelles qui avaient couru la capitale ottomane dans la journée. Parfois, il lui apportait un présent. C'était souvent un livre nouveau, quelques fleurs, un objet rare ou amusant, un bijou, mais jamais de parfum car depuis qu'elle était entrée dans son troisième trimestre, Marianne les avait pris en dégoût et Jolival lui-même, au sortir de sa studieuse tabagie, changeait entièrement de vêtements pour ne pas lui apporter l'odeur du lattaquié qu'elle avait en horreur. Après un quart d'heure, Corrado se levait, saluait la jeune femme, lui souhaitait une bonne nuit et se retirait, laissant Jolival auprès de son amie. Sa haute silhouette nonchalante disparaissait derrière les rideaux de velours vert que soulevait Dona Lavinia et Marianne n'entendait plus parler de lui jusqu'au lendemain.

— Il me fait penser au génie d'Aladin, confia Marianne à Jolival un jour où elle était d'humeur un peu moins sombre. J'ai toujours l'impression que si je frottais une lampe, il apparaîtrait devant moi sous la forme d'une fumée solidifiée.

— Cela ne m'étonne pas. Le prince est incontestablement un homme remarquable, s'était borné à déclarer le vicomte, et je ne fais pas seulement allusion à son aspect extérieur. C'est aussi un homme d'une grande intelligence, profondément cultivé, artiste même...

Mais il n'avait pas continué son panégyrique. Marianne détournait la tête, déjà retombée dans sa mélancolie. Et le bon Jolival n'avait pu s'empêcher, dans son for intérieur, de vouer Jason Beaufort à tous les diables, car, à cette heure, il eût donné cher pour pouvoir l'extirper de l'esprit malade de la jeune femme.

Le regret du beau corsaire la tuait lentement sans que Jolival, impuissant devant ce chagrin muet, pût faire la moindre chose pour la consoler. Où était le temps béni où, superficiellement amoureuse de Napoléon, Marianne commettait joyeusement les pires folies, mais sans jamais, comme à présent, se déchirer aux épines de son chemin ?

Il n'osait pas l'interroger sur les sentiments que lui inspirait Corrado. Personnellement, plus il pénétrait, non sans peine d'ailleurs, la personnalité étrange du prince, cette âme secrète, repliée sur elle-même et si bien défendue qu'elle semblait à jamais refermée, plus Jolival se sentait attiré par lui. Il se prenait à regretter profondément le tour atroce joué par le destin et qui, sur un être d'une qualité exceptionnelle, sur un innocent, avait posé un masque à ce point anticonformiste qu'il faisait un paria parmi ses frères européens.

A vrai dire, Marianne elle-même eût été incapable d'expliquer ce qu'elle éprouvait en face de l'homme dont elle portait le nom. Il la fascinait et l'irritait tout à la fois, comme une œuvre d'art trop parfaite et, d'autre part, la sympathie instinctive qu'elle avait éprouvée pour l'esclave Kaleb avait subi certaines modifications quand elle s'appliquait au prince Sant'Anna.

Non qu'elle eût cessé de le plaindre d'être la victime d'un sort aussi injuste, mais cette pitié disparaissait un peu derrière celle qu'elle ressentait pour elle-même. Et peut-être eût-elle éprouvé un plaisir sincère et profond en fréquentant un être de sa qualité s'il ne l'avait contrainte à accepter l'épreuve qu'elle subissait alors. Car, à mesure que s'écoulaient les jours, elle se prenait à lui en vouloir de sa faiblesse, de ses malaises, de sa beauté momentanément enfuie.

— J'ai l'air d'une chatte affamée qui aurait avalé un ballon, se désolait-elle quand il lui arrivait de jeter un regard dans un miroir. Je suis laide... laide à décourager l'homme le plus épris...

Ce soir-là, Marianne avait encore moins bonne mine que de coutume. Le chagrin et la lassitude se lisaient trop clairement sur sa figure où les hautes pommettes saillaient dramatiquement. Ses mains étroites étaient à peine moins pâles que l'ample vêtement de laine blanche qui l'enveloppait entièrement et Jolival, inquiet, en venait à se demander comment elle allait supporter l'épreuve qui se préparait.

Selon Dona Lavinia, en effet, elle ne mangeait plus que très peu, et par raison beaucoup plus que par faim. Les belles fringales étaient vieilles de trois mois maintenant et la jeune femme n'avait plus beaucoup de souci à se faire sur ce que serait sa silhouette après la naissance : elle serait franchement maigre... en admettant qu'elle supportât l'accouchement sans catastrophe.

Le prince, après le quart d'heure rituel, venait de se lever pour prendre congé. Il se penchait sur la main que Marianne lui tendait, non moins rituellement, quand Dona Lavinia entra précipitamment et vint lui dire quelque chose à l'oreille. Il tressaillit, fronça les sourcils.

— Où sont-ils ? demanda-t-il seulement.

— Près de l'entrée principale.

— J'y vais...

Brusquement, son flegme habituel venait de voler en éclats. Il prit à peine le temps de s'excuser et, contrairement à ses usages, il quitta la pièce en courant, suivi par l'œil perplexe de Jolival. Cette attitude était même tellement extraordinaire qu'elle éveilla la curiosité de Marianne.

— Est-ce une mauvaise nouvelle ? demanda-t-elle.

Lavinia hésita. Elle aurait pu dire que si elle avait tout à l'heure parlé bas c'est que la nouvelle en question n'était destinée qu'au seul Corrado, mais elle ne savait pas résister à la voix douce et au regard triste de sa jeune maîtresse. Elle se borna à répondre aussi évasivement que possible.

— Oui et non. On vient d'essayer de voler l'un des navires dans le port, mais le voleur a été pris et on l'amène.

Sans qu'elle fût seulement capable de dire pourquoi le cœur de Marianne battit plus vite, il envoya un flot de sang à ses joues qui, pour un instant, reprirent leur couleur.

— Voler l'un des navires ? répéta-t-elle machinalement. Sait-on lequel ?

Dona Lavinia n'eut pas le temps de répondre. Déjà le grand rideau de velours qui fermait le tandour se relevait sous la main du prince. Ses yeux clairs se posèrent tour à tour sur chacun des visages levés vers eux, mais c'est sur celui de Marianne qu'ils s'arrêtèrent :

— Madame, fit-il en s'efforçant visiblement de maîtriser une émotion évidente et reprenant, presque mot pour mot, les paroles de Dona Lavinia, on vient d'essayer de voler « votre » navire. Mes gens ont arrêté le voleur et l'ont amené jusqu'ici avec les trois ou quatre hommes qu'il avait recrutés pour l'aider. Voulez-vous le voir ?

— Le voir ? Pourquoi moi ? Pourquoi ne pas le voir vous-même, fit-elle avec une agitation soudaine.

— Je ne tiens pas à le voir. Je l'ai seulement aperçu aux mains de mes marins. Et je continue à penser que c'est vous... et vous seule qui devez le rencontrer. Ma présence ne ferait que compliquer les choses, aussi je préfère vous laisser. Dans un instant il sera ici...

Alors Marianne comprit pourquoi son cœur avait battu plus vite, pourquoi elle éprouvait cette brusque nervosité. Elle savait maintenant qui était le voleur. Et, comme par enchantement, elle se sentit de nouveau vivante et, surtout, elle sentit que l'envie de vivre revenait dans son corps affaibli. Elle redevenait elle-même, et non plus le réceptacle d'une vie étrangère qui l'épuisait...

Pourtant, au milieu de cette joie qui l'envahissait, il y avait déjà une espèce de fêlure. L'homme qui allait venir avait été pris alors qu'il essayait de s'emparer du brick. Que serait-il advenu s'il avait réussi ? Il était peu probable qu'il eût choisi de s'embosser dans quelque crique pour revenir vers Constantinople et y chercher celle qui l'y attendait... Un navire aux dimensions du brick ne se cachait pas comme une chaloupe. Plus que certainement, il aurait pris le large afin d'échapper aux poursuites et Marianne avait peur de découvrir que, pour un marin, son navire pouvait compter plus que l'amour d'une femme... A cause de cette peur, elle s'efforça de faire taire en elle la voix insidieuse qui cherchait à troubler une minute peut-être merveilleuse...

Instinctivement, sentant le besoin d'un appui, elle tendit ses deux mains à Jolival qui se glissa auprès d'elle sur le divan et les garda dans les siennes. Elles étaient glacées et la jeune femme tremblait de tout son corps, mais le regard qu'elle leva sur Corrado était plein d'étoiles.

— Je vous remercie, dit-elle doucement. Je vous remercie... du fond du cœur !

Elle voulut lui tendre la main, mais il ne parut pas la voir. Le visage soudain fermé, il s'inclina et disparut. Mais Marianne était trop heureuse pour se poser des questions sur ce qu'il pouvait penser à cette minute précise. Avec l'égoïsme inconscient des gens qui aiment, elle ne se préoccupait plus que de celui qui allait venir.

Tournant vers Arcadius un regard plein d'appréhension, elle dit :

— Je voudrais un miroir. Je suis sans doute affreuse... laide à faire peur.

— Laide, non ! Vous êtes de celles qui ne réussiront jamais à l'être... mais à faire peur, c'est assez cela. Je gage qu'à cet instant vous regrettez de n'avoir pas écouté l'oncle Arcadius et consenti à vous nourrir un peu plus. De toute façon, il n'est pas mauvais que vous montriez une mine aussi affligeante ! Maintenant, vous allez vous efforcer de rester calme. Voulez-vous que je vous laisse ?

— Non ! Non ! Surtout pas ! Souvenez-vous de ce qu'étaient nos relations quand nous nous sommes quittés. Qui peut savoir si cette longue convalescence l'a fait changer d'opinion sur mon compte ? J'aurai peut-être besoin d'aide. Aussi, ne me quittez pas, mon ami, je vous en supplie... D'ailleurs, il est trop tard.

En effet, un pas rapide faisait craquer le plancher du salon voisin. L'écho d'une voix impérative dont Marianne pensa défaillir résonna un instant, alternant avec celle infiniment plus douce de Dona Lavinia. Puis la portière se souleva de nouveau. La robe noire de la femme de charge parut et plongea aussitôt dans une révérence :

— S'il plaît à Votre Altesse Sérénissime... Monsieur Jason Beaufort !

Il entra sur ses talons et la petite pièce intime parut rétrécir. Il semblait si grand que Marianne se demanda s'il n'avait pas encore grandi durant leur séparation. Mais il n'avait pas autrement changé. C'étaient toujours le même visage volontaire au teint brûlé, les mêmes yeux bleu sombre, les mêmes cheveux noirs en désordre. Ni le temps ni le mal ne semblaient avoir de prise sur Jason Beaufort : il revenait des portes de la mort aussi semblable à lui-même que si rien ne lui était arrivé.

Et Marianne, bouleversée, ayant oublié d'un seul coup tout ce qu'il lui avait fait subir et le soupçon qui lui était venu, le regarda comme Marie-Madeleine avait dû regarder le Christ ressuscité : avec des yeux étincelants de larmes et de lumière.

Malheureusement, le nouveau venu n'avait pas, lui, la sérénité de son divin modèle. Il était resté pétrifié sur le seuil, tout l'élan coléreux qui l'avait jeté dans cette petite pièce coupé net. On lui avait dit qu'il allait trouver là le « propriétaire » de son brick bien-aimé et il s'était préparé à dire à ce voleur ce qu'il avait sur le cœur, mais les deux visages qu'il découvrait maintenant l'avaient plongé dans une stupeur telle qu'il ne cherchait même pas à en sortir. Et, comme la gorge de Marianne lui refusait subitement tout usage, ce fut Jolival qui se chargea de rompre le silence. Reposant doucement les mains de la jeune femme, moins froides maintenant et plus calmes, il se releva, marcha vers le corsaire :

— Entrez donc, Beaufort ! Je ne sais trop si vous êtes le bienvenu, mais je puis du moins vous dire que vous étiez attendu.

Le ton du vicomte n'avait rien d'accueillant. Fort raide, il se ressentait encore, bien que Jolival fût l'homme le moins rancunier de la terre, de la mise aux fers qu'il avait subie sur la *Sorcière* en compagnie du pauvre Gracchus et surtout des souffrances endurées par Marianne. C'était cela qu'Arcadius ne parvenait pas à pardonner. S'il n'avait su à quel point sa jeune amie aimait cet homme, s'il ne l'avait vue, durant toutes ces semaines, se consumer d'attente et dépérir de son absence, il eût éprouvé un réel plaisir à le jeter à la porte, d'autant plus que sans rien en dire il n'avait guère apprécié, lui non plus, cette tentative de vol. Son accueil se ressentait de son état d'esprit. Inconsciemment ou non, il cherchait la bagarre.

Mais la colère de Jason était tombée en même temps que la tenture revenue à sa place derrière lui. Abandonnant Marianne, qu'il fixait comme si elle eût été un fantôme, son regard, sans rien perdre de son étonnement, vint à Jolival qui redressait toute sa petite taille en face de lui.

— Monsieur de Jolival, articula-t-il enfin. Mais que faites-vous ici ? Je vous croyais mort.

— On n'est pas plus franc... ni plus aimable ! grogna le vicomte. Je ne sais pas qui a bien pu vous mettre cette idée dans la tête. Que vous me croyiez occupé a tourner un moulin à huile en compagnie des bourricots de quelque gros négociant amateur d'esclaves passe encore... Mais de là à m'enterrer... Au cas où cela vous intéresserait, je me porte à merveille.

Un bref sourire parut sur les lèvres de Beaufort.

— Excusez-moi, je n'aurais pas dû dire cela. Mais ce qui m'arrive est tellement incroyable. Essayez de comprendre : j'arrive ici, je reconnais mon navire, j'essaie de reprendre mon bien avec une poignée d'hommes recrutés sur le port, une bande d'énergumènes me tombent dessus et me traînent chez « le propriétaire » et je me trouve en face de vous deux...

Comme si un aimant l'avait attiré, il revenait à Marianne, forme blanche lovée parmi un monceau de coussins de soie de toutes les nuances du vert. Il s'approchait du divan en contournant le poêle. La jeune femme le regardait venir avec angoisse. Qu'allait-il faire ? Il souriait avec une joie qui semblait sincère, mais ses réactions étaient tellement imprévisibles !... Avait-il tout oublié de ce qui s'était passé sur son navire, ou bien le souvenir dramatique de leur dernière entrevue l'habitait-il encore et se préparait-il à se dresser entre eux ?

La dernière fois, c'était sur le pont de la *Sorcière*. Du haut de sa dunette, Jason surveillait le supplice infligé à Kaleb pour avoir tenté de tuer le docteur Leighton et Marianne, folle de colère, l'invectivait, ayant arraché au bourreau le fouet sanglant. Elle revoyait le corps du faux Éthiopien, sans connaissance, lié au grand mât et pesant tragiquement, de tout son poids, sur ses poignets. Elle entendait la voix dédaigneuse de Jason ordonnant :

« Que fait là cette femme ? Qu'on la ramène chez elle !... »

Ils s'étaient affrontés devant tout l'équipage. Elle avait jeté son mépris et sa fureur à la face d'un homme au masque figé, au regard presque dément, d'un homme qui était alors, elle le savait maintenant, au pouvoir d'une drogue destructrice. Mais quels souvenirs cette drogue avait-elle laissés dans sa mémoire ?

Aucun peut-être car, dans le regard que Jason fixait sur son visage, elle retrouvait l'ancienne flamme qu'elle avait bien cru n'y jamais revoir. Une onde de bonheur la parcourut : se pouvait-il que les souvenirs tragiques vécus au large de Cythère pussent s'effacer comme un songe ? Si la mémoire de Jason n'en avait pas gardé trace, avec quelle joie Marianne les balayerait de la sienne.

Jason s'approcha encore, mit un genou sur le divan voisin, se pencha, tendant sa grande main comme s'il offrait un gage de paix.

— Marianne ! dit-il doucement. On m'avait dit que tu étais ici, que je pourrais t'y retrouver, mais je ne pensais pas que ce serait si vite. Il me semble que je rêve. Comment cela est-il possible ?

Elle se souleva parmi ses coussins, tendit ses mains, ses bras, tout son être, trop heureuse pour calculer ses gestes.

— Je te dirai tout ! Mais tu es là ! Enfin ! C'est cela qui est merveilleux ! Viens t'asseoir auprès de moi... là... tout près !

Avec une vivacité dont elle n'était plus capable depuis des semaines, elle rejetait la couverture du tandour, bousculait ses coussins pour lui faire place à son côté, sans plus penser à son état. La déformation de son corps devint alors plus qu'apparente, mais elle le comprit trop tard, en voyant Jason blêmir et se relever vivement, s'écarter.

— Ainsi, fit-il amèrement, cela au moins je ne l'avais pas rêvé ! Ce n'était pas un cauchemar créé par les drogues infernales de Leighton. Tu es enceinte...

Le regard de Marianne s'éteignit. Alors Jolival, comprenant que tout allait une fois encore s'effondrer, que la jeune femme allait encore endurer le martyre, explosa :

— Ah non ! s'écria-t-il. Cela ne va pas recommencer ! Vos histoires, vos grands sentiments et votre orgueil intraitable, je commence à en être saturé, Beaufort ! A peine êtes-vous entré que, déjà, vous prenez des airs de justicier ? Vous nous tombez dessus sans prévenir et dans la situation tout de même irrégulière d'un Monsieur qui vient d'essayer de voler quelque chose qui ne lui appartient plus...

— Où prenez-vous que mon navire ne m'appartienne plus ? fit Jason avec hauteur.

— Dans le code maritime ! Votre bateau, mon cher, a été capturé par les Turcs, ramené ici comme la prise qu'il était et le propriétaire en était devenu un certain Achmet Reis, justement parce que c'était lui qui l'avait pris. Sa Hautesse la Sultane Validé, qui est cousine de Marianne, a racheté votre rafiot, l'a fait remettre à neuf, parce que après un séjour aux mains de votre Leighton il en avait le plus grand besoin, et l'a offert à Marianne. Autrement dit, après avoir laissé votre maudit médecin voler Marianne et tenter de l'assassiner dans des conditions affreuses, vous venez maintenant la dépouiller complètement et, par-dessus le marché, vous montez sur vos grands chevaux parce que vous la retrouvez dans un état qui ne vous convient pas ? Ah non, mon cher ! Cela ne va pas se passer comme ça.

Jason haussa les épaules :

— Je ne comprends rien à ce que vous dites ! Leighton s'est comporté avec « moi » comme un brigand, mais que je sache, vous n'avez pas eu à pâtir de lui...

— Ah, vous ne savez pas ? Vous ne savez pas que la nuit qui a suivi le supplice de Kaleb, alors que vous ronfliez dans votre cabine, abruti de rhum et de drogue, il a fait jeter cette malheureuse enfant dans une chaloupe, sans autre viatique qu'une chemise de nuit et une paire de rames, après l'avoir dépouillée de tout ce qu'elle possédait et avoir fait violer la pauvre Agathe par une partie de l'équipage ? Si la route de la chaloupe n'avait croisé celle d'un pêcheur de Santorin, Marianne, à cette heure, serait morte depuis longtemps de soif, d'épuisement et d'insolation. On l'a sauvée de justesse. Mais vous n'y êtes pour rien que je sache ?... Alors, je vous en prie, faites-nous la grâce de mettre une sourdine à vos états d'âme et à vos délicatesses de conscience. Oui, elle est enceinte. Elle est même sur le point d'accoucher, mais ce que vous avez refusé d'entendre sur votre sacré bateau, je vous jure que vous allez l'entendre maintenant, depuis A jusqu'à Z, dussé-je prier Turhan Bey de vous faire enchaîner par ses gens !

— Arcadius ! pria Marianne inquiète de voir son ami dans un pareil état de rage, je vous en prie, calmez-vous...

— Me calmer ? Pas avant que cet âne bâté n'ait été mis en face de la vérité. Alors, écoutez-moi bien, Jason Beaufort : vous ne sortirez d'ici que lorsque vous aurez entendu la vérité, toute la vérité sur le drame que vit Marianne depuis bientôt un an et que votre stupidité n'a fait qu'aggraver. Vous feriez aussi bien de vous asseoir parce que cela va durer un moment...

Rouge jusqu'à sa demi-calvitie, les poings serrés, dévoré par l'envie de boxer le sombre visage qui lui faisait face, Jolival, dressé en face de Jason, offrait l'image assez fidèle d'un petit coq de combat. Il ne se souvenait pas d'avoir jamais éprouvé pareille fureur, sauf peut-être quand il avait dix ans et qu'un jeune cousin, par pure méchanceté, avait tué sous ses yeux son chien favori. Le visage crucifié de Marianne quand Jason avait prononcé l'affreuse phrase « Tu es enceinte ! » si lourde de mépris, lui avait rappelé cet horrible moment et déchaîné en lui des forces assoupies depuis bien longtemps. Sous l'homme du monde sceptique et raffiné, Jolival venait de retrouver un petit Arcadius ramené aux limites de la sauvagerie primitive par un acte de cruauté doublé d'une injustice. Jadis, il s'était jeté sur le grand cousin et l'avait mordu jusqu'au sang, petite bête féroce accrochée si cruellement à la main meurtrière qu'il avait fallu l'en détacher. Et, là encore, Jolival se sentait prêt à mordre.

L'instinct du marin était trop aigu pour qu'il ne comprît pas qu'il était allé trop loin et que, de cet ami fidèle jusqu'à présent, il était en train de se faire un ennemi mortel. Il capitula et, comme on venait de le lui ordonner, il s'assit, croisant l'une sur l'autre ses longues jambes bottées.

— Je vous écoute, soupira-t-il. Je crois qu'en effet il y a beaucoup de choses que j'ignore...

Gêné tout à coup, il n'osait plus regarder du côté de Marianne. La jeune femme, alors, entreprit de quitter son nid de coussins.

— Veuillez appeler Dona Lavinia, Jolival ! Je voudrais me retirer...

Jason aussitôt protesta :

— Pourquoi veux-tu t'en aller ? Si j'ai eu des torts, je ne demande qu'à les reconnaître car... moi aussi j'ai souffert. Je t'en prie, reste !

Malgré l'aveu de douleur qu'il venait de faire et qui avait paru coûter énormément à son orgueil, la jeune femme hocha la tête.

— Non. Tout ce que va dire Jolival ne ferait que rappeler des souvenirs trop pénibles pour moi. Et puis, je préfère ne pas être présente. Tu seras ainsi plus libre de tes réactions. Hors de ma présence, tu verras les choses plus clairement. Je ne veux en rien t'influencer...

— Tu ne m'influenceras pas. Reste, je t'en supplie ! J'ai tant de choses à te dire, moi aussi...

— Eh bien, tu me les diras plus tard... si tu as encore envie de les dire. Dans le cas contraire... tu pourras repartir, ce soir même, entièrement libre. Et nous ne nous reverrons jamais. C'est d'ailleurs ce qui se serait produit, n'est-ce pas, si tu avais réussi à t'emparer de la *Sorcière* ce soir ? Tu savais, cependant, que j'étais dans cette ville. On te l'avait dit et j'avais eu assez de mal à y arriver. Cependant, tu aurais mis à la voile sans même chercher à me revoir...

— Non ! Je te jure que non. Je ne savais pas bien ce que je voulais faire, mais je ne voulais pas m'éloigner vraiment. Mais, vois-tu, lorsque j'ai vu mon bateau parqué au milieu de tous ces rafiots sans âge, je crois que j'ai un peu perdu la tête et je n'ai plus eu qu'une idée : le reprendre, l'enlever de là. Il me semblait qu'il était enlisé au milieu d'un marais... Alors, j'ai recruté quelques hommes qui me paraissaient désœuvrés sur le port et dont la mine n'était pas trop patibulaire et, avec eux, je me suis lancé dans l'aventure. Je pensais que ce ne serait pas très difficile. La garde avait l'air plutôt nonchalante... Et je me suis trompé. Mais je te jure que je n'aurais pas quitté ce pays sans t'avoir revue, sans avoir au moins appris ce que tu étais devenue... Je n'aurais pas pu.

— Comment aurais-tu fait ?

— La côte est rocheuse, accidentée. Il doit être possible d'y trouver un mouillage caché... mais je te le dis, je n'ai pas raisonné plus loin. J'ai agi sous le coup d'une impulsion plus forte que moi, une impulsion semblable sans doute à celle qui m'aurait ramené pour te chercher...

Il s'était levé et, maintenant, il la regardait avec angoisse, frappé par sa voix mate, par ce ton résigné qui trahissait tant de lassitude. Il découvrait aussi combien elle paraissait faible et menacée. Dans cette femme alourdie par la maternité prochaine, il ne retrouvait guère l'indomptable et insolente créature qui s'entendait si bien à lui faire perdre la tête et à le jeter hors de lui-même, mais il découvrait en lui, malgré l'espèce d'horreur que lui inspirait son état, un sentiment nouveau, fait du besoin instinctif de la défendre, de la protéger contre cette fatalité accrochée à elle et qui pesait si lourd sur ce dos fragile, de l'arracher à ce destin absurde que le mauvais sort et sa tête chaude lui avaient forgé...

Comme aidée de Lavinia instantanément apparue elle quittait son divan avec une lenteur pénible et s'accrochait au bras de la vieille dame, il éprouva tout à coup le désir fou de la prendre dans ses bras et de l'emporter loin de ce palais dont l'orientalisme choquait son goût sévère autant que son éthique personnelle. Il ébaucha le geste, mais elle l'arrêta d'un regard qui le cloua sur place :

— Non ! fit-elle d'un ton farouche. Ce que tu éprouves c'est de la pitié. Et je ne veux pas de ta pitié.

— Ne dis pas de sottises ! De la pitié ? Où as-tu pris cela ? Je te jure...

— Ah non ! Ne jure pas !... Tout à l'heure, quand tu es entré, j'étais prête à tout oublier de ce qui s'est passé sur ton bateau. Je crois même que j'avais tout oublié... mais tu as tout réveillé. Alors je ne veux pas t'écouter davantage. C'est toi, tout au contraire, qui vas écouter Jolival. Ensuite, je te l'ai dit, tu seras libre de décider...

— Mais de décider quoi ?

— Si tu veux que nous demeurions... amis. Quand tu auras en main les éléments du problème, tu verras si tu peux toujours me conserver quelque estime. Quant à tes sentiments, cela relève uniquement de ton cœur...

— Reste ! pria Jason. Je suis sûr de moi.

— Tu as de la chance. Moi, je ne le suis pas. J'étais heureuse tout à l'heure, maintenant, je ne sais plus... Aussi, je préfère me retirer.

— Laissez-la partir ! ordonna Jolival. Elle est fatiguée, malade... Elle a besoin de repos et, en revanche, elle n'a aucun besoin de supporter l'épreuve que serait pour elle ce récit. Il y a des souvenirs que l'on n'éprouve guère de joie à évoquer. Et puis je serai, moi aussi, plus à l'aise pour vous faire entendre ma façon de penser. Dona Lavinia, ajouta-t-il avec beaucoup plus d'amabilité, voulez-vous mettre un comble à vos bontés en nous faisant apporter du café, beaucoup de café ? Je crois que nous en aurons besoin l'un et l'autre.

— Vous aurez tout le café que vous voulez, monsieur le vicomte et aussi quelques nourritures plus consistantes, car ce monsieur a peut-être besoin de se restaurer.

Jason ouvrait déjà la bouche, peut-être pour refuser, mais Marianne lui coupa la parole.

— Tu peux accepter le pain et le sel de cette maison, car ce sont ceux de l'ami qui, depuis des mois, a veillé sur toi... et sur moi. Avant de partir, il y a encore une chose que je veux te dire : quels que soient tes sentiments, tout à l'heure, tu retrouveras ton navire. Jolival t'en remettra les titres de propriété.

— Comment est-ce possible ? Vous m'avez dit qu'il t'appartenait et, cependant, il porte une marque étrangère.

— Il porte la marque des vaisseaux de Turhan Bey ! répondit Marianne avec lassitude. C'est-à-dire celle du maître de ce palais. Mais cette marque sert seulement à protéger la *Sorcière* contre les appétits de l'ambassadeur d'Angleterre. Comme l'a dit Jolival, c'est à moi que la Sultane, ma cousine, en a fait cadeau après l'avoir racheté, mais je n'ai jamais considéré cela autrement que comme un dépôt...

Avec plus de force que l'on n'aurait pu en attendre de son corps épuisé, elle entraîna Dona Lavinia hors de la pièce, maîtrisant ses larmes de son mieux.

S'arracher à une présence qu'elle avait tant désirée, exigeait d'elle un pénible effort, mais il était nettement au-dessus de ses forces d'entendre Jolival retracer par le menu les nuits abominables du palais Soranzo et tout ce qui s'en était suivi. Car, bien qu'elle n'eût été, dans tout cela, qu'une victime, il y avait certains détails cruels pour sa pudeur qu'elle ne pouvait toujours pas évoquer sans malaise. Et elle refusait farouchement de rougir devant l'homme qu'elle aimait. Il n'avait que trop tendance, déjà à lui imposer ce rôle de coupable qui la révoltait.

La psychologie de l'Américain était à la fois simple et complexe. Son amour pour Marianne était, peut-être, toujours aussi vivace et cette pensée était bien le seul réconfort que la jeune femme eût retiré des quelques instants passés auprès de lui. D'autre part, Jason était prisonnier d'une éducation protestante et presque puritaine, de principes moraux rigides qui ne l'empêchaient cependant pas, en dépit d'une grande générosité naturelle et d'un caractère plutôt chevaleresque, d'être un défenseur convaincu de l'esclavage, qu'il considérait comme un état tout naturel pour les Noirs, chose que Marianne, elle, ne pouvait admettre.

Au fond, c'était de cette double tendance que procédaient les actes et les sentiments de cet homme. Une femme pouvait attendre de lui les plus grands égards et le plus profond respect, mais, au moindre faux pas, ses réactions étaient entières et brutales. La malheureuse allait rejoindre, dans son esprit, le troupeau indistinct des filles qu'il avait pu rencontrer dans tous les ports du monde et qui, à ses yeux, méritaient plutôt moins de considération que les esclaves de la « Faye-Blanche », la plantation familiale aux environs de Charleston. Qu'une créature appartenant à ce sexe suspect réussît, comme c'était le cas de Marianne, à lui inspirer une véritable passion et la belle machine humaine qui s'appelait Jason Beaufort s'en trouvait complètement déréglée...

Revenue dans sa chambre, Marianne regarda son vaste lit avec une espèce de répugnance. Malgré sa fatigue, elle n'éprouvait pas la moindre envie de dormir. Ses pensées anxieuses demeuraient là-bas, dans le tandour tiède où Jason écoutait Jolival lui conter une horrible histoire, sans peut-être y mettre beaucoup de formes, car le vicomte était visiblement décidé à ne rien épargner à son interlocuteur...

Le souvenir de la fureur qui avait secoué son vieil ami arracha un sourire intérieur à Marianne et, une fois encore, elle remercia mentalement le Ciel de lui avoir donné, dans sa vie mouvementée, ce défenseur à toute épreuve. Dieu sait comment, dans son état, elle se serait comportée en face des principes de Jason. Le souvenir de la scène qui les avait opposés, dans le rouf de la *Sorcière*, brûlait encore ses joues.

Tournant le dos à la couche qu'une femme de chambre avait ouverte, elle alla s'asseoir sur un gigantesque coussin de satin blanc disposé devant une table basse, où s'étalaient une infinité de pots et de fioles. Dona Lavinia, qui l'avait suivie, jeta sur ses épaules une serviette de lin bleu et se mit à défaire les épingles qui retenaient la pesante chevelure de la jeune femme. Marianne la laissa faire puis, quand ses cheveux noirs, libérés, coulèrent librement sur ses épaules, elle arrêta sa suivante qui déjà s'emparait des brosses d'argent.

— Chère Lavinia, murmura-t-elle, je voudrais que vous retourniez au tandour... ou tout au moins au salon bleu. Il se peut que M. de Jolival ait besoin de vous.

La vieille dame sourit, compréhensive.

— Je crois lui avoir fait porter tout ce dont il pouvait avoir besoin, mais peut-être souhaitez-vous, Madame, que je lui fasse tenir un message de vous ?

— Oui. Je voudrais que vous lui disiez... discrètement, de venir ici avant de rentrer dans ses appartements. Même si c'est très tard, il faut qu'il vienne. Je ne me coucherai pas avant...

— Ce n'est pas raisonnable, Madame. Le médecin exige que vous vous couchiez tôt et que vous dormiez beaucoup.

— Comme c'est facile à exécuter quand le sommeil vous fuit ! Eh bien, revenez m'aider à me coucher, mais ne fermez rien et n'éteignez pas les lampes. Ensuite, vous pourrez aller dormir. Il sera inutile d'attendre l'arrivée du vicomte. Ces messieurs peuvent en avoir pour longtemps.

— Devrai-je faire préparer une chambre pour l'ami de Votre Altesse ?

Sans qu'elle en eût conscience, le ton de Dona Lavinia s'était durci imperceptiblement sur les derniers mots. L'affection fidèle que, depuis toujours, elle portait à son maître lui avait fait sentir, dans ce grand étranger trop séduisant, un danger, une menace. Et Marianne eut honte, tout à coup, de la situation que créait l'arrivée inopinée de Jason : celle d'une femme dont l'amant s'introduit chez le mari... un mari qui n'avait cessé de la couvrir de bienfaits. Elle avait beau se dire qu'elle payait, pour tout cela, un prix élevé, l'impression désagréable n'en demeurait pas moins. Il n'était décidément pas facile de vivre à l'aise dans un mauvais rôle.

Le regard qu'elle leva sur Lavinia était plein d'involontaire contrition.

— Sincèrement, je l'ignore. Il se peut qu'il reparte immédiatement, mais il se peut aussi qu'il accepte d'achever la nuit ici. De toute façon, son séjour ne pourra excéder quelques heures...

La gouvernante approuva de la tête, aida Marianne à passer une robe de nuit, l'installa dans son grand lit en étalant soigneusement les oreillers sous ses épaules. Puis elle vérifia les lampes, s'assura des mèches et du niveau d'huile, fit une révérence et sortit pour accomplir la mission dont on l'avait chargée.

Demeurée seule, Marianne resta un moment immobile, goûtant la tiédeur parfumée des draps et la lumière adoucie de la pièce. Elle s'efforça de faire le vide dans son esprit, de ne plus penser, mais c'était au-dessus de ses forces. Incessamment, son esprit retournait au tandour où il imaginait les deux hommes : Jolival tournant en rond autour du poêle dans l'espace restreint que laissaient les divans ; Jason, assis sans doute, les coudes aux genoux et les mains nouées, dans une attitude qu'elle lui avait vue cent fois quand il tendait toute son attention... Malgré les paroles dures qu'elle lui avait fait entendre, jamais Marianne ne l'avait autant aimé.

Pour tenter d'échapper à son idée fixe, elle prit, au hasard, l'un des livres qui étaient disposés à son chevet, mais, en dehors du titre, elle ne parvint pas à démêler la signification d'une seule ligne, bien qu'elle connût le texte à peu près par cœur. C'était un exemplaire en italien de *La Divine Comédie*, l'une des œuvres qu'elle aimait le plus au monde, mais les lettres dansaient devant ses yeux, aussi hermétiques momentanément que l'alphabet hittite. Finalement agacée, elle jeta le livre, ferma les yeux... et s'endormit sans même s'en rendre compte.

Une soudaine douleur la réveilla. Elle n'avait pas dû dormir longtemps, car le niveau d'huile n'avait qu'à peine baissé dans sa lampe de chevet. Et, autour d'elle, tout était silence. Le palais, enveloppé d'obscurité, paraissait sommeiller, emmitouflé dans ses rideaux, ses tentures et ses coussins comme au cœur d'un moelleux cocon. Pourtant, Jolival n'était pas encore venu et, bien certainement, tout le monde ne dormait pas.

Les yeux grands ouverts, Marianne demeura immobile un moment, écoutant les battements de son cœur, épiant le cheminement de cette douleur qui, partie de ses reins, irradiait lentement tout son corps. Ce n'était pas violent et cela diminuait déjà, mais c'était comme un avertissement, le signe avant-coureur, peut-être, de l'épreuve qui se préparait. Le temps était-il venu de déposer enfin son fardeau ?

Elle hésita sur ce qu'il convenait de faire et préféra qu'une autre douleur vînt confirmer son diagnostic, peut-être un peu hâtif, pour faire demander le médecin qui, à cette heure, devait dormir à poings fermés... Elle tendait la main vers la sonnette pour appeler Dona Lavinia et lui demander ce qu'elle en pensait, quand on gratta discrètement à la porte. Sans attendre la réponse, celle-ci s'ouvrit doucement pour laisser passer la tête d'Arcadius.

— Je peux entrer ?

— Bien sûr ! Je vous attendais, mon ami...

La douleur maintenant avait complètement disparu. Marianne se redressa dans son lit et s'accota à ses oreillers, revigorée par le sourire qui illuminait le visage de son ami où l'on eût cherché vainement trace de la colère de tout à l'heure. Dans l'ombre du lit, les yeux de Marianne se mirent à briller d'une joie anticipée :

— Jason ? Où est-il ?

— Je pense qu'à cette minute il doit se disposer à se coucher. Il a grand besoin de sommeil... Moi aussi, d'ailleurs, car, avec le café, Dona Lavinia nous a fait porter une bouteille... d'excellent cognac ! Je me demande ce qu'elle pensera en constatant qu'il n'en reste plus...

Suffoquée, Marianne le regarda avec stupeur. Ça, c'était le comble ! Alors qu'elle les croyait engagés dans une discussion grave, presque dramatique, les deux compères avaient trouvé plus simple de s'enivrer à moitié ! Il n'y avait pas à se tromper sur la mine réjouie, le nez un peu trop rouge et les yeux un peu vagues de Jolival. Il était dans ce qu'il est convenu d'appeler un léger état d'ébriété et Marianne, soudain inquiète, se demanda s'il fallait tellement se réjouir de cette euphorie passagère.

— Cela ne me dit pas où est Jason, reprit-elle sévèrement. Néanmoins, je suis heureuse de constater que vous avez passé une excellente soirée.

— Excellente ! Nous sommes d'accord sur toute la ligne. Mais... vous me faisiez la grâce de me demander où se trouve notre ami ? Eh bien, il est dans la chambre voisine de la mienne.

— Il a accepté de passer la nuit ici ?... Chez le prince Sant'Anna ?

— Il n'avait aucune raison de refuser. Et puis, qui parle ici du prince Sant'Anna. Nous sommes chez

Turhan Bey. Autrement dit chez celui que Beaufort a connu sous le nom de Kaleb !

— Vous deviez tout lui apprendre, s'insurgea Marianne. Pourquoi n'avez-vous pas dit...

— Que ces trois personnes, comme Dieu lui-même, ne formaient qu'un seul être ? Non, ma chère enfant. Voyez-vous, continua Jolival abandonnant le ton badin qu'il avait employé jusque-là pour devenir étrangement sérieux, je ne me suis pas senti le droit de révéler un secret qui ne m'appartient pas... et qui ne vous appartient pas davantage d'ailleurs. Si le prince souhaite que Jason Beaufort sache qu'il a failli faire mourir votre époux sous le fouet et l'a traité comme un esclave, il saura bien nous le dire. Mais moi je crois qu'étant donné le genre de considération que Jason porte aux gens de couleur, il vaut mieux qu'il continue d'ignorer cette vérité-là. Puisque après la naissance de l'enfant, vous cesserez vos relations avec le prince et reprendrez votre liberté, il n'y a aucun inconvénient à ce que Beaufort s'imagine toujours qu'il est mort.

Tandis qu'il parlait, Marianne, d'abord révoltée, se calmait peu à peu et réfléchissait. La sagesse de Jolival, même quand il la tirait d'un flacon vénérable, était parfois assez déroutante, mais elle était efficace. Et bien souvent, contre vents et marées, il avait eu raison...

— Mais, dans ce cas, dit-elle, comment avez-vous expliqué le double fait que j'aie accepté de demeurer... dans cet état et que j'habite chez l'ex-Kaleb ?

Jolival, qui semblait avoir quelque peine à garder son équilibre en station debout, s'assit pudiquement sur un coin du lit et tira son mouchoir pour s'éponger le front, car il paraissait avoir vraiment très chaud. Toute sa personne fleurait une vigoureuse odeur de tabac, mais contrairement à son habitude, Marianne n'y fit même pas attention.

— Allons ! répéta-t-elle. Comment avez-vous expliqué cela ?

— De la façon la plus simple... et même sans altérer

beaucoup la réalité. Vous avez gardé l'enfant conçu dans ces affreuses circonstances — je dois dire qu'il vaut beaucoup mieux pour le sieur Damiani avoir quitté ce monde, car notre héros ne rêve, à cette heure, que lui faire subir les pires tourments. Où en étais-je ?... Ah oui ! Donc vous avez conservé cet enfant parce qu'il n'était plus possible de vous en libérer sans mettre votre existence en grand danger. Cela Beaufort n'a pu que l'approuver, d'autant que sa morale à lui est beaucoup plus rigide que la vôtre... enfin, je veux dire que la nôtre...

— Que voulez-vous dire ? fit Marianne vexée.

— Ceci : quel que soit le père et quelles que soient les circonstances, Beaufort considère comme une criminelle la femme qui se fait avorter. Que voulez-vous, c'est un garçon qui a des principes et, au nombre de ceux-ci, se trouvent un respect de la vie humaine et une espèce de vénération pour les enfants poussés à leur point extrême.

— Autrement dit, fit Marianne abasourdie, il était furieux, indigné que j'attende un enfant, mais il n'aurait pas admis que je m'en débarrasse ?

— C'est exactement ça. Il m'a dit : « J'avais cru, de bonne foi que cet... incident faisait partie des cauchemars qui m'ont hanté si longtemps, mais puisque c'était la réalité, je suis heureux d'apprendre que vous avez eu assez de bon sens pour l'empêcher de commettre cette sottise ! Les femmes devraient comprendre qu'un enfant est beaucoup plus leur œuvre que celle de l'homme. Quel que soit le géniteur, il tient à sa mère par des liens que certaines d'entre elles ne découvrent souvent que lorsqu'il est trop tard ! » Vous voyez que je n'ai pas eu à chercher beaucoup d'explications : il les trouvait tout seul...

— Et ma présence ici ?

— Tout aussi simple ! Kaleb vous devait la vie. Revenu à sa véritable personnalité, il était naturel que, devant les manigances de l'ambassadeur anglais, il vous offrît le refuge de sa maison où nul n'aurait l'idée de vous chercher !

— Et Jason a admis cela ?

— Sans l'ombre d'une hésitation. Il est bourré de remords à l'idée d'avoir traité comme il l'a fait un homme de cette valeur... et de cette importance. Aussi est-il fermement décidé à lui offrir des excuses dès demain matin. Soyez tranquille ! se hâta-t-il d'ajouter devant le geste d'inquiétude ébauché par Marianne. J'ai l'intention, avant d'aller au lit, de mettre le prince au courant.

— A cette heure-ci ? Il doit dormir...

— Non. C'est un homme qui ne dort guère et qui vit beaucoup la nuit. Il lit, il écrit, il s'occupe de ses collections et de ses affaires qui sont très vastes. Vous ignorez tout de lui, Marianne, mais je peux vous dire, moi, que c'est un personnage des plus intéressants...

Quelle mouche piquait Jolival ? Allait-il maintenant se lancer dans le panégyrique du prince ? Et comment pouvait-il se laisser si facilement détourner du sujet, brûlant cependant, qui tourmentait Marianne ?

— Jolival, fit-elle avec un peu d'agacement, je vous en prie, revenons à Jason. Qu'a-t-il dit encore ? Que pense-t-il ? Que veut-il faire ?

Décidément brouillé avec les convenances, Arcadius bâilla démesurément, se leva et s'étira comme un chat maigre.

— Ce qu'il a dit ? Ma foi, je ne m'en souviens plus ! Mais ce qu'il pense, je peux vous le dire : il vous aime plus que jamais et il est plus encombré de remords qu'un jardin abandonné depuis vingt ans n'est envahi de mauvaises herbes. Quant à ce qu'il veut faire... ma foi, il vous le dira lui-même demain matin, car, naturellement, à peine aura-t-il posé le pied par terre qu'il se précipitera à votre porte. Toutefois... ne l'attendez tout de même pas trop tôt.

Marianne était trop heureuse pour en vouloir à son

vieil ami d'un persiflage qu'elle attribuait pour une bonne partie à l'excellence des crus charentais.

— Je vois ce que c'est, fit-elle en riant. Votre beuverie de ce soir risque de lui laisser des souvenirs douloureux...

— Oh ! Il a la tête solide. Il est jeune, lui. Mais enfin trop, c'est trop ! Pour vous éviter de vous torturer la cervelle durant tout le reste de la nuit, je crois tout de même pouvoir ajouter que Beaufort compte vous demander humblement de le rejoindre en Amérique dès que votre situation de santé le permettra.

— Le rejoindre ? Mais pourquoi ne pas partir ensemble ? Pourquoi ne m'attendrait-il pas ?

Elle s'agitait maintenant et Jolival, se penchant, posa doucement les deux mains sur ses épaules pour l'obliger à se recoucher.

— Ne recommencez pas à faire la folle, Marianne ! La situation est grave à Washington, car les relations se tendent entre le président Madison et Londres. Beaufort m'a dit qu'à Athènes il avait rencontré l'un de ses amis, cousin de ce capitaine Bainbridge qui, forcé par le Dey d'Alger de porter sur son navire un tribut au Sultan, fut le seul Américain, avant Beaufort, à s'être jamais risqué jusqu'ici. Cet homme regagnait les États-Unis au plus vite, car Bainbridge, qui a été nommé commandant en chef de la flotte américaine, rassemble tous les meilleurs navires et les meilleurs marins. La guerre qui se prépare sera navale au moins autant que terrestre. Son ami voulait emmener Beaufort, mais celui-ci tenait à venir jusqu'ici pour vous retrouver...

— Et surtout pour retrouver son navire, ajouta mélancoliquement Marianne. Si la marine américaine a besoin de ses capitaines, elle a encore beaucoup plus besoin de ses bateaux. Le brick est une belle unité, rapide et bien armée... et puis il colle à Jason presque autant qu'une seconde peau. Vous êtes bon, Jolival, d'essayer de me dorer la pilule, mais je me demande si le prince n'avait pas raison ce fameux jour où il est parti en claquant les portes : sans l'appât de la *Sorcière*, qui sait si nous aurions jamais revu Jason Beaufort... Malgré ce que j'ai entendu ce soir, je ne parviens pas à m'ôter cette idée de l'esprit.

— Allons ! Cessez de vous mettre martel en tête. Beaufort n'est pas homme à déguiser ses sentiments ni sa façon de penser, vous le savez aussi bien que moi. Or, il a tout balayé de ses préjugés et de ses rancunes. Que vous importe alors une situation internationale tendue si vous retrouvez le bonheur ?

— Le bonheur ? murmura Marianne. Oubliez-vous qu'une guerre signifie que Jason devra se battre ?

— Ma chère, on ne fait guère que cela chez nous depuis plus de dix ans et cela n'empêche pas une foule de femmes d'être heureuses. Oubliez la guerre ! Reposez-vous, détendez-vous, donnez au prince l'enfant qu'il désire tellement et ensuite... si vous le désirez toujours, nous reprendrons ensemble et tranquillement le chemin de l'Italie où vous réglerez définitivement votre situation. Après quoi, il ne nous restera plus qu'à nous embarquer pour les Carolines.

La voix de Jolival, un peu épaissie par l'alcool, ronronnait, berceuse, lénifiante, mais Marianne n'y releva pas moins immédiatement la phrase suspecte :

— Si je le désire toujours ? Vous devenez fou, Arcadius ?

Il eut un sourire un peu vague, un geste évasif :

— Souvent femme varie !... se contenta-t-il de répondre sans expliquer autrement sa pensée.

Mais comment faire comprendre à cette trop jeune femme épuisée, écorchée vive, mais ramenée d'un seul coup à la vie et à l'espoir du bonheur par le retour de l'homme aimé, qu'elle ne connaissait encore rien de la maternité et de ses surprises ? Elle considérait ce qui allait venir comme une épreuve et comme une espèce de formalité tout à la fois. Mais elle ne savait pas qu'elle aurait peut-être plus de peine qu'elle ne l'imaginait à chasser de sa vie et de sa pensée l'enfant qu'elle n'avait pas désiré.

Néanmoins, ce serait du temps perdu qu'essayer de la mettre en face des réalités. Tant qu'elle ne tiendrait pas dans ses bras le petit paquet vivant qui, bientôt, se détacherait de sa chair, Marianne ignorerait tout de ses propres réactions en face de la plus grande merveille de tous les temps : la naissance d'un homme ou d'une femme.

Pour le moment, d'ailleurs, le visage de la jeune femme s'était fermé :

— Je ne varierai pas, affirma-t-elle avec un entête-ment encore enfantin.

Mais son dernier mot s'acheva sur un court gémisse-ment. La douleur revenait, sournoise, lentement enva-hissante... Jolival qui, avec un haussement d'épaules philosophe, se disposait à regagner son lit, s'arrêta net :

— Qu'avez-vous ?

— Je... Je ne sais pas. Une douleur... oh, pas très pénible, mais c'est la seconde et je me demande...

Elle n'ajouta rien. Déjà Jolival se ruait dans le petit couloir qui reliait la chambre de Marianne à celle de Dona Lavinia, poussant des clameurs à réveiller tout un cimetière.

« Il va ameuter la maison ! » pensa Marianne, mais elle savait déjà qu'elle allait avoir besoin de secours et que l'heure était venue, pour elle, d'accomplir son grand travail de femme...

CHAPITRE VI

« JE SUIS DE CE PEUPLE LIBRE... »

Les douleurs duraient depuis plus de trente heures et l'enfant n'était toujours pas apparu. Enfermée dans sa chambre avec Dona Lavinia et le médecin, Marianne subissait l'assaut de la souffrance avec une résistance qui allait s'amenuisant. Lorsque les contractions étaient devenues plus fortes, elle s'était appliquée à ne pas crier, mettant une sorte de point d'honneur à se comporter avec le stoïcisme d'une véritable grande dame. C'était tout juste si un gémissement réussissait à franchir ses dents serrées.

Mais l'épreuve durait depuis trop longtemps et Marianne, torturée presque sans répit, avait tout oublié de ses fermes résolutions. Dans le lit trempé de sueur où elle se débattait comme une bête prise au piège, elle hurlait maintenant sans retenue. Et il y avait des heures qu'elle criait ainsi, d'une voix qui, cependant, allait en s'affaiblissant. Elle ne désirait plus qu'une chose : mourir... Et le plus vite possible pour que tout cela cesse...

Ses cris trouvaient un écho dans le cœur des deux hommes qui attendaient dans le boudoir voisin de sa chambre.

Jolival, debout devant une fenêtre, se rongeait les ongles, l'œil fixe et semblait planté là jusqu'à la consommation des siècles.

Quant à Jason Beaufort, son flegme quasi britannique avait volé en éclats aux premières plaintes de la jeune femme. Pâle et les yeux creux, il fumait avec une espèce de rage, allumant un cigare après l'autre et, parfois, il se bouchait les oreilles quand les cris lui paraissaient plus affreux. Le talon de ses bottes avait creusé un grand trou dans la laine du tapis...

Le jour se levait. Ni le marin, ni le vicomte n'avaient dormi depuis la veille, mais ils n'avaient pas l'air de s'en apercevoir. Cependant, au moment précis où tonnait au loin le coup de canon annonçant l'aurore, une plainte qui s'acheva en un sanglot désespéré vint de la chambre et fit bondir Jason, comme si le canon avait atteint Marianne.

— C'est intolérable ! s'écria-t-il. Ne peut-on rien faire ? Faut-il vraiment qu'elle endure cette agonie ?

Jolival haussa les épaules.

— Il paraît que c'est naturel... Le médecin dit qu'un premier enfant se fait parfois attendre longtemps.

— Le médecin ! Vous avez confiance en cet âne solennel ? Pas moi.

— Ce doit être à cause de son turban, remarqua Jolival. Vous pensez sans doute qu'un médecin ne peut être valable qu'en habit et cravate ? Celui-là est un habile homme, autant que j'aie pu en juger en parlant avec lui. N'empêche que je commence à partager votre façon de voir. Quand j'ai ouvert la porte, tout à l'heure, il était assis dans un coin, le nez sur la poitrine, égrenant son chapelet d'ambre sans s'occuper autrement de la pauvre Marianne qui criait à fendre l'âme.

Jason fonça sur la porte comme s'il voulait l'enfoncer.

— Je vais aller lui dire ma façon de penser, criat-il.

— Inutile, c'est fait ! Cela ne l'émeut d'ailleurs en aucune façon. Je lui ai également demandé combien de temps ce supplice allait durer encore.

— Et qu'a-t-il répondu ?

— Inch'Allah !...

Le teint basané du marin vira au rouge brique.

— Oui ? Et bien nous allons voir s'il osera me répondre la même chose !...

Il allait s'élancer dans la chambre de la jeune femme quand la porte qui donnait sur une galerie extérieure s'ouvrit sous la main d'une servante, livrant passage à une apparition impressionnante : celle d'une grande femme enveloppée de mousselines noires et coiffée d'une espèce de hennin orfévré qui, dans le premier rayon du soleil, brillait comme de l'or aussi pur que celui des longs pendants d'oreilles tremblant le long de ses joues.

En pénétrant dans la pièce, que les cigares de Jason avaient transformée en tabagie, Rébecca eut un mouvement de recul et, de la main, fit le geste de dissiper l'épaisse fumée bleuâtre. Elle regarda tour à tour les deux hommes qui la considéraient comme si elle eût été la statue du Commandeur soudainement apparue pour leur demander compte de leurs fautes. Puis, allant à la fenêtre, elle l'ouvrit avec décision, laissant entrer par l'ouverture béante le froid humide du jardin.

— On ne fume pas près de la chambre d'une femme en mal d'enfant, fit-elle sévèrement. D'ailleurs, des hommes n'ont rien à faire, à pareille heure, dans un appartement féminin. Sortez !

Sidérés par la raideur du ton, les deux hommes se regardèrent, mais déjà Rébecca leur ouvrait la porte qu'elle venait de franchir et d'un geste autoritaire leur indiquait la galerie.

— Allez-vous-en, vous dis-je ! Je vous appellerai quand tout sera fini !...

— Mais... qui êtes-vous ? réussit à articuler Jolival.

— On me nomme Rébecca, daigna répondre l'inconnue. Mon père est le médecin Juda ben Nathan, du quartier de Kassim Pacha... et le seigneur Turhan Bey m'a fait chercher il y a une heure pour aider une amie dont l'accouchement se passe mal.

Renseigné, Jolival se dirigea docilement vers la porte, mais Jason regardait cette femme arrogante, que sa coiffure faisait plus grande que lui, avec méfiance.

— Il vous a fait chercher, dites-vous ? Je n'en crois rien, car il y a là son médecin personnel.

— Je sais ! Djelal Osman Bey est un bon médecin, mais il a, sur les accouchements, les idées d'un vrai croyant de l'Islam : la femme doit livrer son combat et il faut en attendre l'issue avant d'intervenir. Mais il y a des cas où il ne faut pas trop attendre. Alors, s'il vous plaît, ne me faites pas perdre encore plus de temps avec des explications oiseuses.

— Venez, intervint Jolival entraînant l'Américain rétif. Laissons-la ! Turhan Bey sait ce qu'il fait...

Depuis l'aube précédente, ni lui ni Jason n'avaient aperçu le maître d'Hümayünâbâd. Il était apparu subitement au milieu du tohu-bohu suscité par les appels au secours de Jolival et quand Jason, réveillé à son tour par les cris affolés des servantes, était venu voir ce qui se passait, les deux hommes s'étaient trouvés face à face.

Malgré les appréhensions de Jolival et les vapeurs du cognac, la rencontre s'était passée dans le plus grand calme. Très maître de lui, Jason Beaufort avait remercié chaleureusement l'homme qui l'avait sauvé. Il s'était arrangé, aussi, pour présenter, avec une délicatesse inattendue chez un homme de cette trempe, des excuses pleines de tact pour n'avoir pas toujours traité avec les égards nécessaires un homme dont il ignorait totalement la véritable identité et qui s'était présenté à lui sous l'apparence romantique d'un esclave en fuite. Et « Turhan Bey », faisant assaut de courtoisie, avait assuré son ancien employeur qu'il ne lui gardait nullement rancune d'un traitement dont il était seul responsable. Après quoi, il avait prié l'Américain de considérer sa demeure comme la sienne propre et d'user à sa guise de ses biens comme de son influence.

Impassible, il avait écouté les paroles émues que

Jason trouvait pour le remercier d'avoir recueilli la princesse Sant'Anna et d'avoir, en quelque sorte, réparé envers elle les graves torts dont lui, Jason Beaufort, s'était inconsciemment rendu coupable, se contentant de répondre que c'était là chose toute naturelle. Puis il s'était retiré sur un salut courtois et depuis on ne l'avait pas revu.

A Jolival qui s'était présenté à la porte du pavillon qu'il habitait, on avait répondu que « le seigneur Turhan Bey était à ses entrepôts ».

Cependant, les deux hommes, chassés par Rébecca, erraient dans la longue galerie couverte. A travers le jardin dépouillé par l'hiver, elle rejoignait un kiosque peint de mille couleurs, qui faisait naître dans toute cette grisaille une fleur énorme et insolite. Tous deux se sentaient gauches, empêtrés dans leurs personnages et ne trouvaient même plus rien à se dire, soulagés secrètement, malgré tout, d'avoir échappé au boudoir enfumé où les cris résonnaient trop bien. Le silence du jardin vide leur parut délicieux et chacun d'eux essaya de le préserver un moment...

Mais il était écrit que cet instant de rémission serait fugitif et bref. Jason venait d'allumer un nouveau cigare quand le bruit d'une course résonna sous la galerie. Presque aussitôt, Gracchus surgit, hors d'haleine, rouge d'avoir couru et sa tignasse couleur de carotte raide d'émotion. De toute évidence, il apportait une nouvelle qui n'avait rien d'agréable.

— Le brick ! s'écria-t-il du plus loin qu'il aperçut les deux hommes. Il n'est plus à son poste d'amarrage !

Jason changea de couleur et, comme le garçon, parvenu au bout de ses forces, s'abattait presque sur sa poitrine, il le prit aux épaules pour l'obliger à se redresser.

— Que dis-tu ? On l'aurait volé ?

Gracchus fit signe que non, ouvrit la bouche comme un poisson tiré hors de l'eau, cherchant à reprendre son souffle, déglutit péniblement puis, finalement, réussit à articuler :

— Les sauvages... l'ont mis... en quarantaine ! Il est maintenant... ancré en plein... milieu du Bosphore, près de la tour de la Fille[1]...

— En quarantaine ? s'exclama Jolival. Mais pour quelle raison ?

L'ex-commissionnaire de la rue Montorgueil haussa les épaules avec rage :

— Paraîtrait qu'un des hommes qui le gardaient vient d'y mourir du choléra et de façon tout à fait subite. On a aussitôt brûlé le corps sur le quai, mais les autorités du port ont exigé que le navire soit conduit en quarantaine. Quand nous sommes arrivés, avec M. O'Flaherty, il venait tout juste de quitter son mouillage, conduit par l'un des pilotes du seigneur Turhan qui a été forcé de s'exécuter. Ah ! pour une catastrophe, c'est une catastrophe ! Qu'est-ce qu'on va faire, Monsieur Jason ?

Le matin précédent, Gracchus-Hannibal Pioche, qui avait retrouvé son héros favori avec une joie telle que la déception de leur dernière rencontre avait fondu comme beurre au soleil (il avait d'ailleurs reçu de Jolival toutes les explications désirables à ce sujet), avait été envoyé par Jason à la recherche de Craig O'Flaherty pour lui demander de constituer un équipage.

En effet, contrairement à ce que l'on aurait pu penser, l'ancien second de la *Sorcière* n'avait pas quitté Constantinople. Son âme irlandaise s'était éveillée à la poésie colorée de la triple cité... et à l'intérêt que pouvait présenter certaine contrebande de vodka russe et de vins de Crimée pour un homme possédant un tant soit peu le sens des affaires...

Livré à lui-même après qu'Achmet Reis eut ramené le brick et une partie de ses passagers dans la capitale ottomane, O'Flaherty s'était un moment demandé ce

1. La tour de Léandre.

qu'il allait faire. Il lui était possible, bien sûr, de s'engager sur l'un ou l'autre des vaisseaux anglais qui, telle la frégate *Jason*, relâchait assez régulièrement dans la Corne d'Or, et de regagner l'Europe. Mais son âme irlandaise, toujours elle, se hérissait à la seule idée de respirer sur un pont anglais, même avec la perspective de retrouver la mère patrie.

Et puis, en dehors du fait qu'il avait gardé de bonnes relations avec l'ambassade de France, où il retrouvait assez régulièrement Jolival, quelque chose de plus fort que lui le rattachait au navire américain. Il l'aimait un peu comme s'il eût été son enfant et, ayant appris que la Sultane Haseki l'avait racheté pour le rendre à Marianne, il avait copié son attitude sur celle de la jeune femme, attendant comme elle le retour de Beaufort... avec tout de même un peu plus de philosophie, mais avec une foi entière.

Les premiers temps de son attente avaient été difficiles, car il ne savait que faire, partageant son temps et son peu d'argent entre les divers cabarets de la ville et le théâtre d'ombres chinoises de la place du Sérasquier, qui charmait son cœur naïf. Il en avait été ainsi jusqu'au jour où son goût des boissons fortes l'avait amené dans certaine taverne de Galata où se réunissaient les plus fermes soutiens de Bacchus sur la rive européenne.

Il y avait rencontré un Georgien des environs de Batoum, un certain Mamoulian, qui essayait d'oublier, dans les fumées des vins italiens ou grecs, une guerre qui le ruinait lentement. En effet, tant que les hostilités dureraient entre la Porte et le gouvernement du tsar Alexandre Ier, son fructueux commerce d'importation de vodka resterait en sommeil, car il ne trouvait plus aucun marin digne de ce nom pour accepter le risque de conduire son bateau dans les eaux russes.

Une sympathie, née spontanément après quelques bouteilles partagées, avait uni les deux hommes et l'on s'était mis d'accord pour une association momentanée.

La guerre, en effet, tirait sur sa fin et, d'autre part, O'Flaherty ne voulait pas s'engager pour un temps déterminé pour ne pas excéder la durée du séjour du brick à Constantinople.

Laissant donc à Jolival son adresse au cabaret de San Giorgio où il avait fini par prendre ses habitudes, l'Irlandais s'était lancé joyeusement dans deux voyages couronnés de succès qui lui avaient permis de remplir agréablement son escarcelle et de trouver le temps beaucoup moins long...

Fort heureusement, il venait de rentrer du second et se trouvait tout justement à Galata quand Gracchus, porteur de la nouvelle du retour de Jason et de ses premiers ordres, était venu frapper à sa porte. Tout heureux, Craig O'Flaherty avait commencé par célébrer l'événement avec une glorieuse rasade d'un vieux whisky parvenu Dieu sait comment entre ses mains, puis, traînant Gracchus après lui, il s'était hâté de franchir la Corne d'Or et de courir au quai du Phanar où l'attendait la déconvenue que l'on sait.

Tout le jour, le Parisien et l'Irlandais avaient couru pour savoir où le brick serait ancré, tant et si bien que le coucher du soleil les avait surpris du mauvais côté de la Corne d'Or et les avait contraints à passer la nuit dans une taverne grecque, en grand danger d'être ramassés par les cavas.

Ils s'y étaient lamentés tout leur saoul autour d'un vin résiné qui leur avait donné un violent mal de tête et, dès le coup de canon de l'aube, ils s'étaient jetés dans une pérame pour gagner l'autre rive et venir rendre compte de leur mission.

Sans répondre à la question angoissée de Gracchus, Jason se contenta de demander :

— Où as-tu laissé Mr O'Flaherty ?

— Chez le concierge... je veux dire le capidji. Comme il ne connaît pas Turhan Bey, il n'a pas osé pénétrer dans le palais. Et il attend vos ordres là-bas.

— J'y vais moi-même. Je le ramènerai. Nous avons une décision à prendre. Et cet enfant qui n'arrive pas...

— Mon Dieu, c'est vrai, s'exclama Gracchus. Avec tout ça j'oubliais le bébé. Est-ce qu'il n'est pas encore là ?

— Eh non ! fit Jolival. Il... ou elle — car après tout rien n'assure que ce sera un garçon — se fait beaucoup attendre...

— Est-ce que... ce n'est pas dangereux, une aussi longue attente ?

Jolival haussa les épaules.

— Je ne sais pas. Dieu veuille que non !...

Il ne le voulait pas. Car, à la minute précise où le vicomte prononçait ces mots chargés d'inquiétude, Rébecca dont les longues mains, habiles et souples, avaient plongé dans le corps même de sa patiente pour retourner l'enfant qui se présentait mal, délivrait enfin Marianne.

La malheureuse avait tant souffert que l'opération ne lui avait arraché qu'un cri faible, suivi d'une bienheureuse perte de conscience. Elle n'entendit pas le premier vagissement, singulièrement vigoureux, du bébé dont Rébecca, à petites tapes sèches, claquait les fesses. Et pas davantage l'exclamation ravie de Dona Lavinia :

— C'est un garçon ! Doux Jésus ! Nous avons un fils...

— Et un garçon magnifique, renchérit la Juive. Je gagerai qu'il pèse près de neuf livres. Il sera un homme superbe. Allez prévenir ces deux idiots qui fumaient comme une cheminée dans la pièce voisine. Vous les trouverez sans doute dans la galerie...

Mais la fidèle gouvernante des Sant'Anna ne l'écoutait plus. Elle était déjà hors de la chambre, ramassant ses jupons amidonnés pour courir plus vite et se précipitant directement vers le pavillon du prince. Tout en courant, elle riait, pleurait et marmottait tout à la fois, possédée par une trop grande joie qu'elle voulait partager bien vite.

— Un fils ! balbutiait-elle. Il a un fils... C'en est fini du malheur. Dieu a eu enfin pitié de lui...

Cependant, tandis que Rébecca procédait à la première toilette du nouveau-né, Marianne reprenait connaissance entre les mains de Djelal Osman Bey. Le médecin, enfin sorti de son immobilité fataliste, s'était précipité pour faire émerger la jeune femme d'une syncope qu'il jugeait dangereuse. La vie d'une femme capable de mettre au monde un fils tel que celui qui était né devenait singulièrement précieuse.

En ouvrant les paupières, le regard vague de Marianne capta un visage brun prolongé d'une barbiche noire qu'elle identifia aussitôt.

— Docteur !... souffla-t-elle. Est-ce que... ce sera encore long ?

— Souffrez-vous donc encore ?

— N... on ! Non... c'est vrai, je n'ai plus mal !

— C'est tout naturel puisque tout est fini.

— Fi... ni ?

Elle décomposait le mot comme pour mieux en saisir la signification, sensible surtout à l'apaisement bienheureux que connaissait son corps supplicié. Fini ! L'atroce douleur était finie. Cela voulait dire que la torture ne recommencerait pas et qu'elle, Marianne, allait enfin pouvoir dormir...

Mais le visage se pencha davantage et elle perçut l'odeur d'ambre qui se dégageait des vêtements.

— Vous avez un fils, dit le médecin plus doucement encore, mais avec une nuance de respect. Vous avez le droit d'être heureuse et fière, car l'enfant est magnifique...

Une à une ses paroles atteignaient leur but, prenaient leur sens. Lentement, les mains de la jeune femme glissèrent le long de son corps... En constatant que la monstrueuse enflure avait disparu, que son ventre était redevenu presque plat, un flot de larmes jaillit de ses yeux.

C'étaient des larmes de joie, de soulagement et de gratitude envers une Providence qui avait eu pitié d'elle. Comme le disait le médecin, c'était fini. Jamais le mot « délivrance » ne s'était chargé d'une plus profonde signification.

C'était comme si les parois d'une cage de fer dressées entre Marianne et un merveilleux paysage ensoleillé s'étaient effondrées tout à coup. Elle était libre. Libre enfin ! Et ce mot-là aussi c'était comme si elle venait de le réinventer.

Mais Rébecca qui revenait, l'enfant dans les bras, se méprit sur le sens des pleurs qui roulaient sur le visage de la jeune femme, pareils à une petite fontaine triste.

— Il ne faut pas pleurer, dit-elle doucement. Vous avez fait le bon choix car c'eût été pitié que perdre un enfant tel que celui-ci. Voyez comme il est beau...

Elle avançait déjà ses mains et leur douce charge mais, soudain, le réflexe se déclencha, brutal... Pour éviter de voir, Marianne tourna brusquement la tête, serrant les mâchoires.

— Remportez cela !.. Je ne veux pas le voir !

La Juive fronça les sourcils, choquée, malgré sa grande habitude des imprévisibles réactions féminines, par la violence du ton. Même quand un enfant n'était pas désiré, la plus obstinée, la plus dure aussi se mettait à fondre d'orgueil et de bonheur quand elle avait donné le jour à un fils. Comme si elle avait mal compris, elle obligea Marianne à préciser :

— Vous ne voulez pas voir votre enfant ?

Mais maintenant la jeune femme serrait les paupières avec une obstination désespérée. On aurait dit qu'elle avait peur de ce qu'elle risquait de découvrir. Sa tête roula sur l'oreiller dans la masse humide des cheveux qui s'y étalaient comme des algues.

— Non ! Appelez Dona Lavinia... C'est elle qui

doit s'en occuper. Moi, je voudrais dormir... dormir. Je ne désire rien d'autre.

— Vous dormirez plus tard, coupa Rébecca sèchement. Vous n'êtes pas encore entièrement délivrée. C'est l'affaire d'une demi-heure environ...

Elle allait déposer l'enfant dans un grand berceau de bois doré que deux servantes venaient d'apporter, quand Dona Lavinia revint.

La gouvernante avait les yeux pleins de ciel. Sans paraître voir quoi que ce soit d'autre, elle marcha droit au lit, s'agenouilla au chevet comme elle l'eût fait devant un autel et, prenant la main abandonnée sur le drap, elle la porta longuement à ses lèvres qui tremblaient.

— Merci ! balbutia-t-elle. Oh ! Merci... notre princesse...

Gênée par cette gratitude qu'elle n'avait pas l'impression de mériter réellement, Marianne voulut retirer sa main sur laquelle coulaient des larmes.

— Par pitié ! Ne me remerciez pas ainsi, Dona Lavinia ! Je... Je n'en suis pas digne. Dites-moi seulement... que vous êtes heureuse. Cela me paiera de tout...

— Heureuse ? Oh ! Madame...

Incapable d'en dire davantage, elle se relevait, faisait face à Rébecca et, solennelle, tout à coup, elle tendit les bras :

— Donnez-moi le prince, ordonna-t-elle.

Le titre frappa Marianne. Elle réalisa tout à coup ce que cette petite chose, à laquelle dans sa rancœur elle s'était refusée jusqu'alors à donner le nom d'enfant, tant qu'elle s'abritait dans le mystère de son corps, que cette entité sans définition avait pris de nouvelles dimensions en venant au jour. C'était l'Héritier ! C'était l'espoir d'un homme qui, depuis sa naissance dramatique, payait pour la faute de quelqu'un d'autre, d'un être assez malheureux pour accueillir avec reconnaissance le fruit d'un autre... et de quel autre ! Sur ce petit paquet de linges fins et de dentelles que Dona Lavinia serrait sur son cœur avec autant d'amour et de respect que s'il eût été l'Enfant-Dieu, reposaient des siècles de traditions, le poids d'un grand nom, des terres immenses, des domaines et une fabuleuse fortune...

A la voix mauvaise et lourde de rancune qui dans le fond de son cœur soufflait « c'est le fils de Damiani ! l'enfant monstrueux d'un misérable dont la vie ne fut qu'un tissu de crimes »... à cette voix répondait celle, tranquille et grave, de la gouvernante qui affirmait : « c'est le prince ! Le dernier des Sant'Anna et rien ni personne ne pourra plus y changer quoi que ce soit ! »... Et c'était la calme certitude de l'amour et de la fidélité qui l'emportait, de même que, lorsque s'affrontent l'ombre et la lumière, c'est la lumière qui finit toujours par triompher.

Debout, dans le rayon de soleil qui se déversait dans la chambre, Dona Lavinia avait pris dans un coffret un flacon d'or ancien qui brillait d'un éclat assourdi. Elle préleva sur un linge fin une infime parcelle de ce qu'il contenait et en frotta les lèvres du bébé.

— Cette farine de froment vient de vos terres, monseigneur. Elle est le pain dont vivent tous ceux qui sont vôtres, serviteurs ou paysans. Ils le font croître pour vous, mais vous devrez toute votre vie veiller à ce qu'il ne leur fasse jamais défaut.

Elle répéta les mêmes gestes et presque les mêmes paroles avec un autre flacon, tout semblable, mais qui contenait le sang même de la terre toscane : un vin sombre, rouge et épais comme le flux vital.

Quand ce fut fini, la vieille femme se tourna de nouveau vers le lit où Marianne, fascinée malgré elle, avait suivi chacune des phases de cette étrange scène, dont la simple solennité avait la ferveur d'une messe.

— Madame, demanda-t-elle avec émotion, le curé de l'église Sainte-Marie-Draperis sera ici dans un instant pour ondoyer le jeune prince. Quel nom Votre Altesse Sérénissime souhaite-t-elle donner à son fils ?

Prise de court, Marianne se sentit rougir. Pourquoi donc Dona Lavinia l'obligeait-elle à jouer ce rôle de mère dont elle ne voulait pas ? La vieille femme de charge ignorait-elle donc que cette naissance faisait partie d'un accord passé entre son maître et celle en qui elle s'obstinait à voir sa maîtresse, d'un accord qui préludait à une séparation définitive ? Ou bien voulait-elle l'ignorer ? C'était cela sans doute, car elle n'essayait même pas d'approcher l'enfant de sa mère... Pourtant, il fallait répondre.

— Je ne sais pas, murmura Marianne. Il me semble que ce n'est pas à moi de choisir... Ne vous a-t-on fait aucune suggestion à ce sujet ?

— Si fait ! S'il agrée à Votre Altesse Sérénissime, le prince Corrado aurait souhaité que l'enfant portât le nom de son aïeul : Sebastiano. Mais la coutume veut qu'il porte également le nom de son grand-père maternel.

— Don Sebastiano n'était pas le père du prince Corrado, mais son grand-père, il me semble.

— En effet. Cependant il ne souhaite pas que le nom du prince Ugolino soit porté de nouveau. Voulez-vous, Madame, me dire le nom de votre père ?

C'était comme les dents d'un piège qui se refermaient sur Marianne. Dona Lavinia savait ce qu'elle faisait et, délibérément, elle tentait de rattacher, fût-ce par force, la mère de l'enfant à une famille qu'elle voulait quitter. Et jamais Marianne épuisée ne s'était sentie aussi faible, aussi lasse. Pourquoi la tourmentait-on avec cet enfant ? Pourquoi n'était-il pas possible qu'on la laissât enfin tranquille ?... Elle crut revoir, tout à coup, le portrait magnifique et hautain qui régnait sur son salon parisien : le marquis d'Asselnat de Villeneuve, dont la noblesse remontait aux Croisades, ne serait-il pas indigné dans l'au-delà guerrier où il se trouvait sans doute, que l'enfant de l'intendant Damiani reçût son prénom ? Mais, en même temps, comme si une force plus puissante que sa volonté la forçait à ce qu'elle considérait comme une démission, elle s'entendit répondre d'une voix qu'elle ne reconnut pas et qui appartenait déjà au domaine du rêve :

— Il s'appelait Pierre... Pierre-Armand...

Tout son subconscient révolté contre ce qu'elle estimait une lâcheté, elle aurait voulu lutter encore mais l'immense fatigue était la plus forte. Ses paupières pesaient comme du plomb et son esprit sombrait dans les brumes. Elle dormait déjà d'un profond sommeil alors même que Rébecca en finissait avec les soins nécessaires.

Un moment, Dona Lavinia, les larmes aux yeux, considéra la mince forme, si mince et si frêle maintenant qu'elle semblait perdue dans ce trop grand lit. Se pouvait-il qu'en cette jeune créature épuisée il demeurât encore tant de résistance, tant de volonté ? Après une aussi dure épreuve, elle gardait assez de présence d'esprit pour repousser l'enfant, refuser de laisser s'émouvoir le trop puissant instinct féminin.

Avec douleur la vieille dame regarda le minuscule visage aux yeux clos niché dans le béguin de dentelles d'où dépassait une arrogante boucle noire.

— Si seulement elle acceptait de te regarder, mon petit prince... rien qu'une fois. Il ne lui serait plus possible de t'écarter d'elle. Mais viens ! Allons le voir, lui... Il t'aimera de tout l'amour qu'il ne peut pas donner. Il t'aimera... pour deux.

Laissant Rébecca, aidée d'une femme de chambre, achever l'installation de la jeune mère et le rangement de la chambre en désordre, elle enveloppa l'enfant dans une couverture de douce laine blanche et quitta la pièce sur la pointe des pieds. Mais, en traversant le boudoir, elle se heurta à Jolival qui arrivait en trombe, Jason sur les talons.

— L'enfant ! s'écria le vicomte. Il est là ? Nous venons d'apprendre sa naissance à l'instant... Oh ! Seigneur... C'est lui que vous portez ?

Le bon Jolival était au comble de la surexcitation.

La joie, une joie qu'il n'aurait jamais cru aussi forte, avait remplacé trop vite l'angoisse des heures précédentes. Il avait envie de rire, de chanter, de courir, de boire, de faire cent folies. Son affection pour Marianne lui faisait rejeter dans l'oubli, comme le faisait le prince lui-même, les circonstances de la conception du bébé pour ne plus voir que l'enfant de Marianne, le fils de sa fille adoptive. Et il découvrait d'un seul coup la joie merveilleuse d'être grand-père.

D'un doigt précautionneux, Dona Lavinia écarta la couverture pour montrer la petite figure rouge qui dormait si paisiblement, ses poings minuscules bien serrés sur cette vie toute neuve qu'on venait de lui donner. Et Jolival sentit ses yeux se mouiller.

— Mon Dieu ! Comme il lui ressemble ! Ou plutôt, comme il ressemble à son grand-père !

Il avait trop contemplé le portrait du marquis d'Asselnat pour n'avoir pas saisi, aussitôt, la ressemblance frappante, même chez un enfant qui n'avait pas deux heures d'existence. Par une véritable faveur du ciel, le bébé n'avait rien, très certainement, qui rappelât son véritable père. L'empreinte maternelle était trop grande pour laisser place à la moindre trace étrangère et Jolival pensait qu'il était bon que ce petit fût un Asselnat beaucoup plus qu'un Sant'Anna. Il pensait aussi que cette ressemblance ne chagrinerait pas beaucoup le prince Corrado.

— C'est un enfant superbe ! s'exclama Jason avec un sourire tellement chaleureux qu'il entrouvrit pour lui le cœur rétif de la gouvernante. Le plus beau, sur ma foi, que j'aie jamais vu ! Qu'a dit sa mère ?

— Elle n'a pas pu ne pas le trouver beau, n'est-ce pas ? renchérit Arcadius sur un ton qui suppliait plus qu'il n'interrogeait.

Dona Lavinia serra l'enfant plus étroitement contre sa poitrine et regarda l'Américain avec des yeux désolés où revenaient les larmes.

— Hélas, Monsieur, elle n'a pas voulu seulement le

regarder, ce pauvre petit ange. Elle m'a ordonné de l'emporter avec autant d'horreur que si c'eût été un monstre...

Il y eut un silence. Les deux hommes se regardèrent mais ce fut Jolival qui, sous le regard dur du corsaire, détourna la tête.

— Je craignais qu'il en fût ainsi, fit-il d'une voix enrouée. Depuis qu'elle se sait enceinte, Marianne a toujours farouchement refusé sa maternité.

Pour sa part, Jason ne fit aucun commentaire. Les sourcils froncés, un pli au coin de la bouche, il réfléchissait. Mais comme Dona Lavinia, recouvrant le bébé, s'apprêtait à poursuivre son chemin, il l'arrêta.

— Où allez-vous avec cet enfant ?

Elle hésita, s'efforçant de dissimuler sa figure envahie d'une profonde rougeur.

— Je pensais... qu'il était normal de le présenter au maître de ce palais !...

L'attitude et la voix de la gouvernante manquaient-elles à ce point de naturel ? Jolival eut l'impression tout à coup que quelque chose se passait, sans qu'il pût définir quoi. Pourtant, ni l'un ni l'autre des acteurs de cette courte scène n'avait bougé mais, sous le regard du corsaire, Dona Lavinia semblait clouée au sol et, comme un animal qui flaire le danger, elle respirait à petits coups rapides trahissant une oppression.

Cependant, l'Américain, reculant d'un pas pour livrer le passage, inclinait courtoisement sa haute taille.

— Vous avez raison, Dona Lavinia ! dit-il gravement. C'est tout à fait normal... Vous avez là une pensée délicate et qui vous fait honneur autant que cet enfant.

Quand Marianne sortit du bienfaisant sommeil qui l'avait engloutie corps et âme, les rideaux de sa chambre étaient fermés, les lampes allumées dispensaient une douce lumière dorée, car la nuit était tombée. Le poêle de faïence ronronnait comme un gros chat familier et Dona Lavinia, portant dans ses mains un plateau où fumait quelque chose, s'approchait du lit. C'était peut-être un bruit vague qui avait éveillé Marianne, ou encore la faim appelée par l'odeur appétissante du souper car elle n'avait pas vraiment envie de quitter la douceur du repos. Le désir de dormir habitait encore chacune des fibres de son corps... Néanmoins, elle ouvrit les yeux...

Avec le plaisir animal de quelqu'un qui a longtemps subi une pénible contrainte physique et qui retrouve tout à coup la pleine liberté de ses mouvements, elle s'étira longuement comme un chat heureux. Dieu que c'était bon de se retrouver soi-même après tous ces mois où son corps n'avait été pour elle, qu'un poids étranger et de plus en plus encombrant ! Même le souvenir des heures cruelles qu'elle venait d'endurer dans ce lit s'estompait déjà, emporté par l'irrésistible marée du temps vers les brumes épaisses de l'oubli.

Rejetant sur son épaule une grosse tresse de cheveux qui chatouillait sa joue, elle sourit à la vieille gouvernante.

— J'ai faim, Dona Lavinia. Quelle heure est-il donc ?

— Bientôt neuf heures, Madame. Votre Seigneurie a dormi près de douze heures ! Est-ce qu'elle se sent mieux ?

— Je me sens presque bien. Encore quelques heures de bon repos et je serai complètement rétablie.

Tout en parlant, Lavinia s'activait, aidait la jeune femme à s'installer dans le nid, rapidement réédifié, de ses oreillers, passait sur son visage un linge humecté d'une fraîche lotion à la verveine et déposait finalement le plateau de laque noire sur ses genoux.

— Que m'apportez-vous ? demanda Marianne qui retrouvait tout à coup le plaisir de la nourriture.

— Un potage aux légumes, du poulet rôti, une compote au miel et un verre de chianti... Le médecin prétend qu'un peu de vin ne peut que vous faire du bien.

Le tout disparut avec une belle rapidité. Ce modeste

repas semblait à Marianne la meilleure chose du monde. Elle savourait avec d'autant plus d'intensité chacun des petits plaisirs physiques de sa résurrection qu'en s'y intéressant elle repoussait à plus tard des préoccupations morales qui ne reviendraient que trop tôt.

Avec un petit soupir de satisfaction, elle vida la dernière goutte de vin et se laissa aller de nouveau dans ses oreillers, toute prête à repartir dans un sommeil qui lui semblait pour l'instant le plus désirable des états. Mais quelque chose bougea près de la tenture qui garnissait la porte de la chambre. Une main la souleva et la grande silhouette du prince Corrado s'en détacha... tandis que le bien-être physique de la jeune femme tombait brusquement en poussière.

Il était la dernière personne qu'elle souhaitât voir à cette minute. Malgré le turban blanc piqué d'un pavé de turquoise qui enserrait sa tête fière, il lui parut sinistre dans le long caftan noir qu'il portait, sans autre ornement que le large poignard passé dans sa ceinture de soie. Ne représentait-il pas l'ombre inquiétante de son destin, le génie néfaste attaché à ses pas... à moins qu'il n'incarnât les troubles remous d'une conscience qui ne donnait pas pleine satisfaction à la propriétaire ? Et, en le regardant approcher, la jeune femme pensa qu'il ressemblait plus que jamais à une panthère noire.

Silencieusement, de son pas nonchalant, il traversa la vaste pièce et vint jusqu'au pied du lit, tandis que Dona Lavinia, après une révérence, disparaissait, emportant le plateau.

Un instant, les deux éléments de ce couple insolite se dévisagèrent sans rien dire et, de nouveau, Marianne se sentit mal à l'aise. Cet homme avait l'étrange pouvoir de lui donner continuellement l'impression qu'elle était coupable d'indéfinissables forfaits...

Ne sachant que dire, elle chercha quelque chose qui ne fût pas stupide ou maladroit puis, se souvenant tout à coup du cadeau qu'elle venait de lui faire et qui, tout au moins, devait lui être agréable, elle choisit de lui sourire et fit un effort :

— Vous êtes content ?

Il fit signe que oui, mais sans qu'aucun sourire vînt éclairer son visage sombre. Et quand il parla, Marianne retrouva la voix basse et lourde qu'elle avait entendue pour la première fois dans un miroir, la voix sur laquelle semblait peser toute la tristesse du monde.

— Je suis venu vous dire adieu, Madame. Adieu et merci, car vous avez magnifiquement rempli la part d'engagement qui vous liait à moi. Je n'ai pas le droit de vous imposer plus longtemps une présence qui ne peut que vous rappeler de pénibles souvenirs.

— Ne croyez pas cela, fit-elle spontanément. Vous vous êtes montré envers moi très bon, très amical. Pourquoi donc voulez-vous me quitter si vite ? Rien ne presse...

Elle était sincère. Au prix de sa vie, elle eût été incapable de deviner les raisons profondes qui la poussaient à prononcer de telles paroles. Pourquoi essayait-elle de retenir son étrange époux, alors qu'elle n'espérait plus que la présence de Jason et les prémices d'une vie de bonheur auprès de lui ?...

Le prince sourit, de ce sourire timide qui, sur son visage de dieu barbare, prenait un charme étrange.

— Vous êtes bonne de me le dire, mais il est inutile de forcer vos sentiments ou d'essayer de me faire croire ce qui ne sera jamais. Je suis venu vous dire que vous êtes libre, désormais, de votre vie et de vous-même ! Grâce à vous, j'ai un fils, un héritier. Vous pouvez maintenant diriger votre destin dans la direction que vous souhaiterez. Je vous y aiderai, car je n'ai pas de plus grand désir que vous savoir heureuse... Bien sûr... quelle que soit la décision que vous choisirez de prendre, que vous préfériez porter encore notre nom ou que vous décidiez de vous en libérer au plus vite, je continuerai de veiller à ce que vous ne manquiez de rien...

— Monsieur ! protesta-t-elle, blessée dans son orgueil.

— Ne vous offensez pas ! J'entends que la mère de mon fils puisse continuer à tenir le rang auquel lui donnent droit sa naissance et sa beauté. Vous pourrez demeurer en ce palais jusqu'à votre complet rétablissement. Et quand vous déciderez d'en partir, un de mes navires vous conduira où vous aurez choisi d'aller !

A nouveau elle sourit, avec une coquetterie involontaire dont elle ne fut pas maîtresse.

— Pourquoi parler de tout cela dès ce soir ? Je suis lasse encore et mes idées ne sont pas bien claires. Demain je serai mieux et nous pourrons alors examiner ensemble...

Il allait peut-être dire quelque chose, mais soudain, il recula et, s'inclinant profondément à la mode orientale, il murmura, très vite :

— Je souhaite une bonne nuit à Votre Altesse Sérénissime...

— Mais... commença Marianne interdite.

Elle s'interrompit comprenant tout à coup la raison de ce changement d'attitude et, envahie d'une joie qui la fit trembler, elle regarda la porte s'ouvrir sous une main autoritaire et Jason en franchir le seuil.

Elle sentit aussitôt pourquoi Corrado avait choisi de s'éclipser : Turhan Bey ne pouvait rendre à la princesse Sant'Anna, son invitée, qu'une brève visite de courtoisie et elle ne songea même pas à le retenir. A la vérité, elle ne le voyait même plus, ses yeux, son attention et son cœur accaparés par celui qui entrait.

Cependant, les deux hommes se saluaient avec une politesse parfaite et la voix de Jason, chargée d'un respect insolite chez un propriétaire de « bois d'ébène », articulait :

— On m'a rapporté votre opinion et vos conseils, Turhan Bey. Je vous en remercie et, si vous le permettez, j'irai m'en entretenir avec vous dans un moment. Il faut que je vous voie avant mon départ...

— Venez quand il vous plaira, Monsieur Beaufort ! Je vous attendrai chez moi...

Il sortit aussitôt, mais dans cet échange de civilités, Marianne n'avait retenu qu'une chose : Jason avait parlé de son départ ! La porte n'était pas encore refermée sur le prince que sa question fusait aussitôt suivie d'une décision.

— Tu pars ?... Alors, moi aussi.

Calmement, Jason s'approcha du lit, se pencha et prenant la main de la jeune femme y posa un baiser rapide, puis la garda entre les siennes. Malgré le sourire qu'il lui offrait et qui n'atteignait pas ses yeux, sa figure où le souci creusait des rides demeurait grave.

— Il a toujours été convenu que je partirais et que ce serait ce soir ! fit-il nettement, mais en y mettant autant de gentillesse qu'il le pouvait. Quant à m'accompagner, tu sais très bien que c'est impossible...

— Pourquoi ? A cause de mon état ? Mais tout est fini ! Je suis bien, je t'assure ! Pour que je puisse t'accompagner, il suffira de me descendre à l'embarcadère, dans un bateau qui nous conduira jusqu'à la *Sorcière*. Tu pourras bien me porter jusque-là ? fit-elle avec une tendre coquetterie. Je ne suis pas si lourde...

Mais il était déjà redevenu très sérieux.

— Ce serait, en effet, facile mais ta santé n'est pas le seul obstacle...

— Quoi alors ? s'écria-t-elle, déjà révoltée. Ta volonté propre ? Tu ne veux pas m'emmener ? C'est cela ?

Devenue soudain très rouge, elle s'énervait et ses yeux brillaient un peu trop, comme si un accès de fièvre s'emparait d'elle. Jason serra plus fort les mains qu'il n'avait pas lâchées et qui, tout à coup, lui parurent brûlantes.

— Je ne peux pas t'emmener, corrigea-t-il fermement mais avec beaucoup de douceur. D'abord, tu es moins forte que tu ne le crois et tu ne pourras pas quitter ton lit avant plusieurs jours. Tu as subi une épreuve trop dure et le médecin est formel là-dessus. Mais là n'est pas le fond de la question : je ne peux pas t'emmener parce que c'est impossible... Turhan Bey, qui sort d'ici, ne t'a-t-il rien dit ?

— Devait-il donc me dire quelque chose ? Je viens de me réveiller et de souper. Quant à lui il est seulement venu me souhaiter le bonsoir...

— Alors, je vais t'apprendre où nous en sommes...

Pour être plus près d'elle, Jason s'assit sur le bord du lit et, rapidement, il fit le récit de l'aventure de O'Flaherty et de Gracchus.

— Dans la journée, ajouta-t-il, notre hôte a fait une enquête dans la ville, ce qui était normal puisque le brick portait sa marque et était censé lui appartenir. Cette histoire d'homme mort tout à coup du choléra lui a paru suspecte, ainsi d'ailleurs que la rapidité avec laquelle on a brûlé le cadavre.

— Pourquoi suspecte ? Le choléra, d'après ce que j'ai pu entendre dire, n'est pas si rare ici.

— En effet. Mais il frappe surtout l'été. Et rien n'est plus facile, quand on possède quelque pouvoir, de se procurer un cadavre, de le maquiller et de l'habiller, puis de le faire brûler hâtivement. Turhan Bey, qui sait de quoi il parle, pense que cette histoire est un coup monté par les Anglais pour mettre le navire sous surveillance. Jusqu'à présent, ça a parfaitement réussi...

— Mais alors, tu ne peux plus partir... Il te faut attendre... au moins quarante jours.

La joie naïve qu'elle montrait ne dérida pas Jason. S'approchant d'elle encore un peu plus, il lâcha ses mains et la prit aux épaules afin de pouvoir lui parler de tout près.

— Tu ne comprends pas, mon cœur. Je dois partir et partir maintenant. Sanders m'attend à Messine afin que nous soyons plus solides pour franchir Gibraltar. Si je veux le rejoindre, je dois réussir ce que j'ai manqué l'autre soir : voler mon bateau et fuir avec lui...

— C'est de la folie ! Comment feras-tu sans équipage. Ce n'est pas une barque de pêche !

— Je sais cela aussi bien que toi. J'avais réussi l'autre soir à recruter un semblant d'équipage pour quitter Constantinople. Ce soir, j'ai mieux : Craig O'Flaherty m'attend à Galata avec quelques hommes qu'il a pu trouver dans les cabarets de la ville. Ce n'est pas la crème, mais ce sont des marins et des Européens qui sont las de l'Orient. Enfin, si tu veux me confier le jeune Gracchus, je l'emmènerai : il désire s'embarquer avec moi...

— Gracchus ?...

Une peine amère envahit le cœur de Marianne. Ainsi Gracchus, lui aussi, voulait la quitter ? Depuis qu'elle avait pris racine dans la terre de France, le gamin de la rue Montorgueil, le petit-fils de la blanchisseuse de la route de la Révolte, était devenu pour elle beaucoup plus qu'un serviteur : c'était un ami fidèle, solide, sur lequel on pouvait compter. Il lui vouait un dévouement à toute épreuve. Mais Jason avait très vite attiré à lui une partie de ce cœur. Gracchus l'aimait presque autant qu'il aimait Marianne et il l'admirait profondément. Le voyage sur la *Sorcière* avait achevé d'ouvrir devant le jeune cocher la voie de ses rêves : la mer avec ses grâces et ses ruses, sa splendeur et ses périls. C'était une véritable vocation et Marianne, se souvenant de l'enthousiasme du garçon durant le combat contre les frégates anglaises sous Corfou, pensa qu'elle n'avait pas le droit de le contrarier.

— Prends-le ! décida-t-elle soudain. Je te le donne car je sais qu'il sera beaucoup plus heureux avec toi. Mais, Jason, pourquoi partir si tôt ? Pourquoi ne pas attendre un peu... quelques jours simplement afin que je puisse...

— Non, Marianne ! C'est impossible. Je ne peux pas attendre ! De toute façon, il me faudra partir clandestinement, prendre des risques, livrer bataille, peut-être, car les Anglais ne me laisseront pas quitter le port sans me donner la chasse. Ces risques-là, je ne veux pas te les faire courir. Quand tu seras remise, tu pourras t'embarquer tranquillement sur un bateau grec avec Jolival, revenir sans danger vers l'Europe. Là, tu possèdes assez d'amis parmi les gens de mer pour trouver un navire qui acceptera, malgré le Blocus et les croisières anglaises, de te faire franchir l'Atlantique.

— Je n'ai pas peur du danger. Aucun risque ne m'effraye si je le partage avec toi.

— Toi seule peut-être ! Mais, Marianne... as-tu oublié que tu n'es plus seule ? As-tu oublié l'enfant ? Veux-tu donc, à peine âgé de quelques heures, lui faire essuyer les dangers de la mer, le feu des canons, les risques d'un naufrage ? C'est la guerre, Marianne...

Elle retomba en arrière, échappant aux mains tendres qui la retenaient. Elle avait pâli tout à coup et, dans sa poitrine, quelque chose se serrait, lui faisait mal ! L'enfant ! Fallait-il qu'on le lui rappelât ? Et quel besoin avait Jason de se préoccuper de ce petit bâtard ? Imaginait-il donc qu'elle allait l'emporter avec elle dans cette autre vie qu'elle voulait claire, nette et propre ? Qu'elle élèverait le fils de Damiani avec ceux qu'elle espérait tant lui donner, à lui ? Pour gagner du temps, et parce qu'elle se sentait perdre pied, elle lança, farouche :

— Ce n'est pas la guerre ! Même dans ce pays du bout du monde, on sait qu'aucune déclaration d'hostilité n'est intervenue entre l'Angleterre et les États-Unis...

— Nous sommes d'accord. La guerre n'est pas déclarée, mais les incidents se multiplient et ce n'est plus qu'une question de semaines ! Sir Stratford Canning le sait bien qui n'aurait pas hésité à mettre l'embargo sur mon brick si le pavillon de Turhan Bey ne l'avait protégé. Préfères-tu que la déclaration me surprenne ici et que j'aille pourrir dans une geôle anglaise tandis que mes amis, mes frères, se battront ?

— Je veux que tu sois libre, heureux... mais je veux te garder.

C'était un cri de désespoir et, d'un élan, Marianne s'était jetée contre la poitrine de Jason, y enfouissait sa tête, serrant autour des solides épaules ses bras minces, si minces encore sous la peau presque transparente...

Désolé de ce chagrin qu'il lui fallait causer encore, il la serra contre lui, la berçant comme une enfant et caressant tendrement les frisons légers de sa nuque.

— Tu ne me garderas pas de cette manière, mon cœur. Je suis un homme, un marin et ma vie doit être conforme à ma nature. D'ailleurs... m'aimerais-tu vraiment si j'acceptais de demeurer caché dans tes jupes à l'heure du danger ? M'aimerais-tu lâche, déshonoré ?

— Je t'aimerais n'importe comment...

— Ce n'est pas vrai ! Tu te mens à toi-même, Marianne. Si je t'écoutais, ma douce, un jour viendrait où tu me reprocherais ma couardise. Tu me la jetterais au visage avec fureur, avec mépris... et tu aurais raison. Dieu m'est témoin que je donnerais tout au monde pour pouvoir demeurer à tes côtés. Mais je dois, maintenant, choisir l'Amérique.

— L'Amérique, fit-elle avec amertume ! Un pays sans limite... un peuple immense... A-t-il tellement besoin de toi, d'un seul parmi une telle foule d'enfants ?

— Elle a besoin de tous ! L'Amérique n'a conquis sa liberté que parce que tous ceux qui la voulaient se sont unis pour former un peuple ! Je suis de ce peuple libre... un grain dans le sable de la mer, mais ce grain, emporté par le vent de la désertion, se perdrait à jamais.

Maintenant, Marianne pleurait, à petits sanglots brefs et durs, s'accrochant de toutes ses forces à cette forme virile, à ce mur solide, à ce refuge qu'elle allait perdre une fois encore et pour combien de temps ? Car elle avait perdu, elle le savait bien. Elle l'avait toujours su. Dès les premiers mots qu'il avait prononcés, elle avait compris qu'elle allait livrer un combat sans espoir, qu'elle ne pourrait pas le retenir...

Les lèvres dans ses cheveux, il murmura comme s'il avait deviné sa pensée :

— Prends courage, ma douce ! Bientôt nous serons de nouveau ensemble. Même si les hasards de la guerre ne me permettent pas de t'accueillir quand tu mettras pied à terre sur le port de Charleston, tout sera prêt pour te recevoir... pour vous recevoir, le bébé et toi ! Il y aura une maison, des serviteurs, une vieille amie qui prendra soin de vous...

Le rappel à l'enfant avait crispé Marianne et, une fois de plus, elle refusa d'en parler, préférant s'en tenir à son angoisse personnelle.

— Je sais... mais tu ne seras pas là ! gémit-elle. Que vais-je devenir sans toi ?

Sans brutalité, mais fermement, il détacha les bras qui le retenaient, se releva :

— Je vais te le dire, fit-il.

Rapidement et avant même que Marianne, surprise par ce brusque départ eût pu faire un geste pour le retenir, il quittait la pièce en laissant la porte ouverte derrière lui. Elle l'entendit traverser le boudoir en courant, appeler :

— Jolival ! Jolival ! Venez !...

L'instant d'après, il revenait, le vicomte sur les talons. Mais Marianne étouffa un cri en constatant qu'avec d'infinies précautions il portait dans ses bras un petit paquet blanc et mousseux au-dessus duquel s'agitaient deux minuscules choses roses...

Tout le sang de Marianne reflua vers son cœur et, comprenant que Jason lui apportait cet enfant dont l'approche lui faisait horreur, elle jeta autour d'elle des regards éperdus, cherchant puérilement un trou où se cacher, un refuge contre ce danger neigeux qui approchait dans les bras de celui qu'elle aimait.

Arrivé au pied du lit, il rejeta machinalement la

mèche noire qui lui tombait sur un œil et offrit à la jeune femme terrifiée un large sourire triomphant :

— Voilà ce que tu vas devenir, ma douce ! Une adorable petite maman !... Ton fils te tiendra compagnie et t'empêchera de trop penser à la guerre ! Ce petit bougre saura te faire passer le temps plus vite que tu ne l'imagines.

Il contournait le lit maintenant, il approchait... Dans un instant, il poserait l'enfant sur les couvertures... Ses yeux bleus brillaient, pleins de malice et, une seconde, Marianne le détesta. Comment osait-il ?...

— Emporte cet enfant ! gronda-t-elle entre ses dents serrées. J'ai déjà dit que je ne voulais pas le voir.

Il y eut un silence soudain, un silence énorme, si écrasant tout à coup que Marianne en fut effrayée. Sans oser seulement lever les yeux sur Jason par crainte de ce qu'elle pourrait lire sur son visage, elle répéta, beaucoup plus doucement :

— Essaie de comprendre ce qu'il représente pour moi... C'est... c'est plus fort que moi.

Elle s'attendait à un coup de colère, à un éclat peut-être, mais la voix de Jason demeura paisible et ne varia pas d'un ton.

— Je ne sais pas ce qu'il représente pour toi... et je n'ai pas à le savoir. Non, non, n'essaie pas d'expliquer ! Jolival l'a fait surabondamment et je n'ignore plus rien des origines de cet enfant. Mais maintenant, je vais te dire ce qu'il représente pour moi : un beau petit bonhomme, bien bâti et vigoureux que tu as lentement construit et mis au monde avec tant de souffrance que la pire des fautes, si faute il y avait eu, s'en trouverait effacée, sanctifiée. Et surtout, il est ton enfant... à toi toute seule. D'ailleurs, il te ressemble.

— C'est vrai, appuya timidement Jolival. Il ressemble au portrait de votre père...

— Allons, regarde-le au moins ! insista Jason. Aie au moins le courage de le regarder, ne fût-ce qu'un instant. Ou alors, tu n'es pas une femme...

Sous-entendu : « Tu n'es pas la femme que je croyais. »

L'intention n'échappa nullement à Marianne. Elle connaissait trop l'intransigeant code d'honneur personnel de Jason pour ne pas flairer le danger. Si elle lui refusait ce qu'il réclamait et considérait visiblement comme un geste tout naturel, un mouvement d'âme normal, elle courrait le risque de voir se réduire, à la manière d'une peau de chagrin, la place qu'elle occupait encore dans son esprit... Une place qu'elle avait de bonnes raisons de croire moins importante et moins impérieuse que jadis. Il y avait trop longtemps que la vie lui faisait jouer, en face de Jason, un rôle peu flatteur.

Aussi capitula-t-elle sans conditions.

— C'est bien, soupira-t-elle. Montre-le-moi puisque tu y tiens tellement !

— C'est vrai, j'y tiens ! approuva-t-il gravement.

Marianne pensait qu'il allait le lui présenter couché dans ses bras pour qu'elle pût lui jeter un coup d'œil, mais, se penchant vivement, il vint déposer son léger fardeau sur l'un des oreillers, tout contre l'épaule de sa mère.

Celle-ci frémit à ce contact inattendu, mais retint l'exclamation irritée qui lui venait ; Jason la tenait sous son regard, guettant sa réaction. Alors, tout doucement, elle se redressa dans son lit, se tourna sur le côté. Mais si elle reçut un choc en posant les yeux pour la toute première fois sur son fils, ce ne fut pas celui qu'elle attendait.

Non seulement, il n'y avait rien dans ce bébé qui rappelât son affreux géniteur, mais il était véritablement beau comme un chérubin et, malgré elle, le cœur de la jeune femme manqua un battement...

Dans l'assemblage absurde et compliqué de ses vêtements brodés, le petit prince dormait avec beaucoup de sérieux et d'abandon, ses petits doigts, semblables à de minuscules étoiles de mer, sagement étalés sur son lange de laine douce. Sous son bonnet garni de Valenciennes moussaient de fins cheveux noirs, légers comme un brouillard et qui bouclaient au-dessus d'une petite figure ronde dont le teint duveteux évoquait celui d'une pêche de vigne. Il devait faire quelque rêve agréable, car les coins de sa petite bouche frémissaient légèrement comme s'il s'essayait déjà au sourire...

Marianne, fascinée, le dévorait des yeux. La ressemblance avec le marquis d'Asselnat était indéniable. Elle tenait surtout à la forme de la bouche, au dessin du minuscule menton, déjà volontaire, et au grand front bien modelé qui annonçait l'intelligence.

En contemplant ce tout petit personnage dont elle avait eu tellement peur, Marianne eut la sensation que quelque chose s'agitait en elle, quelque chose qui avait des ailes et qui cherchait à se libérer. C'était comme si une autre naissance s'était préparée à son insu, dans le secret, née d'une conspiration entre son cœur et son esprit, une force inattendue qui se levait et qui ne lui demandait pas si cela lui convenait.

Avec une espèce d'appréhension, elle avança un doigt précautionneux et, tout doucement, avec la légèreté d'un papillon, elle toucha l'une des petites mains. C'était un geste timide qui n'osait pas s'avouer une caresse... Mais brusquement la menotte s'anima, écarquilla ses petits doigts et les referma sur celui de sa mère qu'elle retint prisonnier avec une fermeté inattendue chez un nouveau-né.

Alors quelque chose craqua en Marianne. C'était comme une fenêtre brutalement ouverte par un vent de tempête et la chose qui se débattait en elle prit son vol et monta vers le ciel en l'inondant d'une joie presque douloureuse à force d'intensité... Des larmes jaillirent de ses yeux et se mirent à couler le long de ses joues, petit ruisseau rafraîchissant qui balayait les rancunes, les dégoûts, toute la boue qui, si longtemps, avait englué l'âme de Marianne en l'étouffant... Qu'importait maintenant la manière dont cet enfant avait fait irruption dans sa vie et dont, minuscule et impitoyable tyran, il avait exigé d'elle sa substance ? Elle découvrait avec une stupeur émerveillée qu'il était sien, chair de sa chair, souffle de son souffle et qu'elle le reconnaissait pour tel...

Debout de chaque côté du lit, les deux hommes retenaient leur respiration et s'interdisaient le moindre mouvement, regardant seulement s'accomplir sous leurs yeux ce miracle de l'amour maternel qui s'éveillait. Mais quand la jeune femme, prisonnière de son fils, se mit à pleurer, Jason de nouveau se pencha, souleva tout doucement le bébé et le déposa dans les bras de sa mère qui, cette fois, se refermèrent sur lui.

La petite tête soyeuse se nicha d'elle-même contre le cou tiède en une caresse involontaire qui bouleversa Marianne. Alors, elle releva sur Arcadius qui pleurait sans retenue et sur Jason qui souriait un regard que les larmes faisaient scintiller comme des émeraudes au soleil.

— Ne faites donc pas cette tête-là, murmura-t-elle. Votre petit complot a réussi. Vous m'avez battue...

— Il n'y avait pas de complot, fit Jason. Nous voulions seulement que tu conviennes que ton fils est le plus bel enfant du monde.

— Eh bien, c'est fait. J'en conviens.

Cependant Jolival, qui ne se souvenait pas d'avoir jamais autant pleuré, renifla, fouilla fébrilement ses poches, en tira à la fois un mouchoir dans lequel il émit un bruit semblable à la trompette du Jugement Dernier et sa montre qu'il regarda avec une brusque inquiétude avant de tourner un œil navré vers Marianne. Jason qui avait suivi son manège comprit et lui épargna le mauvais rôle de trouble-fête.

— Je sais ! dit-il calmement. Il est plus que l'heure et O'Flaherty doit être déjà sur la plage...

Le voile de bonheur tout neuf et tout fragile qui enveloppait Marianne se déchira d'un seul coup. Toute à sa découverte, elle avait, un instant, oublié ce qui la menaçait.

— Oh non ! gémit-elle. Pas déjà ?

Fébrilement, comme si maintenant elle se sentait prisonnière, elle tendit le bébé à Jolival, rejeta ses couvertures et voulut se lever. Mais elle avait trop présumé de ses forces et, à peine ses pieds eurent-ils touché le sol, qu'un vertige la prit et, avec une plainte, elle s'abattit dans les bras de Jason qui avait fait rapidement le tour du lit.

Un instant, il la tint serrée contre lui, soulevée de terre et s'alarma de la sentir si légère. Brusquement déchiré par cette séparation qu'il n'avait pas imaginée si cruelle, il couvrit de baisers son visage, puis, doucement, avec mille précautions, il la remit au creux soyeux de son lit dont il ramena soigneusement les couvertures sur le corps frissonnant.

— Je t'aime, Marianne... N'oublie jamais que je t'aime. Mais, par pitié, sois raisonnable !... Nous nous retrouverons bientôt, j'en suis certain... Quelques semaines, quelques semaines seulement et nous serons ensemble de nouveau, et tu auras retrouvé tes forces, ta santé... et plus rien ne nous séparera.

Il était si visiblement bouleversé qu'elle lui dédia un sourire tremblant, mais où l'ironie pointait, signe tangible du retour de Marianne au goût de la bataille.

— Rien ?... et la guerre ?

A nouveau il l'embrassa sur le nez, sur le front, sur les lèvres et sur ses deux mains.

— Tu sais bien qu'aucune catastrophe mondiale, aucune force humaine n'a le pouvoir de nous séparer à jamais. Ce n'est pas une pauvre guerre qui saura y parvenir.

Et, comme s'il craignait de se laisser gagner par un attendrissement où son courage se fût dilué, il s'arracha des bras de la jeune femme et passant comme une tempête devant Jolival qui, l'enfant sur les bras, ne savait quelle contenance prendre, il sortit en courant.

Indécis, Jolival jeta un regard sur Marianne. Devait-il lui rendre le bébé ? Mais maintenant, tout son courage à nouveau envolé, elle sanglotait éperdument, couchée sur le ventre et la tête enfouie dans ses oreillers. La raisonner était, à cette minute, un travail bien au-dessus des forces du vicomte et puis il tenait à suivre Jason afin de s'assurer par lui-même du succès ou de l'échec de sa folle tentative.

Alors, quittant la chambre sur la pointe des pieds, il alla rendre le petit Sebastiano à Dona Lavinia.

Dans la grande chambre, il n'y eut plus que le bruit des sanglots et le ronflement doux du poêle. Mais, dans la nuit froide du dehors, un vent de tempête se levait...

CHAPITRE VII

UNE NUIT POUR LE DIABLE...

Lorsque Jason, Gracchus et Jolival atteignirent le lieu du rendez-vous, qui était ce même coin discret et proche de la mosquée Kilidj Ali Pacha où naguère le clephte Théodoros avait fait aborder Marianne inconsciente, il faisait si sombre, malgré les obligatoires lanternes de fer-blanc, qu'ils ne virent pas tout de suite Craig O'Flaherty et ses hommes.

Un vent violent balayait la plage arrachant des paquets de sable et précipitant la mer en lourds rouleaux grondants qui éclaboussaient la nuit de blanche écume.

C'était le moment, proche de l'aube, où la nuit se fait plus opaque et plus tenace, comme si, de toutes ses forces noires, elle cherchait à s'accrocher encore à la terre pour mieux résister à l'attaque de la lumière.

Les trois arrivants étaient en retard de plus de quatre heures. Les préparatifs du départ avaient été plus longs qu'on ne le pensait à cause de Gracchus qui, enfermé dans une cave par une distraction du sommelier, avait momentanément disparu. En outre, sur les deux lieues de route qui séparent Bebek de Galata, le groupe avait été arrêté plusieurs fois par des patrouilles de janissaires qui cherchaient un fuyard, un sacrilège qui, par trois fois, avait fait scandale dans trois mosquées différentes.

La plage était si déserte et si noire qu'un instant les trois hommes s'y crurent seuls. Jason, mécontent, jura dans le vent sans souci d'être entendu.

— Ils ont peut-être pensé que cette tempête rendrait l'embarquement impossible, hasarda Jolival. A moins qu'ils n'aient cru le rendez-vous remis...

— Ils n'avaient pas à croire ou à penser ! grogna Jason. Quant à la tempête, ce sont des marins, j'imagine ? Au surplus je suis certain qu'ils ne sont pas loin. Je connais O'Flaherty.

Ses jurons auraient sans doute suffi, mais, pour plus de sûreté, il siffla trois fois d'une certaine façon et, un instant plus tard, une réponse identique lui parvint. Presque aussitôt, Craig O'Flaherty et ses hommes apparaissaient, ombres noires que les yeux du corsaire, habitués aux pires crasses de l'océan, distinguèrent rapidement malgré la nuit.

Ce que l'Irlandais avait recruté n'appartenait sans doute pas à la crème de la marine internationale. C'étaient deux Génois, un Maltais, un Grec, un Albanais et deux Géorgiens que Craig avait sournoisement débauchés parmi l'équipage de son ami Mamoulian. Mais l'ensemble parut vigoureux et de mine supportable à l'œil exercé de Jason.

— Vous voilà tout de même ! grogna Craig en guise de bienvenue. Nous commencions à désespérer...

— Je comprends cela, rétorqua Jason sèchement. Plusieurs heures sans rien boire, c'est long ! Où étiez-vous, monsieur O'Flaherty ? Avez-vous trouvé un cabaret encore ouvert ?

— A l'abri et dans un lieu saint encore, grogna l'Irlandais en désignant la forme confuse d'un petit couvent de Derviches Tourneurs qui mettait une tache blanchâtre contre la masse noire de la mosquée. Vous n'avez peut-être pas remarqué, mais il fait un vent à déraciner un chêne. C'est tout juste si on pouvait tenir debout sur la plage.

— Vous avez un bateau ?

— Oui. Lui aussi est à l'abri... là, sur la plage, dans cette cabane de pêcheur que vous apercevez peut-être. Maintenant, si je peux me permettre un conseil, il faudrait filer si nous ne voulons pas effectuer notre abordage en pleine lumière. Le jour ne tardera plus.

— Allons-y ! Sortez le bateau !...

Vivement, tandis que les hommes couraient à la cabane, Jason se tourna vers Jolival et, à sa manière habituelle, brusque et chaleureuse qui lui gagnait les cœurs si facilement, il saisit ses deux mains qu'il serra :

— C'est ici que nous nous séparons. Adieu, mon ami ! Veillez bien sur elle ! Je vous la confie une fois encore.

— Je ne fais que ça, grogna le vicomte en s'efforçant de maîtriser une désagréable sensation de catastrophe en suspens. Prenez plutôt soin de vous-même, Beaufort ! Une guerre n'est jamais de tout repos.

— Soyez sans crainte ! Je suis indestructible. Veillez aussi sur le bébé. L'amour de sa mère pour lui est de bien fraîche date et encore très fragile, il me semble. Je ne pourrai peut-être pas m'occuper de lui avant longtemps.

Les mains du corsaire étaient chaudes, fortes et sûres. Spontanément, Jolival lui rendit son geste amical qu'un léger remords, cependant, gâchait un peu. Il en venait à regretter maintenant, en face de ce garçon prêt à se comporter en père pour le fils d'un autre, de ne pas lui avoir dit toute la vérité. Évidemment, le prince Corrado l'avait approuvé de n'avoir pas révélé sa véritable identité, mais, à cette minute, Jolival le regrettait car, de toute évidence, Jason s'attendait à ce que Marianne, le jour où elle mettrait le pied sur la terre américaine, le fît en compagnie du petit Sebastiano. Et il n'aimerait peut-être pas qu'il en fût autrement...

Tandis que les hommes, sous la direction de Craig, descendaient le bateau, un long caïque solide et maniable qui devait voler sur l'eau, le vicomte, tout à coup, se décida :

— Il y a encore quelque chose que je voudrais vous dire... concernant la naissance de l'enfant ! Quelque chose que j'ai beaucoup hésité à vous apprendre parce que je ne m'en reconnaissais pas le droit, mais, à cette minute...

— Qu'est-ce que cette minute a de particulier pour que vous décidiez de révéler un secret qui ne vous appartient pas... et que je connais peut-être déjà ?

— Que vous...

Le corsaire se mit à rire. Sa grande main s'abattit sur l'épaule de Jolival, brutale et rassurante.

— Je suis peut-être moins idiot que vous et Marianne ne vous plaisez à l'imaginer, mon ami ! Aussi soyez en paix avec vous-même. Vous n'avez rien révélé parce que vous n'aviez rien à dire. En outre, je n'ai nullement l'intention d'imposer mon nom au jeune Sant'Anna. Maintenant, adieu !...

Subitement, Jason attira Jolival à lui, l'embrassa sur les deux joues :

— Donnez-lui ces deux baisers... et redites-lui que je l'aime, jeta-t-il en s'éloignant.

Puis, il courut rejoindre ses hommes qui mettaient la barque à l'eau avec mille difficultés. La mer semblait vouloir rejeter l'embarcation téméraire qui prétendait la chevaucher. Contre les grandes éclaboussures de l'écume, Jolival pouvait voir les formes confuses des hommes qui s'agitaient et chercha machinalement dans sa mémoire un bout de prière attardé.

Mais, soudain, il y eut une exclamation de triomphe et Jolival ne vit plus rien du tout.

— Ça y est tout de même ! cria en italien une voix déjà lointaine. Mais c'est une vraie nuit pour le diable !

Resté seul sur la plage, Jolival frissonna. Une nuit pour le diable ?... Peut-être ! Le caïque avait disparu, comme si la grande gueule noire de la mer, pareille à celle de quelque monstre démoniaque, l'avait soudain englouti. On n'entendait plus rien que le bruit furieux du ressac et les hurlements du vent. L'audacieux esquif survivrait-il encore ?

Incapable de se libérer de l'angoisse qui l'étreignait, Jolival releva machinalement le col de son manteau et remonta vers les trois platanes dépouillés auxquels étaient attachés les chevaux qui les avaient amenés de Bebek. Il n'avait guère envie de rentrer. Pour quoi faire, d'ailleurs ? Marianne le harcèlerait de questions auxquelles il serait bien incapable de répondre puisqu'il n'était même pas en mesure de savoir si, à cette minute précise, le caïque ne s'était pas déjà perdu corps et biens...

Dans une accalmie du vent, il entendit l'horloge d'une des églises de Péra sonner cinq heures et cela lui donna une idée. L'ambassade de France n'était pas loin et la chapelle de cet ancien couvent des franciscains comportait un clocher, en mauvais état, mais d'où la vue s'étendait sur le Bosphore et sur la Corne d'Or. Dès que le jour poindrait il serait au moins possible, de là-haut, de voir ce qu'il advenait de la *Sorcière* et, peut-être, de la bande audacieuse qui allait tenter de s'en emparer.

Laissant sa cavalerie attachée aux platanes pour que le bruit de ses sabots ne réveillât pas tout le quartier, rigoureusement désert à cette heure matinale d'hiver, Jolival prit sa course vers le palais de France. Une fois le portier réveillé, ce qui n'alla pas sans mal, il n'eut aucune peine à se faire ouvrir. Le bonhomme considérait avec révérence l'habituel partenaire aux échecs de Son Excellence l'Ambassadeur, et, bien qu'on ne l'eût pas vu depuis longtemps, M. le vicomte de Jolival fut reçu avec les honneurs dus à son rang. En revanche, il eut beaucoup plus de peine à obtenir que l'on ne réveillât pas Latour-Maubourg.

— Je me suis attardé au chevet d'un ami malade, en grand péril de mort, déclara-t-il au bonhomme. Aucune église n'est encore ouverte et cependant je voudrais beaucoup prier pour sa pauvre âme en péril. Ne réveillez pas Son Excellence : je la verrai plus tard ! Pour le moment, je voudrais seulement être seul, dans la chapelle, et prier.

Cet énorme mensonge passa comme un coup de vin vieux. Jolival savait à qui il avait affaire. En bon Breton, Conan, le portier de l'ambassadeur, faisait preuve d'une piété sourcilleuse qui s'accommodait fort mal de son séjour en terre d'Islam. Aussi fut-il agréablement surpris de découvrir des sentiments si élevés chez l'ami de son maître.

— L'amitié est une belle chose et la crainte de Dieu une plus grande encore ! déclara-t-il d'un ton sentencieux. Si Monsieur le vicomte veut bien me le permettre, je dirai moi-même quelques dizaines de chapelet à l'intention de son ami. Pour l'heure présente, la chapelle est toujours ouverte. Monsieur le vicomte n'a qu'à s'y rendre. Il y a des cierges et un briquet à l'entrée. Monsieur le vicomte sera chez lui.

C'était tout ce que souhaitait Jolival. Un peu gêné par l'auréole qu'il croyait déjà voir pousser dans le regard du concierge posé sur sa tête, le vicomte remercia chaleureusement, renforça l'estime du bonhomme par le cadeau discret d'une pièce d'or et s'élança sous les arcades de l'ancien cloître pour gagner la chapelle.

La porte ne grinça qu'à peine quand il l'ouvrit et il retrouva l'odeur familière de cire refroidie, d'encens et de bois bien encaustiqué. En effet, le bon Conan, pour lutter à sa manière contre l'Infidèle, prenait de « sa » chapelle un soin touchant.

Trouver des cierges, les allumer avec le briquet afin que le concierge pût apercevoir les vitraux éclairés, ne demanda que peu d'instants et bientôt Jolival s'élançait dans l'étroit escalier en colimaçon qui ouvrait près de l'entrée, l'escaladant deux marches à la fois avec une ardeur de jeune homme.

Il savait où trouver, près du logement de la cloche, certain instrument du plus haut intérêt pour ses intentions : une longue-vue grâce à laquelle l'ambassadeur surveillait les mouvements du port et, à l'occasion, ceux de son collègue et voisin, l'ambassadeur d'Angleterre, sa bête noire la plus habituelle.

Le campanile n'était pas très élevé, mais son altitude était très suffisante pour que, de jour évidemment, on ne perdît rien de ce qui se passait aux environs de la Tour de la Fille. D'ailleurs, lorsque Jolival, un peu essoufflé, arriva au sommet, la nuit commençait à céder...

Une bande plus claire se montrait derrière les collines de Scutari comme si le ciel, lentement, se décolorait. Dans un moment, le détroit serait visible, mais l'on n'en était pas encore là. S'adossant au mur, Jolival, sa longue-vue sous le bras, essaya d'attendre sans trop d'impatience, pensant que le jour était incroyablement paresseux ce matin-là !

Peu à peu, comme une scène de théâtre dont le rideau s'élèverait avec une extrême lenteur, la majestueuse croisée du Bosphore et de la Corne d'Or se dégagea de l'obscurité et commença de dessiner ses contours. Elle apparut, dans la grisaille uniforme du petit matin qui unissait le ciel, où voyageaient des nuées rapides emportées par le vent et la mer plumée d'embruns semblables à d'humides nuages.

Tout à coup, Jolival saisit la longue-vue et, avec une exclamation de joie, la cala dans son orbite. Là-bas, près du petit fortin de bois qui couronnait les ruines de la tour, la *Sorcière* hissait ses voiles basses. La misaine se gonfla puis le petit foc, car le vent de tempête empêchait de faire porter toute la toile.

— Ils ont réussi, exulta Jolival pour lui tout seul. Ils partent...

C'était vrai. Dans l'ombre grise qui, d'instant en instant, se faisait plus fluide et plus claire, le brick virait gracieusement, semblable au fantôme d'un oiseau géant pour prendre son vent vers la haute mer. Cependant, le coup d'audace avait dû être découvert, car Jolival entendit tonner un canon, tandis qu'un court panache de fumée jaillissait du fortin auquel il donnait l'air d'un fumeur de pipe grincheux. Mais le coup, mal appuyé et trop faible, n'atteignit pas la *Sorcière* qui avait déjà pris du large et qui aussi dédaigneuse des efforts du roquet chargé de sa garde que de ceux des vagues dures fendues par sa mince étrave, s'en allait glorieusement vers la mer de Marmara et vers sa liberté, tandis que le drapeau étoilé des États-Unis montait, comme un défi, à la corne d'artimon.

Un moment, Arcadius, d'un œil brouillé par les larmes de l'émotion suivit sa course, déjà prêt à entonner un cantique d'action de grâces quand, soudain, ce fut le drame... La mer parut se hérisser de voiles...

Débouchant de derrière les îles des Princes, de hautes pyramides de toile blanche apparurent, en ordre de bataille. Ce n'étaient pas des chebecs ou des polacres, aucun de ces navires hors du temps qui, malgré leurs qualités marines, gardaient quelque chose d'attendrissant. C'étaient de grands navires modernes, bien armés, redoutables...

Jolival les reconnut avec un affreux juron : un vaisseau de ligne, deux frégates et trois corvettes ! La flotte de l'amiral Maxwell, qui avec le calme de la puissance sûre d'elle-même venait lentement barrer le passage. Qu'allait faire Jason seul en face de six navires, dont le plus faible était mieux armé que lui ?

En voyant le brick se couvrir de toute sa toile malgré le temps, au risque d'être emporté, Jolival comprit que l'Américain voulait tenter de passer malgré tout. Il avait le vent pour lui et ses qualités de marin lui permettaient, en utilisant la tempête, de filer sous le nez de ses ennemis plus puissants, mais moins taillés pour la course.

— Il est fou, fit près de Jolival une voix paisible. Il faut être un rude marin pour tenter un coup pareil. Et ce serait dommage qu'il aille à la côte, car c'est un fier bateau.

Presque sans surprise, Jolival vit auprès de lui le comte de Latour-Maubourg, en robe de chambre et bonnet de nuit, armé d'une autre longue-vue. Apparemment, il en possédait une collection...

— C'est un rude marin, affirma-t-il. Mais j'ai peur...

— Moi aussi ! Car, en plus de ça... regardez ! Le vent tourne !... Ah ! Sacré bon sang ! Par sainte Anne d'Auray, ce n'est pas de chance !

L'ambassadeur avait raison. Brusquement, les voiles de la *Sorcière* se mirent à fasseyer, tandis que le navire, pris dans le tourbillon du vent tournant, se couchait presque. Les vaisseaux anglais, qui avaient à utiliser au mieux un vent contraire, l'avaient maintenant pour eux et s'en servirent. Sur les grandes vagues creuses, leurs énormes carènes noires parurent bondir, tandis que, hissant à leur tour de nouvelles voiles, ils s'apprêtèrent à courir sus au brick.

De toute évidence, Jason allait être pris. Le combat à un contre six était perdu d'avance car le corsaire n'aurait plus la force vitale nécessaire pour gagner de vitesse ses adversaires et leur filer entre les doigts.

— Bon Dieu ! gronda Jolival entre ses dents serrées, mais qu'est-ce que la flotte anglaise fait là à cette heure-ci ? Avons-nous été trahis ? Quelqu'un l'en a-t-il prévenue ?

Les yeux myopes de l'ambassadeur regardèrent le vicomte avec une énorme surprise :

— Prévenue de quoi ? Et de quelle trahison voulez-vous parler, mon ami ? L'amiral Maxwell se rend en mer Noire pour inspecter les ports de la côte nord. Les deux frégates l'escortent dans son voyage, mais les corvettes n'iront que jusqu'à l'entrée du Bosphore.

— En tournée d'inspection ? Un Anglais ?

L'ambassadeur français poussa un profond soupir qui déchaîna une quinte de toux. Il devint très rouge, tira un grand mouchoir de sa robe de chambre, s'en couvrit le visage, puis la quinte, une fois passée, reparut, toujours aussi rouge.

— Excusez-moi, j'ai un rhume affreux... Mais, vous disiez ?

— Qu'il est tout de même étonnant de voir une flotte anglaise aller inspecter des défenses ottomanes !

— Mon pauvre ami, nous vivons un temps où ce qui n'est pas étonnant devient la chose rare entre toutes. Canning règne au Sérail et le Sultan ne jure plus que par lui. Sa Hautesse compte sur l'aide anglaise pour instaurer ces grandes réformes dont elle rêve. En outre, elle espère que Londres va l'aider à conclure un traité à peu près sortable avec le Tsar. Aussi ne sommes-nous plus que des indésirables. La vieille amitié est bien morte. Il se peut que je demande mes passeports prochainement. L'Empereur s'est souvenu de nous trop tard...

Peu disposé à discuter plus avant la situation internationale, Jolival reprit sa longue-vue et poussa une exclamation de surprise. La *Sorcière* s'était tirée de son mauvais pas. Elle avait effectué un demi-tour complet et maintenant, toutes voiles dehors, elle fuyait devant les Anglais, remontant le Bosphore en direction de la mer Noire. Ses huniers, de plus en plus visibles, grossissaient dans la lorgnette de Jolival.

— Puis-je savoir quelle était la destination première de ce navire ? demanda Latour-Maubourg qui s'était remis lui aussi à surveiller les évolutions des vaisseaux.

— Charleston... en Caroline du Nord.

— Hum ! Ce n'est guère la direction... Je me demande ce que son capitaine espère trouver dans notre Pont-Euxin ? J'admets, cependant, que vous aviez pleinement raison. C'est un parfait marin...

— Je me le demande aussi. Il doit tout de même savoir que ce n'est qu'un cul-de-sac... Évidemment, il n'a pas le choix. C'est cela ou la prison et la capture de son navire. Mais je pense qu'il espère, tout simplement, « semer » la meute de Maxwell et, plus tard, tenter de nouveau le passage, ne fût-ce que par vent favorable.

— Je le pense aussi. Néanmoins, si j'étais lui, j'amènerais ce pavillon américain, un peu trop insolent. Tout ce qu'il risque c'est de se faire tirer dessus par les canons de Rumeli Hissar...

La *Sorcière* filait bon vent maintenant et il était évident que, non seulement elle parviendrait à conserver la distance entre elle et ses adversaires, mais encore qu'elle l'augmenterait certainement de façon sensible. Évidemment, il y avait ce nouveau danger que lui faisait courir la vieille forteresse gardienne du détroit...

— Bah ! fit Latour-Maubourg en repliant sa lorgnette, il s'en tirera peut-être... Maintenant, mon bon ami, dites-moi un peu où vous étiez passé et d'où vient la bonne fortune de vous retrouver inopinément dans mon clocher ?

Mais le pauvre ambassadeur devait garder longtemps sa question sans réponse, car Jolival, avec un salut rapide et un « excusez-moi, mon cher... » venait de se précipiter dans l'escalier qu'il dégringolait au risque de se rompre le cou. Se jetant sur l'appui de pierre, Latour-Maubourg se pencha si brusquement qu'il faillit passer par-dessus.

— Eh là ! Mais où allez-vous ?... cria-t-il. Attendez-moi que diantre ! Je descends...

Il pouvait toujours crier. Jolival ne l'écoutait pas. Traversant le cloître de toute la vitesse de ses jambes, il bouscula le brave Conan qui s'avançait pour lui demander des nouvelles de ses oraisons, arracha presque la lourde porte et s'élança dans la ruelle en pente raide qu'il dévala comme un torrent jusqu'aux platanes où il détacha l'un des chevaux, criant à l'adresse d'un portefaix qui passait, sa hotte vide sur le dos :

— Ces deux chevaux ! Va les conduire au palais de France et dis qu'ils sont à Monsieur de Jolival. Voilà pour toi et tu en recevras encore autant.

Une grosse pièce d'argent vola dans les airs, atterrit

dans la main sale du bonhomme qui se mit en devoir d'exécuter l'ordre aussitôt, pressé qu'il était de doubler un gain aussi inattendu. Cependant Jolival piquant des deux regrimpait de toute la vitesse de son cheval la côte raide qui menait à la route de Buyukeré, afin de regagner aussi vite que possible le palais d'Hümayünâbâd. Il fallait savoir comment Jason allait passer sous les canons du vieux château et, surtout, il fallait avertir Marianne. Si d'aventure, elle apercevait le brick de Jason remontant le Bosphore au lieu de le descendre, il y avait de quoi lui donner de la fièvre...

En arrivant à Bebek, après une course folle menée de préférence à travers champs à cause de l'état des routes, il fut surpris du calme qui régnait autour de la demeure de Turhan Bey. D'ordinaire, il y avait une certaine agitation au pavillon d'entrée où arrivaient les courriers et les nouvelles du port et où les serviteurs volaient plus qu'ils ne vaquaient à leurs occupations. Mais, ce matin, il n'en était rien...

Assis paisiblement sur le montoir à chevaux, le capidji (concierge) fumait son narghilé au milieu d'une troupe de palefreniers et de valets d'écurie qui avaient l'air de parler tous à la fois. La troupe salua tout de même Jolival avec un bel ensemble et l'un des palefreniers consentit à se déranger pour prendre la bride que le vicomte, sautant à bas de son cheval, lui jetait d'une main impatiente.

A l'intérieur, c'était exactement la même chose : les domestiques causaient entre eux, réunis en petits groupes et, dans le jardin, les bostandjis (jardiniers), assis sur leurs brouettes ou appuyés sur leurs bêches, semblaient eux aussi débattre de questions fort intéressantes. Quant à Osman, l'intendant d'Hümayünâbâd, il était invisible...

« Ils font peut-être grève », songea Jolival avec agacement, surpris, tout de même, de voir cette rareté occidentale s'implanter dans un monde aussi résolument féodal que le monde ottoman. Mais, si grève il y avait, c'était un problème qui regardait Turhan Bey et Jolival, pour sa part, avait d'autres chats à fouetter.

Il se mit à la recherche de Dona Lavinia pour savoir si Marianne était réveillée et s'il était possible de se présenter chez elle. Mais il eut beau frapper et refrapper à la porte de la femme de charge, personne ne lui répondit... Le fait que Dona Lavinia ne fût pas chez elle n'avait rien de très inquiétant en soi. Elle se trouvait sans doute auprès de sa maîtresse ou bien occupée à donner des soins au bébé. Aussi fut-ce sous l'impulsion d'une espèce de pressentiment que Jolival, tout doucement, se risqua à pousser cette porte muette et à jeter un coup d'œil à l'intérieur.

Ce qu'il y vit lui fit froncer les sourcils, car non seulement la pièce était dans cet ordre parfait et impersonnel des chambres inhabitées où ne traîne aucun objet personnel, aucune marque de présence, mais encore le lit était fait. Enfin, le berceau du bébé avait disparu...

De plus en plus inquiet, Jolival, sans prendre la peine de faire le tour par la galerie couverte, se jeta dans le couloir qui reliait le logis de Dona Lavinia à celui de sa maîtresse et fit irruption chez Marianne comme un boulet de canon...

Vêtue d'une longue robe de nuit qui lui tombait jusqu'aux pieds et lui donnait l'air d'une de ces dames blanches des légendes écossaises, ses longs cheveux croulant sur ses épaules, pieds nus, la jeune femme était debout au milieu de sa chambre, serrant contre elle quelque chose qui avait l'air d'être un papier. De ses yeux grands ouverts et curieusement fixes, un ruisseau de larmes coulait jusque sur sa poitrine, mais aucun sanglot ne contractait sa gorge. Elle pleurait comme pleure une source, mais avec une désespérance qui serra le cœur de son vieil ami. Enfin, sous les minces orteils de ses pieds nus, quelque chose scintillait, quelque chose de vert qui ressemblait à un mince et fabuleux serpent.

Elle était à ce point l'image d'une madone aux douleurs que Jolival pressentit une catastrophe. Tout doucement, retenant même son souffle, il s'approcha de la jeune femme frissonnante.

— Marianne ! murmura-t-il comme s'il craignait que le bruit de ses paroles n'aggravât sa souffrance, mon enfant... qu'avez-vous ?

Sans lui répondre, d'un geste raide d'automate, elle lui tendit le papier qu'elle serrait contre elle.

— Lisez ! dit-elle seulement sans que les larmes s'arrêtassent un instant de couler.

Défroissant le papier d'un geste machinal, Jolival y porta les yeux et vit que c'était une lettre :

« *Madame*, écrivait le prince Sant'Anna, *ainsi que j'avais commencé de vous le dire ce soir, quand nous avons été interrompus, c'est avec gratitude que je rends hommage à la façon magnifique dont vous avez accompli la part d'engagement qui vous liait à moi et je ne vous dirai jamais assez la reconnaissance profonde que j'en garde envers votre personne. Maintenant, c'est à moi qu'il incombe de tenir mes promesses...*

« *Je vous l'ai dit, vous êtes libre... entièrement libre et le serez encore davantage lorsqu'il vous plaira de vous rendre à Florence où mes mandataires, Me Lombardi et Me Fosco Grazelli, recevront les ordres nécessaires afin que tout s'accomplisse au mieux de vos désirs.*

« *J'emmène mon fils, dès ce soir, afin de ne pas vous imposer plus longtemps un voisinage qui vous est, on me l'a dit, plus pénible encore que je ne croyais ; loin de lui et loin de moi, vous vous rétablirez plus rapidement et vous oublierez vite — je ne peux que vous le souhaiter — ce qui avec les années deviendra peut-être un incident désagréable dont le souvenir s'estompera peu à peu.*

« *Si toutefois... il en allait autrement, si un jour le désir vous venait de rencontrer celui auquel vous venez de donner la vie, sachez que rien ni personne ne pourra faire que vous ne soyez toujours sa mère, une mère dont on lui apprendra à chérir le souvenir. Même lorsque vous porterez, Madame, un autre nom, vous n'en demeurerez pas moins princesse Sant'Anna dans le cœur de l'enfant, ainsi que dans le souvenir de celui qui se veut, pour toujours, votre ami, votre époux devant Dieu et votre serviteur fidèle. Corrado prince Sant'Anna...* »

Sa lecture terminée, Jolival releva les yeux sur Marianne. Elle était toujours debout à la même place, avec cet air de somnambule douloureuse. Il avait cru, en la retrouvant ainsi changée en statue de la douleur, que le départ de Jason était cause de ce grand chagrin, et voilà que ce qu'il avait craint et espéré tout à la fois, voilà que l'amour maternel réveillé réclamait ses droits avec exigence. Ces larmes, ce n'était pas l'absence de l'amant qui les faisait couler, c'était la disparition de l'enfant, hier encore détesté et qui, cependant, en quelques secondes, s'était taillé la part du lion dans le cœur de sa mère.

Malheureusement, personne n'avait dû informer le prince de ce qui s'était passé dans la chambre et dans le cœur de la jeune femme et, croyant que l'aversion de Marianne demeurait entière, il avait exécuté le plan sans doute arrêté depuis longtemps : il avait emporté l'enfant pour une destination inconnue, sans se douter du désespoir qu'il laissait derrière lui...

Néanmoins, pour essayer de la calmer, Jolival s'efforça au détachement, replia la lettre et la posa sur un meuble.

— Pourquoi donc pleurez-vous, ma chère enfant ? Il n'y a rien, dans cette lettre, qui n'eût été convenu et que vous n'ayez voulu ?

Elle le regarda et il vit une immense surprise dans les larges yeux verts.

— Mais, Arcadius, fit-elle d'une toute petite voix,

est-ce que vous ne comprenez pas ? Il est parti... ils sont tous partis... et mon fils est parti avec eux.

Elle tremblait comme une feuille dans le vent. Alors il s'approcha, la prit doucement par le bras pour la ramener vers son lit. Sa peau était glacée.

— Mon petit, reprocha-t-il tendrement, n'est-ce pas ce que vous souhaitiez ? Rappelez-vous : vous vouliez rejoindre Jason, devenir sa femme, recommencer avec lui une autre existence, avoir d'autres enfants...

Comme si elle sortait d'un rêve, elle passa sa main sur son front.

— Peut-être !... Il me semble que je voulais cela et même seulement cela. Mais c'était avant...

Il ne chercha pas à lui faire préciser ce qu'elle entendait par ce simple mot. C'était avant, en effet. Avant qu'elle n'eût serré contre elle un corps minuscule, un petit paquet tendre et doux dont la menotte impérieuse s'était refermée sur la sienne comme pour en prendre possession.

— Le prince ne doit pas être loin, hasarda-t-il, désemparé devant cette douleur. Voulez-vous que nous essayions de le rattraper ? Osman...

— Osman ignore où est allé son maître ! Je l'ai fait appeler quand, à mon réveil, on m'a remis cette affreuse lettre. Il ignore tout de ses intentions et ne pose jamais de questions. Les absences de Turhan Bey sont fréquentes et souvent fort longues. Pour me faire plaisir il a dû se rendre au port afin d'essayer de savoir quelque chose, mais je n'ai pas beaucoup d'espoir. Le prince est peut-être déjà loin en mer.

— Par ce temps et avec un nouveau-né ? Je n'en crois rien.

— Alors il se cache et le chercher est du temps perdu. Car il me l'avait bien dit : après la naissance, il disparaîtrait avec l'enfant. Il a tenu parole et je n'ai même pas le droit de lui faire des reproches.

— Personne ne lui a donc dit qu'hier soir vous aviez

enfin accepté votre enfant ? Vous ne l'avez pas revu après notre départ, si j'en crois cette lettre ?

— Non ! Oh, Arcadius, j'étais tellement désolée que je crois bien n'avoir revu personne, pas même Dona Lavinia ! J'ai dû pleurer la moitié de la nuit.

Elle tremblait de plus en plus, de froid et d'énervement. Vivement, Jolival alla prendre sur un siège un grand châle de cachemire rouge que Marianne affectionnait, l'en enveloppa et chercha des mules pour ses pieds nus. Or, en se baissant, il vit de plus près ce qui lui avait paru tout à l'heure un petit serpent lumineux et que Marianne foulait aux pieds à la manière de la mère de Dieu écrasant la tête du démon : c'était, en réalité, un magnifique collier d'émeraudes et de diamants qu'il ramassa et fit jouer un instant entre ses mains.

Devinant qu'il s'agissait là du dernier présent d'un époux princier, il s'abstint de poser la moindre question, mais déjà Marianne, avec une soudaine colère, lui arrachait le bijou et le lançait furieusement sous un meuble.

— Laissez cela ! C'est le prix qu'on m'a payée. Je n'en veux pas...

— Êtes-vous folle ? Il n'y a eu dans l'esprit du prince aucune idée de paiement, j'en suis certain.

— Quoi d'autre alors ? Je ne suis pour lui qu'une tête folle, une femme à vendre. De là à imaginer qu'avec un paquet de pierreries il compenserait facilement la perte de mon enfant, il n'y a qu'un pas. Oh ! je le hais, je le hais... Je les hais tous, les hommes ! Ils ne savent qu'imposer aveuglément leurs plus folles volontés, se battre, faire des guerres idiotes où ils se ruent tous, comme si c'étaient de merveilleuses parties de plaisir et sans s'occuper de ce qu'ils laissent derrière eux ! Qu'ont-ils besoin de fils pour leur ouvrir les mêmes perspectives ?

— Calmez-vous, Marianne ! Vous ne parviendrez pas à refaire le monde et vous vous rendez malade...

— Qu'importe ? Qu'importe même si je meurs ? Qui donc s'en souciera... hormis vous, peut-être ? Jason ne vaut pas mieux que les autres. Il m'a tourmentée, malmenée pour me contraindre à oublier mon devoir et le sort de mon pays, il m'a traitée plus mal que si j'avais été l'une des esclaves de sa plantation familiale et maintenant il me laisse ici, il m'abandonne pour courir vers une guerre qui n'est même pas déclarée et qui n'aura peut-être pas lieu. Croyez-vous qu'il se soucie de mes larmes, de mon chagrin ou, tout bêtement, de la façon dont j'effectuerai cet énorme voyage pour le rejoindre à l'autre bout du monde ? Qui dit que le navire qui nous portera ne tombera pas encore entre les mains de forbans comme les Kouloughis ? Mais, en face de ces combats qu'il aime tant, cela représente bien peu de choses aux yeux de Jason Beaufort. A cette minute, il vogue joyeusement vers sa chère Amérique...

Jolival saisit la balle au bond. C'était cela la solution pour tirer Marianne du marasme où elle se débattait. Il connaissait trop ses colères, ses désespoirs et ses emportements où le sang italien et le sang français l'emportaient dans ses veines sur le sang anglais, pour ne pas savoir que le danger actuellement couru par Jason allait balayer d'un seul coup toute cette rancune. Car même si, à cette minute, le souvenir du corsaire avait dû laisser la première place à l'attirance toute neuve du bébé, les sentiments de Marianne n'avaient pas pu changer en si peu de temps. Elle l'aimait toujours et cette colère n'en était, somme toute, qu'une preuve de plus.

— Joyeusement, cela m'étonnerait, dit-il. Et même, à ne vous rien cacher, il ne vogue pas du tout vers l'Amérique. Je dirais même qu'il lui tourne carrément le dos.

Comme il l'avait prévu, la colère de Marianne tomba d'un seul coup comme les voiles d'un vaisseau qui atteint le calme plat. A la place reparut la vieille inquiétude qui était bien certainement le genre d'émotion le plus habituel qu'elle éprouvât lorsqu'il s'agissait de son difficile amour. Mais il ne lui laissa pas le temps de poser la moindre question et, rapidement, il la mit au courant de ce qui s'était passé auprès de la Tour de la Fille.

Il avait à peine achevé que Marianne, oubliant qu'elle était faible encore et n'avait, en principe, pas reçu le droit de quitter sa chambre, s'élançait au-dehors et sans même prendre la peine d'éprouver ses forces se précipitait vers le tandour...

Elle n'alla pas loin : dans la galerie couverte, elle sentit sa faiblesse, vacilla et serait tombée si Jolival, qui s'était élancé à sa poursuite, ne s'était trouvé là à point nommé pour la soutenir.

— Ne soyez pas sotte. Laissez-moi vous ramener chez vous.

Mais elle lui jeta un regard fulgurant :

— Si vous ne me conduisez pas à l'instant au tandour, je ne vous reverrai de ma vie, Jolival.

Il fallut bien s'exécuter. Moitié soutenant, moitié portant, le pauvre Arcadius parvint à mener Marianne jusqu'à son observatoire favori. Ils arrivèrent juste à temps pour voir la *Sorcière*, sous toute sa toile, passer, légère comme une mouette devant les grilles dorées de leur palais.

— Seigneur, gémit Marianne. Si les canons se mettent à tirer, il va se faire massacrer... Regardez les tours de Rumeli Hissar ! Il y a un tas de janissaires aux créneaux...

— Si seulement... commença Jolival.

Il n'acheva pas. Aux mâts du brick, exactement comme si Jason avait deviné sa pensée, l'insolent pavillon étoilé descendait rapidement. L'instant suivant, un autre pavillon le remplaçait et montait lentement prendre sa place. Avec un soulagement intense, Marianne et Jolival reconnurent le lion et le T flamboyant qui, durant le séjour de la *Sorcière* dans le port, lui avait servi de sauvegarde.

— Dieu soit loué ! soupira Marianne en se laissant aller parmi les coussins. Il a eu le bon esprit de mettre son orgueil sous ses pieds et de faire la seule chose qui pouvait le sauver des canons turcs.

Le canon tira cependant, mais ce ne fut qu'une salve amicale saluant le navire de Turhan Bey et qui mit aux antiques créneaux de Mehmed le Conquérant de petits panaches de fumée, encourageant comme des mouchoirs agités par des mains amicales.

La *Sorcière* maintenant s'éloignait. Elle disparut bientôt dans les brumes tandis qu'apparaissaient les vaisseaux de l'amiral Maxwell qui n'avaient, d'ailleurs, pas l'air de la poursuivre beaucoup. Avec un soupir de soulagement, Jolival alla jusqu'à une petite table qui supportait un service à café et deux flacons. Il se versa un plein verre de raki et l'avala d'un trait.

— Eh bien ! soupira-t-il en essuyant sa moustache, le marin de Jason avait raison qui prétendait que la nuit dernière était une nuit pour le diable. En tout cas, la matinée s'est révélée fertile en émotions. Qu'allons-nous faire maintenant ? J'imagine que vous allez enfin consentir à vous reposer et à vous soigner ? Je vais appeler des femmes pour qu'elles vous ramènent chez vous.

Mais Marianne se lovait déjà dans les coussins où elle avait passé tant d'heures, attirait à elle la couverture brodée et en recouvrait ses jambes.

— Pas question que je retourne dans cette chambre d'où l'on ne voit rien. Je reste ici, Jolival. Quant à ce que nous allons faire, je vais vous le dire : nous allons attendre. Tôt ou tard, il faudra bien que Jason repasse par ici pour rentrer chez lui ?

— Il peut passer de nuit... c'est même certainement ce qu'il fera. De nuit et tous feux éteints.

— C'est possible. Mais je suis certaine d'une chose, c'est qu'il ne passera pas sans s'arrêter. Inutile de nous mettre à la recherche d'un bateau, mon ami. C'est la *Sorcière* elle-même qui nous emmènera en Amérique !

Jason fera ce qu'il avait dit : il embossera son navire quelque part et reviendra nous chercher.

Il y eut un silence que Jolival employa à examiner son amie. Elle redevenait elle-même à vue d'œil. Ses yeux brillaient, ses joues se coloraient et elle semblait avoir oublié ce grand désespoir qui s'était abattu sur elle aux premières lueurs du jour. Il n'osa pas lui dire ce qu'il pensait de l'éventuel arrêt de Jason et se promit d'obtenir d'Osman une surveillance continuelle du passage...

— Ma parole, fit-il, on jurerait que la mésaventure de Beaufort ne vous contrarie même pas ?

— Jurez, mon ami, vous gagnerez. Non seulement elle ne me contrarie pas, mais je suis tout près d'éprouver une vive reconnaissance envers l'amiral Maxwell. En barrant le chemin de Jason, il n'a peut-être été que l'instrument du destin, mais il m'a rendu un immense service.

TROISIÈME PARTIE

LE GOUVERNEUR D'ODESSA

CHAPITRE VIII

LA FEMME AU DIAMANT

La femme qui prit pied, un matin de juillet, sur les quais en bois d'Odessa, n'avait plus que de lointaines ressemblances avec celle qui, quatre mois plus tôt, s'était installée pour attendre interminablement dans une cage dorée suspendue au-dessus des eaux du Bosphore. Le repos forcé, l'excellente nourriture qu'Osman, l'intendant de Turhan Bey, avait dispensé à une invitée au sujet de laquelle il avait reçu les ordres les plus sévères, avaient fait merveille, joints aux bienfaits d'une promenade quotidienne dans les jardins d'Hümayûnâbâd quand les forces s'étaient affirmées. La beauté du printemps turc, découverte ainsi au jour le jour en compagnie de Jolival, avait apporté son apaisement à l'âme écorchée de la jeune femme, cependant que la maternité donnait à sa grâce naturelle une touche de perfection toute nouvelle.

La silhouette de Marianne avait retrouvé sa minceur juvénile, mais sans rien garder de cet aspect chat écorché qui avait si fort inquiété Jolival et terrifié Jason Beaufort. C'était maintenant une femme, en pleine possession d'elle-même, armée jusqu'aux dents pour la seule guerre qui lui convint : celle de l'amour. Et si la voyageuse regardait avec intérêt et curiosité la foule bigarrée qui encombrait le port, celle-ci ne cachait pas l'admiration que lui inspirait cette belle inconnue, si élégamment vêtue d'une robe de plumetis blanc garnie de volants et dont les immenses yeux couleur d'émeraude étincelaient sous l'ombre douce d'un grand cabriolet de paille italienne, doublé d'un bouillonné du même tissu.

Arcadius de Jolival suivait, habillé de toile blanche immaculée, pour mieux lutter contre la chaleur, mais toujours à la dernière mode et tiré à quatre épingles suivant son habitude. Un élégant couvre-chef de paille et une longue ombrelle verte glissée sous son bras, complétaient son équipement qui rencontrait lui aussi un certain succès auprès des autochtones. Quelques portefaix suivaient avec les bagages des deux amis.

Tous deux offraient l'image sereine et apparemment décontractée de visiteurs qui découvrent une contrée inconnue et prennent plaisir à cette découverte, mais ce n'était qu'une façade et, au fond, ils étaient l'un comme l'autre assez inquiets sur ce qui les attendait dans le premier port russe de la mer Noire.

Odessa était une ville étrange, belle sans doute, mais improvisée et pleine d'échafaudages, trop neuve encore pour avoir acquis une âme, car il n'y avait pas vingt ans qu'en apposant sa signature au bas d'un ukase la tsarine Catherine II avait promu un village de pêcheurs tartares fraîchement arraché aux Turcs en un futur port russe. Le village, que le Turc avait pourvu d'une forteresse, s'appelait Khadjibey. Catherine, en souvenir d'une ancienne colonie grecque, nommée Odessos, qui s'y était jadis implantée, le rebaptisa Odessa.

La promotion du village n'était pas un caprice impérial. Situé dans une baie rocheuse ancrée entre les estuaires de deux grands fleuves, le Dniepr et le Dniestr, le futur port offrait une position stratégique exceptionnelle, en même temps qu'un débouché vers la Méditerranée pour les immenses terres à blé de l'Ukraine.

C'était le blé, d'ailleurs, qui semblait régner pacifiquement sur ce port de guerre. Tandis que Marianne et Jolival, précédés d'un gamin qui, dans l'espoir d'une gratification, s'était institué leur guide bénévole, se dirigeaient vers la seule auberge convenable de la ville, des dizaines de charrettes chargées de sacs rebondis convergeaient vers les entrepôts où ils s'entasseraient avant de s'engouffrer dans les cales des bateaux dont certains, Marianne en fit la remarque avec amertume, étaient anglais. Mais elle était ici désormais en territoire ennemi et ne l'ignorait pas.

Il y avait trois semaines déjà que la Grande Armée de Napoléon avait franchi le Niemen pour aller attaquer Alexandre sur son propre terrain.

Ses yeux fouillaient le port immense, où trois cents navires pouvaient trouver abri, dans l'espoir d'y reconnaître la silhouette familière de la *Sorcière*, mais la plupart des bateaux étaient occidentaux et la flotte russe n'avait rien de comparable avec les antiques navires ottomans. Il était difficile, dans cette forêt de mâts, de démêler ceux du brick.

La ville, coulant d'une haute falaise vers la mer dans les mailles d'une luxuriante végétation, avait l'air d'un trait d'union entre deux infinis bleus mais, à mi-chemin du port grouillant et de la blancheur de l'élégant quartier d'en haut, la vieille citadelle turque, renforcée et restaurée, mettait une note sombre à laquelle s'attachait tout à coup avec insistance le regard de la jeune femme. Était-ce là que, depuis plusieurs mois, Jason se morfondait ?

Si longtemps elle l'avait attendu, avec un espoir qui faiblissait à chaque aurore qu'elle avait peine à croire qu'il pût se trouver de nouveau si proche d'elle ! Les nouvelles ne vont pas vite, en mer Noire, où chacun estime qu'il y a temps pour tout, et toutes les hypothèses étaient permises. Le corsaire américain avait-il été victime de l'une de ces brutales et féroces tempêtes dont l'ancien Pont-Euxin était coutumier ? Ou bien, l'une des flottilles de pirates, sans nationalité définie,

227

parce qu'elles appartiennent à toutes, qui infestaient encore la mer intérieure, l'avait-elle capturé ? Contre cette vermine, les vaisseaux du Tsar demeuraient impuissants car, sortie brusquement de la nuit ou de la brume, elle attaquait à la manière d'un essaim de guêpes et disparaissait aussi subitement et aussi totalement que si un coup de vent l'avait enlevée...

Et puis, dans les débuts du mois de juin, alors que l'empire ottoman, las de combattre, signait la paix avec la Russie, Osman était revenu du port avec une nouvelle beaucoup moins tragique que celle qu'on attendait, encore que fort inquiétante : le brick avait été capturé par les Russes et conduit à Odessa où il était tenu sous surveillance. On ignorait ce qu'il était advenu de l'équipage.

Plus que certainement, il était captif du redoutable gouverneur de Crimée, de cet émigré français devenu sans doute plus russe que les Russes, en dépit de son nom, et qui mettait tout son génie, à ce que l'on disait, à développer la richesse de la Russie du sud et à faire d'Odessa une véritable ville : en un mot, du duc de Richelieu.

Par la princesse Morousi, à qui la proximité de son domaine d'Arnavut Koÿ permettait de rendre à Marianne des visites assez discrètes pour ne pas éveiller l'attention toujours vigilante de sir Stratford Canning, la recluse d'Hümayûnâbâd avait pu reprendre des relations lointaines avec Nakhshidil et obtenir d'elle une enquête sans tapage, dont le résultat s'était avéré positif : le corsaire américain était, en effet, captif du gouverneur d'Odessa et la Validé avouait son impuissance à le tirer de là : il ne pouvait être question, pour un étranger turbulent, de compromettre si peu que ce fût le nouvel équilibre, si fragile encore, entre la Porte et le gouverneur du Tsar.

Renseignée, Marianne avait rapidement pris sa décision. Au surplus, les nouvelles, si mauvaises qu'elles fussent étaient encore meilleures que ce qu'elle avait craint et valaient mieux que sa longue incertitude : une fois de plus Jason avait perdu sa liberté, mais du moins était-il toujours vivant.

D'autre part, elle n'avait reçu, de son enfant, aucune nouvelle : le prince, Dona Lavinia et le bébé semblaient s'être tout à coup volatilisés et, lorsqu'elle avait essayé d'interroger Osman sur l'endroit où pouvait se trouver son maître, l'intendant s'était contenté de s'incliner profondément, en protestant qu'il l'ignorait totalement, mais avec un sourire d'une naïveté trop réussie pour être sincère. A ce sujet aussi, il avait dû recevoir des ordres sévères.

Marianne s'était donc contentée de lui demander un navire rapide et aussi commode que possible pour les transporter, elle et Jolival, jusqu'à Odessa. Le duc de Richelieu avait été jadis l'ami et le condisciple de son père au collège du Plessis. Elle avait donc réclamé et obtenu un passeport à son nom de jeune fille, pensant que, peut-être, le duc se laisserait gagner par ses souvenirs d'enfance et accorderait à la fille de son vieil ami la libération de la *Sorcière* et de son équipage. Il l'accorderait en tout cas plus aisément qu'à une amie de Napoléon ! Ensuite, bien sûr, il faudrait ressortir de ce piège de la mer Noire, franchir de nouveau le Bosphore, repasser sous les canons de Roumeli Hissar et sous le nez des navires anglais, mais tous ces obstacles semblaient à Marianne autant de problèmes mineurs : puisqu'elle les affronterait aux côtés de Jason, ils perdraient beaucoup de leur force d'intimidation. Le plus important, le plus difficile aussi, était d'arracher l'Américain à ce grand seigneur, ennemi mortel très certainement de toute forme de libéralisme et qui, s'il possédait seulement le tiers du caractère de son illustre ascendant, devait être d'un maniement assez difficile.

Et Marianne l'imaginait sans peine : hautain, arrogant, faisant peser sur son vaste gouvernement une férule impitoyable, ami des arts et du faste et sans doute remarquablement intelligent, mais à peu près intraitable.

Les craintes que lui inspirait cet homme augmentaient pour Marianne à mesure qu'elle avançait sur les quais débordants de vie et d'activité. Malgré la chaleur encore forte de cette heure crépusculaire, marchands, petits employés, paysans, matelots, portefaix et militaires s'y pressaient, toujours plus nombreux et plus affairés à mesure que l'on approchait de la longue rue en pente qui menait vers le centre administratif de la ville, sur la falaise où, au-dessus de quelques élégantes maisons blanches et roses, à la mode du XVIIIe siècle, brillaient les bulbes d'or et le clocher rococo des églises neuves.

Partout, on ne voyait que bâtisses en construction et sur tous les chantiers l'activité était intense. Le plus important semblait être celui de l'arsenal, presque terminé d'ailleurs. Debout sur de longues échelles au-dessus de la porte monumentale, des ouvriers étaient occupés à sculpter l'aigle impériale russe et le gamin qui servait de guide aux deux voyageurs commença par les diriger tout droit vers cette porte, en expliquant avec force gestes et une mimique des plus engageantes, qu'il convenait, avant d'entrer plus avant dans la ville, d'aller admirer ce qui allait sans doute être l'un des plus beaux monuments à la gloire d'Alexandre Ier, Tsar de toutes les Russies.

— Allons admirer ! soupira Jolival. Cela ne nous prendra pas beaucoup de temps et il convient de ne choquer personne.

Debout sur une pierre, à quelques pas des échelles, un homme paraissait surveiller les sculpteurs. C'était sans doute l'un des maîtres d'œuvre car, de temps en temps, il se détournait légèrement vers un long jeune homme brun armé d'une écritoire et lui disait quelques mots que le jeune homme se hâtait de transcrire.

C'était un personnage assez extraordinaire. Grand et maigre, avec un visage aux traits fins, mais à l'expression tourmentée, il laissait le vent du soir jouer à son aise avec ses cheveux courts et légèrement frisés, encore noirs à certains endroits et complètement blancs à d'autres. Vêtu n'importe comment, d'ailleurs, d'une redingote fatiguée, la cravate noire nouée lâchement, chaussé de bottes usées, il fumait avec application une longue pipe d'écume qui produisait presque autant de fumée qu'un volcan en activité.

Il se tournait, justement, vers le long jeune homme pour lui jeter quelques mots entre deux bouffées, lorsque Marianne et Jolival, suivis de leur cortège, entrèrent dans son champ de vision. Une flamme d'intérêt s'alluma dans ses yeux à la vue de cette jolie femme, mais il n'eut guère le temps de la détailler car un effroyable vacarme, accompagné de hurlements, venait d'éclater sur le port et détournait son attention.

Pas pour longtemps. La seconde suivante, il sautait de sa pierre, fonçait vers les arrivants, les bras étendus et, à la manière d'une moissonneuse, les fauchait tous les deux pour aller s'affaler avec eux sur un tas de sacs qui attendaient l'embarquement.

Ni Marianne, ni Jolival n'eurent même le temps d'une exclamation : une charrette chargée de pierres passait comme une tempête à quelques pouces de leur tas de sacs et, poursuivant sa course folle, allait s'engloutir dans le port au milieu d'une immense gerbe d'eau et du fracas d'une barque. Sans le réflexe courageux de l'inconnu, le voyage des deux amis s'arrêtait là...

Pâlissant à la pensée de ce qu'elle venait d'éviter, la jeune femme accepta pour se relever la main secourable que lui offrait son sauveur, tandis que Jolival extirpait de la poussière son beau costume irrémédiablement froissé. Machinalement, elle redressa son chapeau qui avait basculé sur une oreille et offrit à l'inconnu qui s'épousetait sommairement un regard humide de reconnaissance :

— Monsieur, commença-t-elle avec émotion, je ne sais comment vous dire...

L'homme cessa de se secouer et leva un sourcil :

— Êtes-vous française ? Et aurais-je eu la chance d'obliger des compatriotes ? En ce cas, Madame, ma joie d'avoir préservé la beauté d'une femme ravissante se trouvera doublée...

Comme Marianne rougissait sous le regard ardent de l'inconnu, Jolival, revenu de la peur qu'il avait eue, prit les choses en mains. Saluant avec toute la grâce d'un parfait gentilhomme en dépit de son chapeau cabossé et de ses vêtements souillés, il se présenta :

— Je suis, Monsieur, le vicomte Arcadius de Jolival et tout à votre service. Quant à Madame, qui est ma pupille, elle est la fille du marquis d'Asselnat de Ville-neuve.

A nouveau l'homme releva son sourcil gauche, sans que Jolival pût démêler si c'était chez lui signe d'étonnement ou d'ironie puis, tout aussitôt, il se mit à fouiller ses poches si fébrilement que le vicomte ne put s'empêcher de lui demander s'il avait perdu quelque chose :

— Ma pipe ! répondit-il. Je ne sais plus ce que j'en ai fait...

— Vous avez dû la laisser tomber au moment où vous vous êtes si généreusement jeté à notre secours, fit Marianne en se penchant pour regarder autour d'elle.

— Je ne crois pas ! Il me semble que je ne l'avais plus à cet instant précis...

On n'eut pas à chercher beaucoup. L'indispensable objet reparut l'instant suivant dans la main du long jeune homme qui sans se presser et sans avoir perdu un pouce d'un calme presque olympien, rejoignait le groupe.

— Votre pipe, Monsieur ! articula-t-il.

Le visage contracté de l'inconnu s'éclaira :

— Ah ! merci, mon garçon ! Allez donc voir où en

sont les travaux du corps de garde. Je vous rejoins dans un instant. Ainsi..., ajouta-t-il en tirant vigoureusement sur son tuyau pour essayer de le ranimer, ainsi... vous êtes français ? Mais que diable venez-vous faire ici, si je ne suis pas trop indiscret ?

— Vous ne sauriez l'être ! sourit Marianne qui, décidément, trouvait cet homme follement sympathique. Je viens voir le duc de Richelieu. Il est toujours gouverneur de cette ville j'espère ?

— Il l'est toujours... comme de toute la Nouvelle Russie. Le connaissez-vous ?

— Pas encore. Mais vous, Monsieur, qui parlez si bien notre langue et devez être français aussi, vous le connaissez sans doute ?

L'homme eut un sourire.

— Vous serez étonnée, Madame, du nombre de Russes qui parlent français mieux que moi, mais vous avez raison : je suis français et je connais le gouverneur.

— Est-il à Odessa en ce moment ?

— Mais... je le suppose ! Je n'ai pas entendu dire qu'il se fût éloigné.

— Et quel homme est-ce au juste ? Pardonnez-moi si j'ai l'air d'abuser de votre obligeance et de vos instants, mais j'ai besoin de savoir. On dit, à Constantinople, que c'est un homme redoutable et d'abord difficile, qu'il règne en véritable potentat et qu'il ne fait pas bon lui résister. On dit aussi qu'il déteste l'empereur Napoléon et tout ce qui l'entoure...

Le sourire avait disparu du visage de l'inconnu et le regard attentif dont il enveloppait Marianne prit une nuance pesante, presque menaçante.

— Les Turcs, dit-il lentement, n'ont pas eu, jusqu'à présent, beaucoup de raisons d'aimer Son Excellence qui leur a joué quelques tours durant la guerre. Mais, si je vous comprends bien, vous venez de chez notre récent ennemi ? Ne craignez-vous pas que le gouverneur ne vous demande des explications sur ce que vous y faisiez ? Voyez-vous, l'encre n'est pas encore tout à fait sèche au bas du traité de paix. La méfiance est encore installée et les sourires que l'on échange sont toujours un peu jaunes... Je ne peux que vous recommander une extrême prudence. Quand il s'agit de la sécurité de son territoire, le gouverneur est intraitable.

— Voulez-vous dire qu'il me prendrait pour une espionne ? murmura la jeune femme devenue soudain très rouge. J'espère qu'il n'en sera rien, car mon propos...

Elle dut s'interrompre. Le long jeune homme, revenu en courant, se penchait avec une agitation insolite à l'oreille de son maître et lui jetait quelques paroles. L'inconnu eut une exclamation de colère et se mit à jurer.

— Des jean-f... ! Rien que des jean-f... ! J'y vais ! Excusez-moi, ajouta-t-il en se tournant vers la jeune femme, mais je dois vous quitter pour affaire importante. Nous nous reverrons sans doute...

Fourrant sa pipe dans sa poche, sans même prendre la peine de l'éteindre, il esquissa un salut et s'éloigna en courant. Jolival le rappela :

— Monsieur ! Hé, Monsieur... Dites-nous au moins le nom de l'homme de bien auquel nous devons la vie. Sinon comment voulez-vous que nous vous retrouvions ?...

L'homme hésita imperceptiblement, puis lança :

— Septimanie ! On m'appelle Septimanie !...

Et il disparut sous le portail de l'arsenal, laissant Jolival proprement sidéré.

— Septimanie ? maugréa-t-il. C'est le nom de ma femme !

Marianne se mit à rire et revint glisser son bras sous celui de son vieil ami :

— Vous n'allez pas en faire une maladie et prendre ce brave homme en grippe à cause de cela. Il arrive qu'un prénom féminin soit également un honnête nom de famille et cela prouve seulement que notre sauveur

234

doit descendre de quelque habitant de l'ancienne Septimanie gauloise.

— Peut-être ! fit Jolival, mais cette évocation n'en est pas moins fort désagréable. Ma parole, si je ne la savais si fort attachée à l'Angleterre, je craindrais de la voir apparaître ici... Mais, marchons ! Je vois là notre guide qui s'impatiente et il est temps d'aller constater à quoi peut bien ressembler une auberge russe...

A la grande surprise des deux voyageurs, celle où les conduisit le jeune garçon ressemblait étonnamment à un hôtel parisien de la fin du siècle précédent. Et Jolival, qui s'était attendu à quelque isba crasseuse et enfumée, franchit avec soulagement le seuil dallé de belles pierres blanches de l'hôtel Ducroux qui, suivant la coutume des auberges russes, portait le nom de son propriétaire.

C'était, non loin des grandes casernes étagées à flanc de coteau, une belle maison neuve, peinte en rose avec de hautes fenêtres blanches dont les petits carreaux brillaient aux derniers feux du soleil. Elle ouvrait sa large porte aux cuivres étincelants, ornée de deux orangers plantés dans de grands pots de faïence, tout en haut de la colline, à l'entrée de la ville nouvelle. Et, visiblement, c'était une maison bien tenue.

Deux servantes en bonnets et tabliers blancs et deux valets en blouses rouges, seule note russe dans cet ensemble occidental, se précipitèrent vers les bagages des voyageurs, tandis que maître Ducroux lui-même, majestueux à souhait dans un habit bleu foncé à boutons dorés, qui lui donnait l'air d'un officier de marine, se portait à leur rencontre pour les vœux de bienvenue. Mais son comportement légèrement distant se changea en un évident ravissement en constatant l'élégance de la nouvelle cliente et le fait qu'il s'agissait là de Français.

Antoine Ducroux était, lui-même, un ancien cuisinier du duc de Richelieu. Appelé par celui-ci, il était venu le rejoindre quand, en 1803, le duc était devenu gouverneur d'Odessa, afin de doter la ville qui grandissait à vue d'œil d'une hôtellerie convenable. Depuis, l'hôtel Ducroux où l'on dégustait la meilleure cuisine de toute la Nouvelle Russie et d'une bonne partie de l'ancienne, avait fait fortune et continuait à prospérer, grâce aux nombreux négociants qui fréquentaient le grand port, aux colons récemment et rapidement enrichis d'une région naguère déserte et inculte, mais désormais en pleine expansion, et aux officiers de la garnison qui était nombreuse et solide.

Lorsque Marianne et Jolival, escortés de leur hôte, pénétrèrent dans le vestibule joliment décoré de boiseries gris Trianon relevé de minces filets d'or, ils se trouvèrent presque face à face avec une dame d'un certain âge qui descendait l'escalier, suivie d'un colonel russe, et dont l'aspect les frappa.

Cela tenait moins à la forme archaïque de ses vêtements à l'ancienne mode, à son ample robe de soie noire éclairée d'un fichu et de manchettes de mousseline blanche et au grand chapeau empanaché de noir posé sur l'édifice de ses cheveux poudrés, qu'à l'expression du visage, d'une hauteur et d'une arrogance atteignant presque au défi. C'était une femme d'une cinquantaine d'années et, de toute évidence, elle appartenait à l'aristocratie. En outre, elle devait être riche si l'on s'en tenait aux superbes girandoles de perles et de brillants qui tremblaient le long de ses joues fardées.

Elle était assez belle aussi, mais ses yeux bleus froidement calculateurs et rusés, le pli amer de la bouche, ôtaient tout charme à un ensemble de traits plutôt harmonieux. Le regard abrité derrière un fragile face-à-main d'or tressé qui se braquait à la manière d'une arme, laissait une désagréable impression quand il se posait. Or, en passant auprès de Marianne, la dame inconnue le dirigea sur la jeune femme et ne la lâcha plus, tournant même avec quelque raideur sa tête emplumée pour mieux détailler l'arrivante, avant de disparaître dans le brouhaha de la rue avec le colonel qui la suivait à la manière d'un caniche.

Instinctivement, Marianne et Jolival s'étaient arrêtés au bas de l'escalier, laissant maître Ducroux les précéder de quelques marches.

— Quelle personne remarquable ! dit Marianne quand elle eut disparu. Est-il indiscret de demander qui elle est ?

— Nullement, Madame, d'autant moins qu'à la manière dont elle vous a regardée, il est à prévoir qu'elle posera tout à l'heure la même question. Il est d'ailleurs étrange de constater combien les Français se reconnaissent aisément entre eux...

— Cette dame est française ?

— En effet. Elle se nomme la comtesse de Gachet. Elle est arrivée de Saint-Pétersbourg voici deux jours, escortée par l'officier que vous avez vu avec elle et qui est le colonel Ivanoff. A ce que l'on m'a laissé entendre, c'est une dame du meilleur monde qui a eu des malheurs et qui jouit de la protection toute spéciale de Sa Majesté le Tsar.

— Et que fait-elle ici ?

L'hôtelier écarta les bras dans un geste d'ignorance qui lui donna momentanément l'air d'un volant :

— Je ne sais vraiment pas ! A cause de sa santé, elle songerait à s'installer dans notre région dont le doux climat lui convient mieux que celui, très rude, de la capitale. Peut-être aussi à cause des prêts d'argent et des conditions tout à fait avantageuses, en dehors de l'attribution de terres, que le gouverneur consent à ceux qui veulent bien se faire colons en Nouvelle Russie.

— Colon, cette femme ? s'exclama Jolival qui, les sourcils soudain froncés, avait suivi attentivement le manège de la dame aux plumes noires, j'ai peine à le croire ! Il me semble que je la connais, encore que son nom ne me dise absolument rien ! Mais je suis certain d'avoir déjà vu ces yeux-là quelque part... Où, par exemple ?...

— C'est vrai, vous avez l'air d'avoir vu un fantôme, dit Marianne en riant. Ne cherchez surtout pas ; cela vous reviendra tout seul ! Maintenant, allons donc voir notre installation ! Après tous ces jours de navigation inconfortable, j'ai hâte de me retrouver dans une vraie chambre...

Celle qui lui fut attribuée donnait sur le front de mer et dominait de haut le moutonnement hétéroclite du port où s'entassait un étonnant éventail de peuplades variées. Dans un fouillis de cabanes, de tentes et de maisons où se retrouvaient, ébauchés, les éléments de style propres à chaque ethnie, s'entassaient des Juifs, des Arméniens, des Grecs, des Tartares, des Turcs Karaïtes, des Moldaves, des Bulgares, des Tziganes. Des lumières s'allumaient, des bribes de chansons traînaient dans l'air marin curieusement parfumé à l'absinthe.

Un long moment, Marianne demeura penchée à sa fenêtre sans même songer à ôter son chapeau, fascinée par le spectacle fabuleux qu'offrait la baie dans la magie d'un merveilleux coucher de soleil. La mer, incendiée, renvoyait les rayons affaiblis en énormes flaques pourpres et or rayées de fulgurances couleur d'améthyste qui, à l'abri du grand môle, devenaient d'un étonnant vert sombre... Sur les navires, les sifflets et les tambours retentissaient. C'était l'heure du salut aux couleurs et, le long des mâts, les pavillons, lentement, descendaient tous en même temps comme pour un ballet bien réglé. Mais pas plus de son observatoire que depuis le quai, Marianne n'aperçut le navire qu'elle cherchait. Où donc était passée la *Sorcière* ? Où donc, à cette heure, se trouvait Jason ? Dans la citadelle, peut-être, ou encore dans une prison qu'il était impossible de voir d'ici ? Cette ville ne ressemblait à aucune autre. Elle était déroutante, bizarre et séduisante dans sa vitalité intense et Marianne, à cette fenêtre, se sentait au bord d'un monde inconnu qui l'attirait et l'inquiétait tout à la fois.

— J'ai prié ce bon M. Ducroux de nous faire servir à souper dans votre appartement, fit derrière elle la voix familière de Jolival. Je ne suppose pas que vous souhaitiez descendre à la table d'hôtes et vous mêler à tous ces hommes qui encombrent l'hôtel ? La sagesse, je crois, pour ce soir, est de souper et de passer une bonne nuit dans ces lits qui me font l'effet d'être excellents.

Elle se retourna tout d'une pièce et lui fit face.

— Je désire voir le gouverneur le plus tôt possible, Jolival. N'est-il pas possible de se rendre, dès ce soir, à sa résidence pour essayer d'obtenir audience ?

Jolival eut l'air profondément choqué.

— Une dame de votre qualité, ma chère, ne se rend pas à la résidence d'un gouverneur pour demander elle-même son audience. Pas plus qu'un homme de ma sorte. Mais rassurez-vous, à la minute où je vous parle, l'un des valets de l'hôtel galope vers ladite résidence avec un billet fort protocolaire issu tout entier de ma plume géniale et qui se charge d'exposer votre vif désir de saluer un ancien ami de votre père.

— Vous avez raison, une fois de plus, mon ami, soupira la jeune femme en le gratifiant d'un sourire contrit. Il ne nous reste donc qu'à accomplir votre programme : souper et nous reposer. J'espère que, dès demain, nous pourrons être appelés auprès du duc...

La soirée fut douce, paisible. Confortablement installés dans le petit salon attenant à la chambre de Marianne, les deux amis firent honneur à l'excellente cuisine de l'hôtel Ducroux, une cuisine résolument française qui rappela beaucoup à la jeune femme les délices que le grand Carême faisait fleurir sur la table de Talleyrand.

Quant à Jolival, heureux d'en avoir fini momentanément avec la cuisine orientale, il dévora la carpe à la Chambord, le salmis de canard et les tartelettes aux fraises, comme s'il n'avait pas mangé depuis des semaines, ne s'interrompant que pour savourer avec un ravissement de connaisseur un admirable champagne, né aux environs d'Épernay et que Ducroux se procurait grâce aux relations de son ancien maître et à un véritable réseau de contrebandiers.

— Tout ce que vous voudrez, confia-t-il à Marianne en achevant sa seconde bouteille, il n'y a rien de tel que ce vin-là pour vous faire voir choses et gens sous un jour tout à fait différent. Je respecte le goût de l'Empereur pour le chambertin, mais, selon moi, il est beaucoup trop exclusif. Le champagne possède des vertus irremplaçables.

— Je crois qu'il le sait, sourit la jeune femme qui, à cet instant, mirait la flamme de la chandelle à travers les bulles légères qui montaient dans son verre... C'est même à lui que je dois d'en avoir bu pour la première fois...

Une émotion traversa son regard vert à l'évocation de cette première fois. Était-ce hier, ou bien y avait-il des siècles que ce renard de Talleyrand avait conduit au pavillon du Butard, par une nuit de neige, une jeune femme vêtue de satin rose pour y charmer, par son chant, la mélancolie d'un certain M. Denis qui avait eu des malheurs ? Elle revoyait le salon de musique, intime et charmant, la grosse tête de Duroc un peu emprunté dans son rôle d'entremetteur, les fleurs disposées un peu partout et qui embaumaient, le feu flambant dans la cheminée, l'étang gelé derrière le rempart translucide des fenêtres. Et lui, le petit homme en frac noir qui l'avait écoutée chanter sans prononcer un seul mot mais avec tant de douceur dans ses yeux d'acier bleu... Elle revoyait tout cela et même elle retrouvait un peu de son émoi quand les brumes légères du champagne l'avaient jetée, plus que consentante, dans les bras de cet inconnu... Et cependant, à cette minute, il lui arrivait de se demander si c'était bien à elle qu'était arrivée cette agréable aventure ou si ce n'était pas une histoire qu'on lui avait racontée, l'un de ces contes galants à la manière de Voltaire ou de la Fontaine ?

Les yeux fermés, comme si elle cherchait à retrouver le goût qu'il avait ce soir-là, elle but une gorgée de vin frais.

— La France est loin, remarqua-t-elle. Qui sait ce qui nous attend ici ?

Jolival haussa un sourcil et sourit à son verre vide, à la table fleurie encore chargée des reliefs du repas.

— A cette minute, je n'ai pas l'impression qu'elle soit tellement loin... et puis, nous foulons maintenant le même sol que Sa Majesté l'Empereur et Roi.

Marianne tressaillit et rouvrit les yeux.

— Le même sol ? Que voulez-vous dire ?

— Rien d'autre que ce que m'a appris Ducroux avec lequel j'ai bavardé un instant. L'Empereur, aux dernières nouvelles, était à Wilna... Voilà pourquoi nous avons vu, ici, une telle activité militaire. Les régiments tartares et circassiens vont se rassembler pour rejoindre l'armée du Tsar... et l'on dit que le duc de Richelieu songe à se mettre à leur tête.

— A leur tête, un Français ? Jolival, c'est impossible...

— Impossible ? Avez-vous oublié que le marquis de Langeron combattit à Austerlitz sous l'aigle russe ? Richelieu est comme lui, un émigré irréductible. Il ne souhaite que dévorer du Bonaparte dans l'espoir de remettre sur le trône ces Bourbons poussifs.

Emporté par une brusque colère, Jolival saisit la mince flûte de cristal qu'il venait de vider et, d'un geste violent, l'envoya se briser contre le marbre blanc de la cheminée.

— Alors, remarqua la jeune femme, je me demande ce que nous faisons là, à boire du champagne, en philosophant au lieu d'essayer de voir cet homme, de lui faire entendre raison...

Jolival haussa les épaules, se leva et prenant la main

de sa jeune amie la porta à ses lèvres avec une galanterie affectueuse.

— A chaque jour suffit sa peine, Marianne. Et le duc de Richelieu ne partira pas cette nuit. Puis-je, d'ailleurs, vous rappeler que nous avons quelque chose à lui demander et qu'en conséquence nous sommes assez mal placés pour tenter de lui faire la morale ? Oubliez ce que je viens de vous dire et mon mouvement d'humeur. Je crois, Dieu me pardonne, que je deviens un vieux fou...

— Certainement pas. Mais vous voyez rouge dès qu'il s'agit des émigrés et des princes. Bonne nuit, mon ami. Et, vous aussi, essayez d'oublier...

Cependant, au moment où il allait sortir, elle le retint.

— Arcadius, dit-elle, cette femme que nous avons croisée, cette Mme de Gachet, avez-vous retrouvé l'endroit, le moment où vous l'avez rencontrée ? C'est, de toute évidence, une émigrée. Peut-être était-elle une amie de votre femme...

Il secoua la tête négativement.

— Certainement pas. Elle a dû être fort belle et Septimanie n'a jamais apprécié les jolies femmes. Il me semble... oui, il me semble qu'elle est liée à quelque chose de terrible, à un souvenir effrayant niché quelque part dans les profondeurs de ma mémoire et que je n'arrive pas à ramener au jour. Je cherche pourtant car, en la rencontrant tout à l'heure, j'ai éprouvé une espèce de pressentiment d'un danger, d'une menace...

— Alors, allez dormir ! On dit que la nuit porte conseil et vos souvenirs s'éclairciront peut-être avec le jour. Et puis, au fond, nous sommes sans doute en train de faire du roman et de donner beaucoup d'importance à une malheureuse femme qui n'en a aucune.

— C'est possible. Mais je n'aime pas sa façon de détailler les gens et je n'aurai de cesse d'avoir démêlé qui elle est au juste...

Marianne, au sortir d'une nuit reposante, avait complètement oublié la femme aux plumes noires quand, le lendemain matin on gratta discrètement à sa porte, alors qu'étayée par quelques oreillers elle s'apprêtait à déguster un petit déjeuner à la française, comportant des croissants légers comme un souffle. Pensant que la femme de chambre avait oublié quelque chose, elle invita à entrer. Mais, au lieu du bonnet blanc d'une cameriste, ce fut la tête poudrée de la dame qui intriguait si fort Jolival qui apparut...

D'un doigt vivement posé sur sa bouche, elle recommanda le silence, tandis que, très soigneusement et sans le moindre bruit, elle refermait le battant après s'être assurée que personne ne passait dans le couloir.

Occupée à étaler du beurre sur les fameux croissants, Marianne était demeurée figée, le couteau en l'air.

— Madame... commença-t-elle, toute prête à prier l'intruse de la laisser déjeuner en paix.

Mais, de nouveau, la dame lui fit signe de se taire, accompagnant son geste d'un sourire si charmant, si juvénile et si confus que la jeune femme en oublia d'un seul coup les préventions, d'ailleurs assez fumeuses, de son ami Jolival. Enfin, après avoir un instant tendu l'oreille aux bruits extérieurs, la dame s'approcha du lit esquissant une révérence qui sentait son Versailles d'une lieue.

— Je vous supplie de me pardonner une intrusion si peu convenable, alors que nous n'avons pas été présentées, dit-elle d'une voix qui avait la douceur d'un velours, mais je pense que, dans une contrée où la civilisation n'est qu'à son enfance, les lois rigides du protocole perdent un peu de leurs exigences, tandis que le lien qui se doit établir naturellement entre gens d'une même nation se renforce au point de se faire presque familial... Mais, je vous en prie, poursuivez votre déjeuner...

La dame avait débité son petit discours d'une traite et avec autant d'aisance que si elle eût connu de tous temps celle qu'elle abordait ainsi. En retour, celle-ci l'assura, avec une politesse parfaite, quoique sans trop d'enthousiasme, du plaisir qu'elle avait à la recevoir et lui offrit de prendre un siège.

La visiteuse s'empara d'une chaise et s'y installa avec un petit soupir de contentement, étalant autour d'elle les plis brillants de son négligé de soie grise. De nouveau, elle sourit :

— Notre hôtelier m'a dit que vous étiez Mademoiselle d'Asselnat de Villeneuve et j'imagine sans peine que vous êtes la fille de ce cher Pierre. Quand nous nous sommes croisées, hier, j'ai été frappée par votre extraordinaire ressemblance avec lui.

— Vous avez connu mon père ?

— Beaucoup. Je suis moi-même la comtesse de Gachet, veuve de l'un des officiers du régiment Mestre-de-Camp-Général. J'ai connu votre père en 1784, à Douai où il était alors cantonné.

Elle n'eut pas besoin d'en dire plus. Elle avait prononcé un nom magique en évoquant ce père que Marianne adorait sans l'avoir jamais connu autrement que par un portrait. Instantanément la jeune femme oublia ses préventions et les mises en garde de Jolival. Elle rendit à sa visiteuse grâce pour grâce, sourire pour sourire, lui offrant même de partager son déjeuner, mais Mme de Gachet s'opposa vivement à ce qu'elle sonnât la femme de chambre pour lui demander du café frais et une seconde tasse.

— N'en faites rien. D'abord j'ai déjà pris mon premier repas. En outre, je ne souhaite pas que l'on sache cette visite, aussi matinale qu'inconvenante. On pourrait se poser des questions...

— Chère Madame, fit Marianne en riant, je crois que vous vous tourmentez beaucoup, en réalité, pour des usages qui ne doivent pas exercer ici — comme vous le disiez vous-même — une contrainte aussi sévère qu'en France. Et je suis si heureuse de voir une personne qui a connu mon père, moi qui n'ai pas eu cette chance...

— Je m'en doute ! Vous étiez très jeune lorsqu'il est mort, n'est-ce pas ?

— Je n'avais que quelques mois. Mais je vous en prie, parlez-moi de lui. Vous n'imaginez pas à quel point je désire vous entendre.

— C'était, je crois, le plus beau, le plus vaillant et le plus noble gentilhomme qui se puisse voir...

Un moment, la comtesse de Gachet évoqua pour une Marianne captivée certaines rencontres entre elle et le marquis d'Asselnat, mais, si captivée qu'elle fût par le récit de sa visiteuse, Marianne ne put s'empêcher de remarquer qu'elle paraissait nerveuse, inquiète et que, de temps en temps, elle jetait vers la porte des regards rapides, incertains, comme si elle craignait de la voir se rouvrir.

Interrompant le cours de ses questions, elle dit, avec beaucoup de gentillesse :

— Vous semblez soucieuse, comtesse ? Vous m'avez rendu une aimable visite et je suis là, à vous importuner de questions, alors que votre temps est peut-être précieux. Mais si vous avez quelque ennui, je vous supplie de me le faire savoir.

Mme de Gachet sourit d'un air contraint, hésita un instant puis, comme quelqu'un qui prend un parti mais à qui cela coûte beaucoup, elle murmura :

— C'est vrai, je suis très tourmentée... tellement même que je me suis permis de venir ainsi vers vous, ma compatriote et la fille d'un vieil ami, dans l'espoir que vous m'aideriez. Mais maintenant, je n'ose plus... Je me sens terriblement gênée.

— Mais pourquoi ? Je vous en prie, disposez de moi...

— Vous êtes si charmante, vous me montrez une sympathie si spontanée que je crains, maintenant, de voir s'amoindrir cette sympathie.

— Je vous assure qu'il n'en sera rien. Parlez, je vous en conjure !

La dame hésita un instant, puis, baissant les yeux

sur ses mains qui tenaient, bien serré, un mouchoir de dentelle, elle finit par avouer :

— Il m'est arrivé une catastrophe. Voyez-vous, j'ai le malheur d'être joueuse. C'est un vice, je le sais bien, mais il m'est venu à Versailles, dans le cercle de notre pauvre Reine et je ne peux plus m'en débarrasser. Où que j'aille, il faut que je joue. Pouvez-vous comprendre cela ?

— Je crois que je le peux... fit Marianne, songeant à Jolival qui était lui aussi un joueur invétéré. Voulez-vous dire que vous avez joué, ici, et que vous avez perdu ?

Sans lever les yeux, la comtesse hocha la tête.

— Il y a, dans cette ville comme dans tous les ports, un quartier, assez mal famé d'ailleurs, où l'on peut jouer à toutes sortes de jeux, même les plus exotiques. Ce quartier se nomme la Moldavanka. Il y a là un cercle de jeux, tenu par un Grec et je dois le dire, assez bien tenu. Hier, j'ai perdu une forte somme.

— Combien ?

— Quatre mille roubles ! C'est beaucoup, je sais, ajouta-t-elle très vite en voyant le mouvement involontaire qu'ébauchait Marianne, mais sachez, si vous acceptez de me les prêter avec mille autres pour essayer de retrouver ma chance, que cela ne sera pas à fonds perdus. J'ai là un objet que je désire vous voir accepter en garantie... et que vous garderez, naturellement, si, ce soir, je ne suis pas en mesure de vous rembourser.

— Mais, Madame...

Elle s'interrompit, suffoquée. Du mouchoir qu'elle tenait si serré, Mme de Gachet venait de tirer un magnifique joyau. C'était une larme de diamant, mais si pure, si belle et si rayonnante, que les yeux de la jeune femme s'arrondirent d'admiration. On aurait dit une larme de feu, un petit soleil où se concentrait tout l'éclat de la lumière matinale.

Un instant, la comtesse la laissa contempler tout à

son aise, puis, d'un geste vif, elle lui glissa la pierre dans la main.

— Gardez-la, fit-elle avec agitation. Avec vous, je suis certaine qu'elle sera en sûreté... et sauvez-moi si vous le pouvez !...

Éperdue, Marianne regarda tour à tour la larme qui maintenant scintillait au creux de sa paume et cette femme dont, dans la grande lumière du soleil, elle pouvait détailler les rides et le grand pli amer qui marquait la bouche.

— Vous me gênez beaucoup, Madame, dit-elle enfin. Sans m'y connaître, je suis persuadée que ce diamant vaut infiniment plus que cinq mille roubles. Pourquoi ne pas vous adresser à un joaillier de la ville ?...

— Pour qu'on ne me le rende pas ? Vous venez d'arriver ici. Vous ignorez ce que sont les gens qui la composent. Beaucoup ne sont que des aventuriers attirés ici par les prêts d'argent que consent le gouverneur... Si je montrais cette pierre, on me tuerait plutôt que de me laisser la reprendre.

— Justement ! Il y a le gouverneur. Pourquoi ne pas lui confier ce joyau ?

— Parce qu'il fait une chasse impitoyable aux tripots... et à ceux qui les visitent. Je veux m'installer dans cette région qui est belle, douce et ensoleillée. L'autorisation que je sollicite me serait refusée si le duc de Richelieu était au courant de mes ennuis. J'ignore même si le Tsar, qui veut bien m'accorder sa protection et m'a donné l'un de ses officiers pour m'escorter et veiller sur moi jusqu'à mon installation définitive, ne serait pas plus réticent.

— Cela m'étonnerait. Les Russes sont, souvent, des joueurs passionnés.

Mme de Gachet eut un geste d'impatience et se leva avec agitation.

— Je vous en prie, brisons-là, ma chère enfant ! Je vous demande un service de quelques heures, du moins je l'espère. Si vous ne pouvez me le rendre, n'en parlons plus. J'essaierai de m'arranger autrement encore que... oh, mon Dieu ! Comment puis-je me laisser entraîner dans de si abominables aventures ? Si mon pauvre époux me voyait...

Et, brusquement, la comtesse se laissa retomber sur sa chaise, secouée de sanglots, et cachant son visage dans ses mains tremblantes, se mit à pleurer à chaudes larmes.

Désolée d'avoir provoqué ce chagrin, Marianne sauta à bas de son lit, posa le diamant avec soin sur sa table de chevet et, enfilant à la hâte un saut de lit, elle courut s'agenouiller près de sa visiteuse pour essayer de la consoler :

— Je vous en prie, ne pleurez plus, ma chère comtesse. Bien sûr, je vais vous aider !... Pardonnez-moi toutes ces questions et ces réticences, mais la vue de ce diamant m'a un peu effrayée. Il est tellement beau que je crains un dépôt si précieux... Mais je vous en supplie, calmez-vous ! Je vais vous prêter bien volontiers cette somme.

Au moment de son départ du palais d'Hümayünâbâd, l'intendant de Turhan Bey avait, en effet, muni les voyageurs d'une forte somme en or et de billets de change, malgré les réticences de Marianne, gênée maintenant d'accepter l'argent de l'homme qui lui avait pris son enfant. Mais Osman lui avait fait comprendre qu'il ne pouvait transgresser des ordres formels et Jolival, beaucoup plus proche qu'elle des réalités de l'existence, avait fini par lui faire entendre raison. Grâce à sa prévoyance, Osman avait même poussé la complaisance jusqu'à leur obtenir de l'argent russe afin de leur éviter les aléas du change et les filouteries des changeurs.

Vivement, Marianne se releva, alla jusqu'à l'un de ses coffres, en tira la somme demandée et revint la mettre dans les mains de sa visiteuse.

— Tenez ! Et surtout ne doutez plus de mon amitié.

Je ne peux supporter de laisser dans de si graves soucis une amie de mon père.

Instantanément, la comtesse sécha ses yeux, fourra les billets dans son corsage, prit Marianne dans ses bras et l'embrassa avec effusion.

— Vous êtes adorable ! s'exclama-t-elle. Comment vous remercier ?

— Mais... en ne pleurant plus.

— C'est fait. Vous voyez, je ne pleure plus ! Maintenant je vais vous signer un billet que vous me rendrez ce soir...

— Non. Je vous en prie. C'est bien inutile... et un peu offensant. Je ne suis pas une usurière. Et même, vous me ferez plaisir en reprenant cette pierre trop magnifique...

Mme de Gachet eut de la main un geste de refus catégorique :

— Il n'en est pas question. A mon tour, je serais offensée. Ou bien je vous rends, ce soir, ces cinq mille roubles... ou bien vous garderez cette pierre qui est un joyau de famille et que je ne pourrai jamais me résoudre à vendre. Vous le pourrez sans remords... Car je ne le verrai pas... Je vous laisse maintenant en vous remerciant encore mille et mille fois.

Elle se dirigea vers la porte, posa la main sur le bouton puis, se retournant, elle regarda Marianne d'un air suppliant :

— Encore une grâce. Soyez tout à fait bonne et ne parlez pas de notre... petite transaction. Ce soir, je l'espère, tout rentrera dans l'ordre et nous n'aborderons plus ce sujet. Alors, je vous en prie, gardez-moi le secret... même envers ce monsieur qui vous accompagne.

— Soyez tranquille ! Je ne lui dirai rien...

Connaissant, en effet, les préventions que Jolival nourrissait contre cette malheureuse femme, plus à plaindre qu'à blâmer, Marianne n'avait, en effet, aucune envie de le mettre au courant. Arcadius tenait à ses idées personnelles comme à des souvenirs de famille et quand une conviction s'était ancrée dans sa tête, c'était le diable pour l'en faire sortir. Il eût jeté feux et flammes en apprenant que Marianne avait prêté cinq mille roubles à une compatriote simplement parce qu'elle se trouvait être une ancienne amie de son père.

En pensant à lui, la jeune femme éprouvait d'ailleurs quelque remords. Elle avait fait très bon marché de ses recommandations et, en prêtant cet argent, elle avait pris incontestablement un risque certain. Le jeu, elle le savait, est une passion terrible et, certainement, elle avait eu tort de l'encourager ainsi chez la comtesse, mais elle considérait que ceux qui en sont atteints sont avant tout des victimes et les larmes de cette pauvre femme l'avaient bouleversée. Elle ne pouvait pas, non, elle ne pouvait absolument pas, laisser une amie de sa famille, une compatriote, une femme de cet âge enfin, livrée aux appétits de ces bandits qui exploitaient les cercles de jeu, ou aux usuriers de la ville qui eussent fait main basse avec joie sur l'exceptionnel joyau de l'imprudente.

Lentement, après avoir surveillé, du seuil de sa porte, la retraite de sa visiteuse, Marianne revint vers son lit, s'assit sur le bord et, prenant la larme de diamant entre deux doigts, elle s'amusa à la regarder scintiller dans un rayon de soleil. C'était vraiment une pierre merveilleuse et elle se surprit à penser qu'elle aurait plaisir à la garder si la comtesse ne parvenait pas à se « refaire »...

A ce moment-là, elle pourrait peut-être offrir une nouvelle somme afin que la perte subie par la joueuse ne fût pas trop sensible, mais en aucun cas elle ne vendrait un pareil trésor.

Tout de même, à force de regarder la larme de diamant et au souvenir des splendides girandoles qui tremblaient la veille aux oreilles de la comtesse, elle sentit s'éveiller sa curiosité. Quelle était donc cette famille de Gachet qui possédait des bijoux aussi royalement fastueux et comment cette femme, coupée de ses racines depuis une vingtaine d'années, avait-elle réussi à les conserver, alors que tant d'émigrés avaient connu ou connaissaient encore la plus noire misère ? Le jeu était-il responsable de cette chance ?

C'était difficile à croire car bien rares étaient ceux auxquels le pharaon, le whist ou tout autre de ces jeux dangereux avaient apporté une prospérité durable... D'ailleurs, Mme de Gachet, elle-même, ignorait si, avec les mille roubles qui lui restaient en propre, une fois sa dette payée, elle serait capable de récupérer le montant de la somme empruntée.

Plus Marianne réfléchissait et plus elle s'assombrissait. Elle n'en était pas encore à regretter son geste généreux, mais elle admettait qu'elle s'était emballée un peu vite. Peut-être, tout de même, eût-elle mieux fait d'appeler Jolival pour en discuter avec lui... Évidemment, d'autre part, la comtesse tenait beaucoup à ce que l'affaire restât entre elle et la fille de son ami et, après tout, c'était assez normal. Enfin, elle avait promis de se taire...

Incapable de trouver des réponses à tant de questions, Marianne rangea soigneusement le diamant dans son réticule et se mit à sa toilette. Sans trop savoir pourquoi, elle avait hâte maintenant de retrouver Jolival et de savoir s'il avait pu apprendre quelque chose sur la veuve du comte de Gachet.

Quand elle fut prête, elle quitta sa chambre, longea le couloir dont elle gagna l'extrémité où se trouvait la chambre de son ami. Deux portes, situées l'une près de l'autre, ouvraient sur cette section de la galerie et, ayant oublié le numéro de Jolival, elle frappa à la première, ne reçut pas de réponse, frappa à la seconde, n'en reçut pas davantage et revint à la première.

Pensant que peut-être Jolival était encore endormi, elle tourna le bouton. La porte s'ouvrit sans peine, découvrant une chambre en désordre, mais par ce désordre même, typiquement féminin, elle comprit qu'elle s'était trompée et ressortit pour se trouver soudain nez à nez avec une femme de chambre qui la regardait d'un air soupçonneux.

— Madame cherche quelque chose ?

— Oui. Je croyais que cette chambre était celle du vicomte de Jolival...

— Madame se trompe. Cette chambre est celle de Madame la comtesse de Gachet. Monsieur le vicomte habite tout à côté... mais il n'est pas là pour le moment.

— Qu'en savez-vous ? fit sèchement Marianne à laquelle le ton de la femme déplaisait. Vous aurait-il, par hasard, confié où il allait ?

— Oh non, Madame ! Simplement, j'ai vu M. le vicomte sortir aux environs de huit heures. Il a demandé un cheval sellé et il s'est éloigné en direction du port. Madame a encore besoin d'autre chose ?

— Non... C'est bien, je vous remercie.

Mécontente et perplexe, Marianne regagna sa chambre. Où, diable, Jolival avait-il bien pu courir ainsi dès le matin ? Et pourquoi ne lui avait-il rien dit ?

Elle était habituée depuis longtemps aux expéditions solitaires du vicomte qui, dans n'importe quelle région du monde, semblait doué d'un pouvoir particulier pour se faire comprendre et pour apprendre ce qu'il désirait savoir.

Mais ici, dans cette ville où la sauvagerie était encore à fleur de peau et où la civilisation n'était qu'un mince et fragile vernis, Marianne éprouvait un sentiment désagréable à se sentir seule, même pour une heure ou deux, même dans un hôtel aussi typiquement français que l'hôtel Ducroux.

La femme de chambre avait dit qu'il s'était dirigé vers le port. Pour quoi faire ? Était-il parti à la recherche de la *Sorcière* ou bien explorait-il les environs de la vieille citadelle dans l'espoir d'y apprendre des nouvelles de Jason ? L'un et l'autre peut-être ?...

Un moment, Marianne tourna en rond dans sa chambre, ne sachant trop quel parti prendre. Elle brûlait d'envie de sortir, elle aussi, pour se livrer à ses propres investigations, mais, maintenant, elle n'osait plus, de crainte de manquer le retour de Jolival et les nouvelles qu'il rapporterait peut-être. Désœuvrée, de plus en plus mécontente à mesure que le temps passait d'être obligée de rester là quand elle désirait tant, elle aussi, chercher Jason, elle fourragea dans ses coffres, se recoiffa, mit un chapeau pour sortir malgré tout, le retira, se jeta dans un fauteuil, prit un livre, le jeta, et, finalement, remit son chapeau pour descendre au moins dans le vestibule et apprendre de Ducroux si d'aventure aucun message n'était arrivé du palais du gouverneur.

Elle était occupée à nouer sous son menton les larges rubans de crêpe vert d'eau de sa capeline quand un véritable tintamarre éclata dans l'hôtel. Il y eut des cris, des galopades dans le couloir et dans l'escalier, des glapissements émis d'une voix criarde et dans une langue qu'elle ne comprenait pas, puis des pas lourds, de toute évidence chaussés de bottes, qui se rapprochèrent avec le fracas d'armes que l'on traînait.

Intriguée, elle se dirigeait vers sa porte quand celle-ci s'ouvrit brusquement, livrant passage à l'hôtelier effaré, plus blanc que sa chemise, qui se tenait sur le seuil, en compagnie de deux soldats en armes et d'un officier de police, avec la mine d'un homme qui ne sait que faire de lui-même.

Avec indignation, Marianne toisa les arrivants et protesta :

— Eh bien, maître Ducroux, que signifie ? Quel genre d'hôtel prétendez-vous tenir ? Qui vous a permis d'entrer chez moi sans y être invité ?

— Ce n'est pas moi, croyez-le bien, Mademoiselle, balbutia le malheureux. Je ne me serais jamais permis, vous pensez... Ce sont ces Messieurs... ajouta-t-il en désignant les trois Russes.

L'officier, d'ailleurs, sans faire autrement attention à lui ou à la jeune femme, pénétrait dans la chambre et commençait à fouiller meubles et bagages avec si peu de ménagements que Marianne s'indigna.

— N'êtes-vous plus le maître chez vous ? Faites-moi sortir ces gens-là immédiatement si vous ne voulez pas que je me plaigne au gouverneur ! Quant à ce que « ces messieurs » prétendent faire ici, je ne m'en soucie aucunement.

— Je ne peux pas les en empêcher, hélas ! Ils exigent de fouiller cette chambre.

— Mais enfin, pourquoi ? Allez-vous m'expliquer oui ou non ?

Décidément au supplice sous le regard étincelant qui paraissait vouloir lui arracher jusqu'à la peau, Ducroux tourmentait ses manchettes et gardait les yeux obstinément fixés sur les pieds de la jeune femme comme s'il en attendait une réponse. Un ordre brutal de l'officier parut le décider et il leva sur Marianne un regard malheureux :

— Il y a une plainte, fit-il d'une voix à peine audible. On a volé, chez l'une de mes pensionnaires, un joyau de grand prix. Elle exige que tout l'hôtel soit fouillé... et, malheureusement l'une des femmes de chambre a vu Mademoiselle sortir de la chambre de cette dame.

Le cœur de Marianne cessa de battre, tandis qu'un flot de sang montait à ses joues.

— Un joyau de grand prix, dites-vous ?... Mais, chez qui ?

— Chez Mme de Gachet ! On lui a volé un gros diamant taillé en poire... une larme de diamant comme elle dit ! Un bijou de famille... et elle fait un bruit affreux...

Un instant plus tard, naturellement, le diamant était retrouvé au fond du réticule de Marianne et, malgré ses protestations furieuses, la jeune femme, qui avait compris trop tard dans quel piège elle s'était laissée tomber par naïveté pure, était arrachée de sa chambre sans douceur par les deux soldats, solidement encadrée et entraînée hors de l'hôtel au milieu d'un grand rassemblement de foule attirée par le vacarme dont la maison de maître Ducroux venait d'être le théâtre.

Sans aucune précaution préalable, Marianne se vit jetée dans une voiture fermée que l'on était allé chercher en hâte et emportée à grande allure vers cette citadelle qu'elle avait eu tellement envie de visiter l'instant précédent. Elle n'avait pas même eu le temps d'une protestation...

CHAPITRE IX

GÉNÉRAL DE L'OMBRE...

L'antique citadelle podolienne de Khadjibey, renforcée par les Turcs et reprise en main par les Russes, avait sans doute beaucoup gagné en puissance et en consolidation à ces règnes différents, mais certainement pas en confort. Le cachot dans lequel on jeta, sans cérémonie, une Marianne écumante de fureur, était petit et humide, avec des murs sales et une fenêtre à triple barreaux donnant sur un mur gris bordé d'arbres rabougris. Encore la vue même de ces arbres était-elle interdite aux prisonniers, car les vitres de la fenêtre, peintes à la chaux, entretenaient, même en plein soleil, une espèce d'obscurité dans la prison.

Pour tout mobilier, il y avait un lit, ou plutôt une planche garnie de paille, attachée au plancher ainsi que la lourde table et l'escabeau. Une lampe à huile était posée dans une niche, mais cette niche elle-même était grillagée comme si l'on eût craint que les occupants de la cellule n'essayassent d'y mettre le feu.

Quand la porte massive se fut refermée sur elle, Marianne resta un moment, étourdie, sur la paillasse où ses gardiens l'avaient poussée. Tout avait été tellement vite qu'elle ne savait plus bien où elle en était. Et surtout, surtout, elle ne comprenait rien à ce qui lui était arrivé...

Il y avait cette femme, cette misérable créature qui

s'était servie du nom de son père pour parvenir jusqu'à elle, pour l'émouvoir et pour lui arracher de l'argent ! Mais, alors, pourquoi cette comédie, dans quel but ? S'approprier une somme d'argent et s'assurer ainsi de ne pas être obligée de la rendre ? C'était, bien sûr, la seule hypothèse valable, car, en dehors de cela, il était impossible de trouver un mobile quelconque à une ruse aussi infernale. Il ne pouvait être question de haine féminine, ni de vengeance, puisque cette Mme de Gachet et elle-même s'étaient vues la veille, pour la toute première fois, dans le vestibule de l'hôtel. Et il n'était jusqu'à ce nom que la jeune femme n'avait jamais entendu. Jolival, lui-même, qui croyait avoir déjà rencontré ce démon femelle était tout à fait incapable de se rappeler les circonstances de leur premier contact et n'était pas parvenu à remettre un nom sur son visage...

Le premier mouvement de stupeur passé, Marianne retrouva intacte la colère qui s'était emparée d'elle quand elle s'était vue arrêtée comme une vulgaire voleuse de grands chemins. La tête bourdonnante et les yeux traversés de lueurs rouges, elle revoyait la mine triomphante de l'officier quand il avait tiré la larme de diamant de son sac, celle, à la fois indignée et navrée de l'hôtelier et l'ébaudissement des autres habitants de l'hôtel, attirés par le scandale, à la vue d'une pierre aussi magnifique.

— Oh non ! s'était écrié Ducroux. Cela ne peut pas être possible...

Il n'avait pas précisé qu'il faisait allusion à la splendeur du diamant ou à la déception que lui causait sa jeune et ravissante cliente. Mais comment celle-ci aurait-elle pu nier une telle évidence ? D'autant moins que l'infernale comtesse s'était bien gardée de se montrer... Et maintenant, qu'allait-il advenir d'elle ?

Un réconfort lui venait peu à peu, cependant, en pensant à Jolival. Très certainement, en rentrant à l'hôtel, il apprendrait cette tragédie et se précipiterait chez le gouverneur pour mettre fin à un affreux malentendu, qui risquait de tourner à l'erreur judiciaire ! Mais parviendrait-il à voir assez rapidement Richelieu pour tirer Marianne, dans l'heure immédiate, de sa position critique ? C'était possible, après tout ! C'était même certain si le gouverneur était le grand seigneur que son rang exigeait. Il ne tolérerait pas que le nom d'un ancien ami se trouvât mêlé à un scandale aussi affreux...

Avant peu, très certainement, on viendrait chercher Marianne, on l'interrogerait dans une langue qu'elle pourrait comprendre. Alors, elle saurait bien se faire entendre, elle obtiendrait qu'on la confrontât avec cette affreuse femme et alors tout rentrerait dans l'ordre. On lui ferait même des excuses, car c'était elle, après tout, qui était la plaignante, elle à qui l'on avait volé cinq mille roubles avec une effronterie sans précédent. On verrait bien si la voix de la vérité ne sonnait pas plus haut et plus clair que celle du mensonge. Avec quelle joie, alors, elle enverrait cette vieille sorcière la remplacer dans ce cachot...

Elle en était là de ses cogitations intimes qui marquaient un net retour à l'optimisme, quand la vieille prison, tellement silencieuse l'instant précédent qu'elle en était oppressante, s'emplit de bruits. Il y eut celui des lourdes bottes, le fracas des armes traînées et des éclats de voix qui se joignaient au tumulte d'une lutte. Mais, dans ces voix qui se mêlaient, Marianne reconnut avec épouvante celle de Jolival qui protestait avec fureur :

— Vous n'avez pas le droit ! hurlait-il. Je suis français, vous entendez ? Je vous dis que je suis français et que vous n'avez pas le droit de me toucher. Je veux voir le gouverneur... Je veux voir le duc de Richelieu. Ri-che-lieu !... Mais écoutez-moi donc, bon sang !... Tas de brutes !

Le dernier mot s'acheva dans un gémissement de

douleur qui apprit à la jeune femme révoltée qu'on avait dû frapper le prisonnier pour le faire taire.

Très certainement, le malheureux vicomte avait été pris dès son retour à l'hôtel et peut-être n'avait-on même pas daigné lui donner la moindre explication. Il ne devait rien comprendre à ce qui lui arrivait...

D'un élan, elle se jeta contre la porte, collant sa bouche aux grilles du guichet, et elle se mit à crier :

— Arcadius ! Je suis là... Je suis tout près de vous !... Moi aussi on m'a arrêtée... C'est cette femme horrible... cette Mme de Gachet ! Arcadius...

Mais elle n'entendit pas d'autre réponse qu'un nouveau cri de douleur plus éloigné précédant le fracas d'une porte ouverte et refermée dans un grand claquement de verrous. Alors, une rage folle s'empara d'elle. Des poings et des pieds, elle martela le chêne épais de la porte, hurlant des imprécations et des injures en différentes langues dans l'espoir insensé que l'une des brutes obtuses qui les avait arrêtés parviendrait à en saisir quelques bribes, et exigeant avec fureur que l'on allât sur l'heure lui chercher le duc de Richelieu.

Le résultat de ce vacarme ne se fit pas attendre. La porte de sa prison fut ouverte si brusquement que, déséquilibrée, elle faillit choir dans le couloir. Mais elle fut retenue par la poigne d'une espèce de géant chauve dont tout le système pileux semblait concentré dans une énorme moustache fauve, dont les pointes retombaient de chaque côté de sa bouche. D'une bourrade brutale, le nouveau venu renvoya la jeune femme sur son tas de paille en criant des mots dont elle ne comprit rien, mais qui devaient constituer une invitation brutale à faire moins de bruit.

Puis, sans doute pour mieux appuyer ses recommandations, l'homme tira de sa ceinture une longue cravache et en cingla violemment le dos et les épaules de la jeune femme qui hurla.

Hors d'elle, à se voir traitée comme un animal vicieux, elle se redressa, glissa de son lit avec une souplesse de couleuvre et sauta sur l'homme qu'elle mordit sauvagement au poignet.

Le geôlier beugla comme un bœuf à l'abattoir, arracha la jeune femme de son bras et l'envoya rouler sur le sol où elle resta étendue, à demi assommée par les derniers coups de cravache qu'il lui administra avant de s'élancer hors de la cellule...

Un long moment, elle demeura à terre, incapable de se relever, le dos et les épaules cruellement endoloris, essayant de calmer les battements affolés de son cœur. Malgré la souffrance que lui faisaient endurer les coups reçus, elle n'avait pas versé une larme, tant la colère et l'indignation la possédaient.

Qu'étaient-ce donc que ces gens qui maltraitaient ainsi leurs prisonniers ? Au fond de sa mémoire, elle retrouvait le souvenir de récits faits par la princesse Morousi lorsqu'elle habitait chez elle. En Russie, la justice était expéditive. Souvent, des malheureux qui avaient osé déplaire au Tsar, ou à l'un de ses représentants, disparaissaient. Enchaînés, on les envoyait pourrir au fin fond de la Sibérie, pour y travailler dans les mines. Ils n'en revenaient jamais, car le froid, la faim et les mauvais traitements leur ouvraient bientôt les portes d'un monde qui, certainement, n'avait pas de mal à être meilleur...

C'était peut-être ce destin horrible qui les attendait, elle et Jolival... et si jamais le duc de Richelieu, cet ennemi forcené de Napoléon, découvrait qui elle était en vérité, rien très certainement ne pourrait les sauver de cette mort lente, à moins que l'autocrate de Nouvelle-Russie ne préférât, suivant la mode de ses nouveaux amis turcs, les faire jeter dans la mer Noire avec une grosse pierre au cou...

En pensant au gouverneur, elle retrouvait toute sa fureur. Quel homme pouvait-il être pour laisser instaurer dans le territoire qu'il administrait de telles mœurs de sauvages ? Sans doute le plus odieux et le plus méprisable des êtres ! Oser porter le nom du plus grand dompteur de féodaux qu'eût produit la terre de France jusqu'à Napoléon et se faire le plat valet d'un tsar moscovite, maître d'une peuplade aux usages plus barbares que ceux de véritables sauvages, du moins si elle s'en rapportait au souvenir cuisant que lui avait laissé le beau comte Tchernytchev...

Péniblement, Marianne finit par se relever, mais ce fut pour retomber sur sa couchette, privée de ses forces. Son dos la faisait souffrir et maintenant elle tremblait de fièvre dans sa robe de soie légère lacérée par la cravache du geôlier. Elle avait froid, dans cette cellule où régnait une atmosphère de cave. Elle avait soif aussi, mais l'eau de la cruche, qu'à grand effort elle porta à ses lèvres, n'avait pas dû être renouvelée depuis plusieurs jours, car elle avait un goût atroce de vase et de pourriture.

Pour essayer d'avoir moins froid, elle se pelotonna de son mieux dans la paille, s'efforçant de ne pas irriter davantage sa peau écorchée. Et, pour raffermir un courage qui commençait à en avoir grand besoin, elle essaya de prier. Mais les mots venaient mal, car on prie difficilement quand la colère vous habite. Mais du moins cette fureur latente avait-elle l'avantage de barrer le chemin à la peur...

Combien de temps resta-t-elle ainsi, les yeux grands ouverts et fixes, sans plus bouger qu'une morte perdue dans un silence étouffant ? Elle eût été incapable de le dire. Les heures coulèrent et, peu à peu, l'ombre grise qui régnait dans la prison se fit ténèbres, mais la jeune femme prostrée ne parut pas s'en apercevoir. Tout son esprit était tendu vers ses amis, vers Jolival qui avait dû subir un traitement similaire au sien, vers Jason qui ne recevrait jamais le secours dont il avait le plus grand besoin sans doute... Dire qu'il était à quelques pas d'elle, désespéré, malade peut-être ? Le fouet et les mauvais traitements n'étaient pas capables de mater ses révoltes ni ses colères ! Dieu seul savait ce que ces brutes en auraient fait ?...

Elle n'entendit même pas s'ouvrir le guichet de sa porte. Et, quand un mince pinceau lumineux pénétra dans la cellule par le même chemin et s'y promena jusqu'à ce qu'il eût découvert sa forme blanche, étendue parmi la paille, elle ne réagit pas davantage.

— Mon Dieu ! C'est bien elle !... chuchota une voix. Ouvrez immédiatement !...

Le pinceau lumineux grandit jusqu'à devenir une vive lumière diffusée par une grosse lanterne que portait un geôlier. Elle pénétra dans la cellule, repoussant les ténèbres, arrachant enfin à sa prostration et à ses pensées déprimantes, la jeune femme qui se redressa en clignant des yeux... Un homme de petite taille, vêtu d'une soutane noire et auréolé de cheveux blancs, fit irruption dans la cellule.

En voyant pénétrer cette robe noire, Marianne eut une exclamation terrifiée car, dans une prison, l'entrée d'un prêtre est rarement bon signe. Mais ce ne fut qu'un éclair, car déjà le nouveau venu se précipitait vers elle, bras tendus.

— Marianne ! Mon petit !... Mais qu'est-ce que tu fais ici ?

Elle le reconnut dans un cri et crut que le ciel s'ouvrait :

— Parrain !... Vous ?...

Mais la joie avait trop brutalement pris la place de l'angoisse. La jeune femme eut un étourdissement et elle dut se cramponner au cou du vieil homme qui, riant et pleurant tout à la fois, la serrait sur son cœur. Elle balbutia, incapable encore de croire à pareille réalité :

— Mon parrain ! Ce n'est pas possible... Je rêve.

Déjà en constatant l'état dans lequel se trouvait sa filleule, sa robe déchirée, son visage pâle et son regard où demeurait encore le reflet de la peur, le cardinal de Chazay éclatait en imprécations.

— Dans quel état ils l'ont mise, ces brutes !...

Il continua en russe, sa fureur se tournant vers le

geôlier qui, debout à quelques pas, regardait avec une stupeur idiote un prince de l'Église romaine se conduisant envers une voleuse comme la plus tendre des mères.

Un geste impérieux accompagné d'un ordre le fit disparaître, tandis que Gauthier de Chazay s'efforçait de calmer les sanglots de sa filleule qui maintenant, toute tension nerveuse brisée, pleurait comme une fontaine sur son épaule, en cherchant à s'excuser.

— J'ai eu si peur, parrain... J'ai cru... qu'on me ferait disparaître sans même m'entendre...

— Il y avait de quoi et je ne remercierai jamais assez le ciel qui a permis que je sois venu, ces jours-ci, jusqu'à Odessa ! Quand Richelieu m'a dit que l'on avait arrêté, chez Ducroux, une voyageuse arrivée d'hier, qui avait commis un vol et qui se prétendait, aidée par une certaine ressemblance, la fille de ton père, j'ai voulu en avoir le cœur net et je suis accouru. Je ne voyais pas très bien ce que tu pouvais venir faire ici, mais je ne connais qu'une seule créature capable de ressembler à ton père : toi. Il y avait bien ce vol qui me tourmentait...

— Je vous jure que je n'ai rien volé ! Cette femme...

— Je sais, mon petit, je sais. Ou, plutôt, je m'en doutais car cette femme, vois-tu, je la connais depuis bien longtemps. Mais viens, ne restons pas ici. Le gouverneur m'a accompagné et il nous attend là-haut, chez le commandant de la citadelle...

Le geôlier revenait, chargé d'un manteau d'ordonnance qu'il tendit, d'un geste craintif, vers le prêtre, et d'un verre fumant qu'il déposa auprès de la jeune femme.

— Bois ça ! ordonna le cardinal. Cela te fera du bien.

C'était un verre de thé noir, très fort et bien sucré qui combla le creux de son estomac vide et lui rendit quelque vigueur en la réchauffant. En même temps, le prêtre lui drapait sur les épaules le vaste manteau sous lequel disparurent la robe endommagée et la chair meurtrie de la jeune femme. Ensuite, il l'aida à se remettre debout.

— Peux-tu marcher ? Veux-tu que l'on te porte ?

— Non, non, cela ira très bien ! Cette brute a tapé comme un sourd, mais il ne m'a pas tuée ! En revanche, parrain, je voudrais que l'on délivre aussi mon ami Jolival qui a été arrêté une heure après moi. Je l'ai entendu amener ici.

— Sois tranquille ! Les ordres vont être donnés. Il nous rejoindra chez le commandant.

A vrai dire, Marianne n'était pas très solide sur ses jambes, mais l'idée de se trouver si vite en face de Richelieu lui donnait des ailes. Et tant mieux si c'était pour faire face à un nouveau combat. Elle se sentait maintenant de taille à vaincre la terre entière. Dieu ne l'avait pas abandonnée puisqu'il lui avait envoyé, si fort à propos, l'un de ses plus éminents représentants.

Il y avait trop longtemps qu'elle était habituée à l'existence pleine d'avatars et de mystères de l'ex-abbé de Chazay, pour s'étonner de le retrouver brusquement, vêtu comme un curé de campagne, aux confins de la Russie et du monde oriental. Mais elle ne put retenir une exclamation étonnée, quand elle se trouva en face de ce gouverneur dont elle s'était fait une espèce de montagne.

Toujours botté, toujours aussi mal vêtu et toujours armé de son éternelle pipe, le pseudo-Septimanie arpentait nerveusement le « cabinet de travail » du commandant de la citadelle, pièce presque nue, dont la dénomination pompeuse venait uniquement d'une table supportant trois papiers et un encrier. Il fit face à la porte, en l'entendant s'ouvrir et resta là, le sourcil froncé, la tête rentrée dans les épaules comme un taureau qui va foncer, regardant entrer la prisonnière et le cardinal. De toute évidence, il était de très mauvaise humeur et ne se donna même pas la peine de saluer.

— Ainsi, c'était bien votre filleule, Éminence ? Il n'y a aucun doute là-dessus ?

— Aucun, mon ami, aucun. Voici Marianne d'Asselnat de Villeneuve, fille de mon malheureux cousin Pierre-Armand et de Lady Ann Selton...

— En ce cas, j'ai peine à croire que l'unique descendante d'un tel homme se soit oubliée au point de devenir une vulgaire voleuse.

— Je ne suis pas une voleuse, protesta Marianne furieusement. Cette femme qui ose m'accuser est bien la créature la plus perverse, la plus perfide et aussi la plus fieffée menteuse que j'aie jamais rencontrée. Faites-la donc venir, Monsieur le duc ! Et voyons un peu qui de nous deux aura raison.

— C'est exactement ce que j'avais l'intention de faire ! La comtesse de Gachet jouit de la protection toute particulière de Sa Majesté Impériale et, comme telle, je lui dois respect et considération. Ce n'est guère votre cas, Mademoiselle, car depuis votre arrivée ici, vous n'avez guère causé que troubles et perturbations. Malgré votre nom, et votre beauté à laquelle je rends hommage, vous me paraissez être de ces filles qui...

— Si vous permettez, mon cher duc, coupa froidement le cardinal, vous ne m'avez pas laissé le temps de terminer les présentations. Il ne s'agit pas ici de demoiselle... ou d'une fille quelconque ! Ma filleule a droit au titre d'Altesse Sérénissime depuis son mariage avec le prince Corrado Sant'Anna et j'estime que vous lui devez au moins autant de respect sinon plus qu'à cette Mme de Gachet... que je connais mieux que vous d'ailleurs.

Mentalement, Marianne s'en remit à la grâce de Dieu, maudissant l'orgueil familial du cardinal qui, pour forcer son ami au respect, dévoilait si brutalement son véritable nom. L'œil sombre de Richelieu s'arrondissait, tandis que l'un de ses sourcils se relevait d'un air peu engageant. Sa voix, un peu perchée, monta d'un seul coup de trois tons et se fit brusquement aigre et glapissante :

— La princesse Sant'Anna, hein ? Je connais ce nom-là. Je ne me souviens plus très bien à quel propos on m'a parlé d'elle, mais je crois me rappeler que ce n'était pas précisément en bien. En tout cas, une chose est certaine : elle est entrée à Odessa en fraude et en prenant bien soin de dissimuler sa véritable identité sous son seul nom de jeune fille. Il doit y avoir à cela une raison...

Gauthier de Chazay, cardinal de San Lorenzo, ne cultivait pas précisément la vertu de patience. Il avait suivi avec une visible et grandissante irritation, la diatribe du gouverneur à laquelle il mit fin brutalement, d'un solide coup de poing assené sur la table.

— Une raison que nous chercherons plus tard, si vous le voulez bien, mon fils ! Votre mauvaise humeur, un peu trop apparente, ne serait-elle pas due au fait que vous devez des excuses à la princesse et qu'il vous en coûte énormément d'admettre que Mme de Gachet n'est pas la sainte que vous imaginez ?

Le duc se mordit les lèvres et fit le gros dos, peut-être pour cacher le rouge qui lui montait aux joues. Il grommela quelque chose d'assez imprécis où il était vaguement question des difficultés qu'il y avait à être un fils obéissant de la Sainte Église lorsque ses princes se révélaient d'affreux touche-à-tout !

— Alors ? insista le petit cardinal. Nous attendons...

— Je ferai des excuses à... Madame quand l'affaire sera éclaircie. Que l'on introduise la comtesse de Gachet !

En voyant entrer celle à qui elle devait une épreuve particulièrement pénible, Marianne vit rouge et voulut se jeter sur l'impudente créature qui effectuait une entrée de reine de théâtre. Plus poudrée et empanachée que jamais, la main appuyée sur l'une de ces hautes cannes enrubannées que Marie-Antoinette avait jadis mises à la mode dans les jardins de Trianon, la traîne de sa robe violette bruissant sur ses pas, elle s'avança dans la pièce, salua le duc en femme qui sait son monde et, sans attendre d'y être invitée, alla s'asseoir sur une chaise de bois grossier. Le coup d'œil qu'elle avait jeté sur Marianne et sur le petit prêtre sans apparence qui se tenait auprès d'elle donnait la mesure du genre d'estime qu'elle leur portait.

Comme elle l'avait fait dans la chambre de Marianne, elle étala ses soieries autour d'elle et eut un petit rire :

— Auriez-vous déjà disposé du sort de cette malheureuse, monsieur le duc ? Je vois auprès d'elle un prêtre que vous avez sans doute chargé de la préparer à subir le châtiment de ses pareilles ? Je veux croire, tout de même que, pour cette fille, la Sibérie suffira et que vous n'irez pas...

— Assez, madame ! coupa sèchement le cardinal. Vous êtes ici pour répondre à des questions, non pour disposer d'un sort qui ne vous appartient pas... ni pour décider de ce que doit être le châtiment des voleuses. Je crois que, sur ce chapitre, vous savez depuis longtemps à quoi vous en tenir !... Il y a presque vingt-six ans, n'est-ce pas...

— Mon cher ami... commença le gouverneur.

Mais, d'un geste de la main, le cardinal le fit taire, sans pour cela quitter des yeux la comtesse qui venait de pâlir visiblement sous ses fards. Avec étonnement, Marianne vit des gouttes de sueur perler à la lisière des cheveux poudrés, tandis que, sur le pommeau de la canne, les doigts blancs, à demi couverts de mitaines en dentelle noire, se crispaient.

Mme de Gachet détourna les yeux, cherchant visiblement à échapper à ce regard calme et bleu qui s'attachait à elle avec insistance. Et, de nouveau, elle eut son petit rire, haussa les épaules avec une feinte désinvolture :

— Naturellement, je sais à quoi m'en tenir, monsieur l'abbé... Et, en vérité, je ne comprends pas bien ce que vous voulez dire...

— Je crois que si ! Vous comprenez très bien, car, si vous êtes ici, vous le devez autant à certains des miens qu'à la bonté... ignorante du Tsar. Cependant, les quelques gouttes de sang royal que vous portez en vous ne vous donnent pas le droit de faire d'autres victimes...

Marianne, qui suivait cette scène étrange et incompréhensible avec passion, vit les yeux de la comtesse s'agrandir démesurément. Elle porta à sa gorge sa main tremblante, comme si elle cherchait à desserrer un lien qui l'étouffait, fit un effort pour se lever, mais retomba lourdement sur sa chaise comme privée de ses forces.

— Qui... êtes-vous ? souffla-t-elle d'une voix à peine audible. Pour savoir... cela, il faut que vous soyez le diable !

Gauthier de Chazay sourit :

— Je n'ai pas cet honneur, Madame... et mon habit devrait vous dire que je ne suis même pas l'un de ses représentants. Au surplus, nous ne sommes pas davantage ici pour nous y livrer au jeu des devinettes, non plus qu'à celui des révélations inopportunes. Si je vous ai dit... ce que je viens de vous dire, c'est uniquement dans le but de vous amener à retirer une plainte que vous savez parfaitement injustifiée...

La peur n'avait pas encore quitté ses yeux, mais elle se hâta de répondre, avec une sorte de précipitation, qu'elle retirait sa plainte, que c'était un affreux malentendu...

Mais Marianne ne l'entendait pas de cette oreille.

— Cela ne me suffit pas, fit-elle. J'entends que cette femme avoue la vérité tout entière : des témoins ont vu le policier qui m'a arrêtée sortir la larme de diamant de mon réticule. Il est donc impossible que l'on dise que cette dame l'avait égarée. Elle m'a confié cette pierre contre un prêt de cinq mille roubles dont elle avait besoin pour payer une dette de jeu et qu'elle devait me rendre le soir même. Mais j'imagine qu'elle a tout perdu et que pour récupérer son diamant, sans me rendre l'argent, elle a imaginé cette honteuse comédie...

Cette fois, le duc de Richelieu intervint :

— Est-ce vrai, Madame ? demanda-t-il sévèrement en se tournant vers la comtesse visiblement effondrée.

Elle avoua d'un hochement de tête, sans plus oser relever les yeux sur ceux qui la regardaient. Un silence pesant tomba sur la pièce. Le duc, tapotant machinalement sa pipe sur un coin de la table pour la vider, considérait la comtesse d'un œil étrangement vide, partagé visiblement entre son sens de la justice et les recommandations instantes qu'il avait reçues de Pétersbourg. Ce fut la justice qui l'emporta :

— En ce cas, Madame, je vais avoir le regret de vous faire arrêter...

Elle releva la tête, mais n'eut pas le temps de protester. Le cardinal s'en était déjà chargé.

— Non ! fit-il avec une autorité inattendue. Vous n'en ferez rien, duc ! Vous avez reçu, de la chancellerie impériale, l'ordre de faciliter l'installation de la comtesse de Gachet en Crimée... en Crimée où elle devra résider jusqu'à la fin de ses jours en compagnie du colonel Ivanoff, chargé tout spécialement... de sa sécurité ! Vous exécuterez vos ordres sans en rien changer.

A son tour, le duc infligea à la table un vigoureux coup de poing :

— Éminence ! s'écria-t-il. Nul plus que moi n'a de respect pour votre personne. Mais ceci ne relève pas de l'Église. Ceci relève de mon gouvernement. Je ferai dire au Tsar ce qui s'est passé ici et je suis certain que Sa Majesté m'approuvera. Cette femme sera jugée et condamnée.

Le cardinal ne répondit rien. Mais, prenant le bras de Richelieu, il l'entraîna vers l'embrasure de l'unique et étroite fenêtre, obscure d'ailleurs à cette heure de la nuit. Mais ce n'était pas la lumière que cherchait Gauthier de Chazay. Marianne, qui le suivait des yeux attentivement, le vit élever sa main à laquelle brillait un anneau dont le chaton était tourné vers l'intérieur et offrir cette main, paume ouverte, aux regards du gouverneur qui pâlit brusquement, tandis qu'il gratifiait le petit cardinal d'un regard où l'effarement se mêlait au respect.

— Le général... souffla-t-il.

— Alors ? fit le prêtre.

— J'obéirai, Monseigneur !

— L'Ordre vous en saura gré ! Maintenant, Madame, ajouta-t-il en revenant vers la comtesse qui, écrasée, avait suivi le dialogue incompréhensible avec des alternances d'angoisse et d'espérance, vous allez pouvoir regagner votre hôtel où vous annoncerez votre départ pour demain matin. Le colonel Ivanoff saura, dans une heure, dans quelle ville de Crimée il devra vous conduire et recevra, en même temps, vos permis de séjour. Nous verrons ensuite à rétablir la vérité au mieux des intérêts de tous.

Avec effort, Mme de Gachet quitta son siège, s'appuyant à son absurde canne comme un soldat blessé à son fusil. Toute sa superbe s'était envolée. Elle avait l'air maintenant d'une très vieille femme. Et ce fut d'une voix presque humble qu'elle murmura :

— J'ignore qui vous êtes, Monseigneur, mais je voudrais vous remercier... et je ne sais comment.

— C'est assez facile : en respectant le contrat que vous aviez passé avec Mlle d'Asselnat : vous aviez convenu, n'est-ce pas, que la larme lui serait acquise si vous ne parveniez pas à lui restituer les cinq mille roubles ? Pouvez-vous les rendre ?

— Non... mais si l'on me prêtait, je pourrais peut-être...

— Vous ne pouvez rien du tout. Votre contrition est fragile, Madame, et la ruse est chez vous une seconde nature. En rentrant à l'hôtel vous ferez porter la pierre au palais du Gouverneur qui la remettra à votre victime. Ce sera plus sûr...

— Mais je n'en veux pas, protesta Marianne.

— Vous la garderez cependant, c'est un ordre. Vous la garderez... en souvenir de votre mère, morte sur l'échafaud pour avoir essayé de sauver la reine. Ne cherchez pas à comprendre : je vous dirai, plus tard... Maintenant, vous allez, vous aussi, regagner votre hôtel où vous prendrez le repos dont vous avez un grand besoin.

— Je ne partirai pas sans mon ami Jolival...

La porte, en s'ouvrant, lui coupa la parole. Jolival parut, les yeux fermés, soutenu par un geôlier, car il paraissait avoir de la peine à marcher. Avec horreur, Marianne vit qu'il portait un pansement autour de la tête et que ce pansement était taché de sang :

— Que lui a-t-on fait ? s'écria-t-elle en se précipitant vers lui.

Mais, comme elle prenait son autre bras pour l'aider et le guider vers un siège, il ouvrit un œil et lui sourit.

— Un coup sur le crâne pour me faire taire... Pas grave, mais je me sens un peu étourdi. J'ai une de ces migraines... Si vous pouviez trouver un verre de cognac, ma chère enfant !

Le duc ouvrit une armoire, creusée dans le mur, jeta un coup d'œil à l'intérieur, en tira une bouteille et un verre qu'il remplit à moitié.

— Il n'y a ici que de la vodka, dit-il. Cela fera peut-être le même effet ?

Jolival prit le verre et considéra, non sans surprise, celui qui l'offrait :

— Eh mais... c'est ce cher Monsieur Septimanie. Par quel heureux hasard ?

— Jolival, coupa Marianne, ce Monsieur est le gouverneur en personne... le duc de Richelieu.

— Tiens donc ! Je me disais aussi...

Il s'interrompit pour avaler d'un trait le contenu du verre, pas autrement surpris, d'ailleurs. Puis, poussant un soupir de satisfaction, il rendit le récipient vide, tandis que les couleurs revenaient à sa figure tirée.

— Ce n'est pas si mauvais ! dit-il. Je dirais même que ça se boit comme de l'eau...

Mais, soudain, la silhouette de la comtesse entra dans son champ de vision et Marianne vit ses yeux se rétrécir.

— Cette femme ! gronda-t-il sourdement... Je sais qui elle est maintenant ! Je sais où je l'ai vue pour la dernière fois. Monsieur le duc, puisque vous êtes le maître ici, sachez que cette femme est une voleuse, un monstre flétri par la main du bourreau. La dernière fois que je l'ai vue, elle se tordait entre les mains de ses valets, tandis que Sanson lui appliquait le fer rouge ! C'était sur les marches du Palais de Justice, à Paris, en 1786 et je peux vous dire...

— Taisez-vous ! coupa durement le cardinal. Personne ici ne vous demande de révélations, encore moins de cogitations fumeuses ! Je suis Gauthier de Chazay, cardinal de San Lorenzo et le parrain de votre pupille. Dieu a permis que je me trouve ici à point nommé pour faire rentrer les choses dans leur cours normal. Tout est en ordre et nous ne souhaitons pas en entendre davantage... Madame, ajouta-t-il en se tournant vers la comtesse que l'entrée de Jolival avait rendue à l'angoisse, vous pouvez rentrer chez vous. Le colonel Ivanoff vous attend. Dans une heure, il recevra ses instructions et il vous reste à préparer vos bagages... mais si vous tenez à jouir paisiblement d'un séjour agréable, veillez à ne plus vous laisser aller à de pareils... enfantillages. On vous donnera de quoi vivre...

— Je vous le promets, Éminence... Pardonnez-moi !...

Avec timidité, elle s'approcha de lui et, pliant le genou avec peine, courba la tête avec un regard implorant. Il traça un rapide signe de croix sur le panache de plumes violettes, puis tendit aux lèvres de la femme une main où l'on ne pouvait apercevoir qu'un large anneau d'or.

En silence, Mme de Gachet se releva et quitta la pièce sans se retourner.

— Elle ne m'a même pas offert la moindre excuse, fit Marianne qui avait suivi des yeux sa sortie. J'estime tout de même que c'eût été naturel après ce que j'ai subi par sa faute.

— Il était inutile de lui en réclamer, répondit le cardinal. Elle est de ces âmes basses qui gardent rancune à leurs victimes des torts qu'elles leur ont causés... et des conséquences qui en découlent.

Le gouverneur quitta enfin l'abri de la table derrière laquelle il avait assisté à la fin de la scène et s'approcha de Marianne :

— C'est donc moi, Madame, qui vous en offrirai. Aussi bien, vous avez souffert aux mains de mes subordonnés. Que puis-je vous offrir en compensation ? Lorsque nous nous sommes rencontrés sur le port, hier au soir, vous sembliez fort désireuse d'approcher le gouverneur. Aviez-vous donc quelque chose à lui demander ?

Une bouffée de joie empourpra soudain les joues pâles de la jeune femme. Sa pénible aventure allait-elle avoir l'avantage de lui apporter, beaucoup plus vite et beaucoup plus aisément qu'elle ne l'avait craint, la libération de Jason et de son navire ? Cela n'avait rien d'impossible, puisque, à cette minute, le duc parlait de compensation.

— Monsieur le duc, dit-elle doucement, j'ai quelque scrupule à vous demander une grâce, car je n'oublie pas que je dois la vie à cet excellent M. Septimanie... Mais vous avez dit vrai : c'est bien pour obtenir de vous une grâce que j'ai fait le voyage de Constantinople. Je crains seulement que cela ne vous ait inspiré quelque défiance...

Richelieu se mit à rire, d'un rire si chaud et si cordial

que l'atmosphère, tendue par le mystère que représentait la comtesse de Gachet, s'en trouva allégée.

— J'en conviens, mais la caution du cardinal est de celles que l'on accepte sans répliquer. Quant à ce nom de Septimanie, il est l'un des nombreux et ridicules prénoms dont on affuble les enfants dans certaines familles. Cela m'a amusé de m'en servir. Mais je vous en prie, parlez...

— Soit ! un brick américain, la *Sorcière des Mers* a été capturé par la flotte russe en mars dernier, je crois, et conduit dans ce port. Je désire savoir ce qu'il est advenu de lui, de son équipage et, si possible, obtenir leur liberté. Le capitaine Beaufort est de mes amis chers.

— Je n'en doute pas un seul instant... Vous avez pris de bien grands risques, Madame, pour venir chercher de ses nouvelles jusque dans ce pays... Ce Beaufort a de la chance.

Son regard, chargé d'une soudaine mélancolie, s'attardait sur cette femme ravissante, si jeune et si émouvante dans ce manteau trop grand pour elle où se perdait une silhouette dont il se rappelait parfaitement le charme. Son visage pâle portait des traces de fatigue et de souffrance, mais ses grands yeux, d'un vert si lumineux, s'étaient mis à briller comme de grandes étoiles d'émeraude quand elle avait prononcé le nom de l'Américain. Maintenant, elle joignait ses mains dans un joli geste de prière :

— Par pitié, Excellence... dites-moi ce qui leur est arrivé ?

Les yeux verts brillaient plus fort encore et Richelieu comprit que les larmes n'étaient pas loin. Cependant son visage, curieusement, se ferma.

— Le navire et les hommes sont ici. Mais ne m'en demandez pas davantage pour le moment, car je n'ai plus de temps à vous accorder : d'autres devoirs, désagréables mais impérieux, me réclament. Néanmoins, si vous voulez me faire la grâce de souper demain soir chez moi, je pourrai peut-être vous donner des nouvelles plus détaillées.

— Monseigneur...

— Non, non ! Plus un mot ! Une voiture va vous reconduire chez Ducroux avec une escorte... et tous les honneurs dus à votre rang. Demain soir, nous parlerons... Ici ce n'est pas l'endroit...

Il n'y avait rien à ajouter. Mi-surprise, mi-déçue de cette subite coupure qui ressemblait à une dérobade, Marianne ébaucha une révérence que ses jambes lasses ne lui permirent pas de faire très profonde. Elle n'avait plus qu'un désir maintenant : oublier dans un bon bain d'abord, dans son lit ensuite, l'infernale journée qu'elle venait de vivre. Elle ne protesta même pas quand Richelieu l'informa qu'il gardait le cardinal avec lui. Il était visible que le gouverneur brûlait d'envie de poser certaines questions concernant certainement la femme étrange qu'il avait matée de si imprévisible façon.

Ces questions, Marianne aussi en subissait l'irritante démangeaison, mais Jolival, à peine installé dans la voiture qui devait les ramener à l'hôtel, s'endormit si profondément qu'il fallut deux hommes pour le sortir de la voiture, le monter dans sa chambre et le coucher sans même qu'il ouvrît un œil. Force fut donc à Marianne de refréner une curiosité cependant fort légitime, concernant autant le cardinal de San Lorenzo que l'étrange Mme de Gachet.

Il lui fallait bien admettre que son parrain était décidément un bien curieux personnage. Il semblait doué de pouvoirs hors du commun et sa vie se traçait toujours dans les chemins les plus obscurs et les plus mystérieux. Durant toutes les années de son enfance et de son adolescence, Marianne s'était fait de lui l'image d'un personnage de roman, homme de Dieu, doublé d'un agent secret dévoué au double service du pape et des princes français en exil. A Paris, durant les fêtes du mariage de Napoléon avec la fille de l'empereur d'Autriche, elle l'avait retrouvé sous la simarre pourpre d'un prince de l'Église, mais d'un prince de l'Église contestataire, en révolte ouverte contre l'Empereur et contraint à prendre la fuite nuitamment pour échapper aux gendarmes de Savary. Ce qui, d'ailleurs, n'avait pas empêché le cardinal de l'engager elle-même dans la voie d'une union avec un mystérieux prince que nul n'avait jamais vu et dont elle-même, durant la cérémonie de leur mariage, n'avait connu qu'une main gantée... Et maintenant, il était ici, à Odessa, occupé encore, bien certainement, à quelque besogne secrète, mais revêtu apparemment de pouvoirs extraordinaires et mystérieux qui soumettaient à ce petit prêtre aux yeux bleus les plus puissants dignitaires de cette terre étrangère. Quel rang occupait-il maintenant ? De quelle dignité inouïe avait-il été revêtu sans que l'on pût seulement s'en douter ? Tout à l'heure, quand il avait aperçu le chaton d'or dans la main du cardinal, Richelieu avait murmuré un mot curieux, inhabituel pour un prêtre : « Le Général... » De quelle armée cachée le cardinal de Chazay était-il donc le chef ? Ce devait être une armée bien puissante, même si elle n'évoluait que dans l'ombre, car Marianne se souvenait aussi de l'aisance avec laquelle l'ex-abbé, pauvre comme Job, avait payé la grosse somme d'or exigée par le chantage de Francis Cranmere, son premier mari...

Lasse de chercher, Marianne remit à plus tard les réponses à tant de points d'interrogation. Il lui fallait avant tout prendre du repos afin d'être fraîche et disose le lendemain soir, quand il lui faudrait plaider la cause de Jason auprès du gouverneur. Une cause qui serait peut-être difficile car l'amabilité de Richelieu avait subi une baisse sensible quand Marianne avait osé poser sa requête. Du moins avait-elle retiré des quelques paroles échangées l'assurance que Jason se trouvait effectivement dans cette ville et qu'elle le reverrait bientôt.

L'esprit ainsi apaisé, ce fut avec satisfaction qu'elle

accueillit les effusions de bienvenue de maître Ducroux et les regrets éperdus qu'il lui fit entendre pour le rôle involontaire joué par lui au cours de « ce malheureux incident ». Mais ce fut aussi avec une véritable joie qu'elle retrouva sa chambre où, par les soins d'une camériste, tout avait été remis dans un ordre parfait, en attendant sans doute qu'un jugement intervînt.

Quand elle ouvrit les yeux, tard dans la matinée du lendemain, la première chose qu'elle aperçut fut un bouquet de roses énormes disposé à son chevet. Elles étaient d'une merveilleuse couleur d'aurore et elles répandaient un parfum si intense qu'elle les prit entre ses mains pour mieux les respirer. Elle s'aperçut alors qu'elles recouvraient un petit paquet et un étroit billet sur lequel s'étalaient la croix et les chevrons des Richelieu, frappés dans la cire rouge.

Le contenu du paquet ne la surprit pas. C'était, bien entendu, élégamment présentée dans une bonbonnière d'or, la fameuse larme de diamant et, de nouveau, Marianne tomba sous le charme de cette magnifique pierre dont l'éclat magique illuminait son alcôve. Mais le billet la laissa plus rêveuse encore.

Il ne contenait, au-dessus de la signature du gouverneur, que douze mots :

« Les plus belles fleurs, le plus beau joyau pour la plus belle... »

Mais ces douze mots lui parurent chargés d'une signification si inquiétante que, sautant à bas de son lit, elle enfila vivement la première robe qui lui tomba sous la main, chaussa des mules et, sans prendre le temps de défaire les deux épaisses nattes noires qui lui battaient les reins, elle se précipita hors de sa chambre serrant d'une main contre son cœur la boîte d'or et le billet. Cette fois, il était urgent qu'elle puisse causer un peu avec Jolival, dût-elle pour cela lui jeter un pot d'eau sur la tête pour le réveiller.

En passant devant la chambre de Mme de Gachet, elle vit que la porte était grande ouverte et que la pièce était complètement vidée des affaires personnelles de la voyageuse, qui avait dû quitter la ville au petit matin. Mais elle ne s'y arrêta pas et, sans même prendre la peine de frapper, elle ouvrit la porte voisine et entra.

Un spectacle réconfortant l'attendait. Assis à une table, devant la fenêtre ouverte, dans l'une de ces robes de chambre à grands ramages qu'il affectionnait, le vicomte était occupé à faire disparaître méthodiquement le contenu d'un immense plateau où les légers croissants de maître Ducroux voisinaient avec des nourritures beaucoup plus substantielles et où deux flacons, agréablement poudreux, tenaient compagnie à une grande cafetière d'argent.

L'entrée tumultueuse de la jeune femme ne troubla aucunement le vicomte. La bouche pleine, il lui adressa un large sourire, tout en lui indiquant un petit fauteuil.

— Vous voilà bien pressée, constata-t-il quand il put récupérer l'usage de la parole. J'espère qu'il ne nous arrive pas d'autre catastrophe ?

— Non, mon ami... tout au moins, je ne crois pas. Mais dites-moi d'abord comment vous vous sentez ?

— Aussi bien qu'on peut l'être avec ça sur la tête, fit-il en ôtant son bonnet de nuit pour découvrir, au beau milieu de sa calvitie, une bosse d'un bleu violacé qui pouvait avoir la taille d'un petit œuf et que barrait une écorchure. J'en serai quitte pour ne pas ôter mon chapeau pendant quelques jours si je ne veux pas attirer trop vivement l'attention des peuplades sauvages de ce pays-ci. Voulez-vous un peu de café ? Vous me faites l'effet de quelqu'un qui a quitté son lit en catastrophe et qui n'a pas encore pris le temps de se nourrir. Et pendant que nous y sommes, montrez-moi donc ce que vous serrez si précieusement contre votre cœur...

— Voilà ! fit-elle en déposant les deux objets devant lui. J'aimerais savoir ce que vous pensez de ce billet.

L'arôme du café fumant emplit la pièce. Jolival

acheva posément de remplir la tasse de la jeune femme, lut le billet, avala un plein verre de vin, remit son bonnet de nuit puis se laissa aller au fond de son fauteuil en agitant doucement l'étroit rectangle de papier.

— Ce que j'en pense ? fit-il au bout d'un moment. Ma foi, ce qu'en penserait le premier imbécile venu : que vous plaisez beaucoup à Son Excellence.

— Et cela ne vous paraît pas un peu inquiétant ? Avez-vous songé que je dois, ce soir même, souper chez lui... et souper seule, car je ne me souviens pas de l'avoir entendu vous inviter ?

— C'est tout à fait exact et j'en déduis sans peine que je ne lui ai certainement pas produit le même effet... Mais je crois que vous auriez tort de vous tourmenter, car si je n'y suis pas, votre parrain, lui, s'y trouvera à coup sûr. En outre, vous aurez certainement de ses nouvelles dans la journée et je crois qu'en cette occasion il vous conseillera beaucoup plus utilement que l'oncle Arcadius, puisqu'il connaît le duc. C'est, d'ailleurs, un homme très remarquable, votre parrain... un personnage que j'aurais plaisir à voir de plus près. Vous m'en avez parlé bien souvent, ma chère enfant, mais je n'aurais jamais imaginé qu'il pût atteindre à cette dimension...

— Moi non plus ! Oh ! Jolival, je veux bien vous l'avouer à vous : malgré tous les bienfaits dont il me comble, il y a des moments où mon parrain m'inquiète... presque au point de me faire peur. Tout est si mystérieux chez lui. Et il y a justement ces dimensions dont vous parlez, qui semblent n'avoir pas de limites et qui m'effraient. Voyez-vous, je croyais bien le connaître et cependant chaque fois que je le rencontre, il y a toujours davantage de choses qui m'échappent.

— C'est naturel. Vous avez connu un être qui, à un certain moment, a remplacé tout à la fois votre père et votre mère, un petit prêtre qui vous a entourée d'une tendresse constante mais, pour l'enfant que vous étiez, il était normal que toute une face de son personnage réel vous échappât.

— C'était normal, en effet, tant que j'étais enfant. Ce l'est moins maintenant ! Malheureusement, plus j'avance en âge et plus l'ombre qui l'entoure se fait épaisse...

De son mieux, elle restitua ce qui s'était passé dans le cabinet du commandant de la citadelle avant l'arrivée de Jolival, s'efforçant de retrouver les paroles exactes qui avaient été prononcées et insistant sur l'étrange instant où, en lui montrant l'envers d'une bague, le cardinal avait fait immédiatement capituler la volonté de Richelieu et sur ce titre de « Général » qui lui avait échappé.

Mais, lorsqu'il franchit les lèvres de la jeune femme, Jolival tressaillit :

— Il a dit « le général » ?... Vous êtes sûre ?

— Certaine ! Et je vous avoue que je n'ai pas compris. Est-ce que vous imaginez ce que cela peut vouloir dire ? Je sais bien que le supérieur d'un ordre monastique peut porter ce grade, mais mon parrain n'appartient pas au clergé régulier. Il a toujours été séculier...

Elle s'aperçut bientôt que Jolival ne l'écoutait pas. Il gardait un silence absolu, mais son regard se fit tout à coup si lointain et si grave que Marianne, impressionnée, respecta sa méditation. Il avait abandonné son déjeuner, ouvert la minuscule boîte d'or et pris entre ses doigts le diamant qui fulgurait dans le soleil comme une goutte de feu. Un long moment, il le fit jouer avec la lumière qui en arrachait des éclairs bleus, comme s'il cherchait à s'hypnotiser lui-même.

— Tant de souffrance ! Tant de malheurs et de si tragiques conséquences à cause de ce petit morceau de carbone et de ses pareils. Évidemment, ajouta-t-il, cela expliquerait tout... même l'espèce de protection dont le cardinal couvre cette misérable femme, bien que ni vous, ni moi, ne puissions le comprendre. Mais les voies du Seigneur sont impénétrables. Et plus encore celles que suivent ces hommes pour qui le secret est une seconde nature...

Mais Marianne en avait assez de cette atmosphère de mystère dans laquelle on la faisait baigner depuis vingt-quatre heures.

— Arcadius, dit-elle fermement, je vous en supplie, essayez d'être plus clair car maintenant je m'y perds. Dites-moi franchement ce que vous pensez. Quel homme est au juste mon parrain et de quoi est-il général ?

— De l'ombre, Marianne... de l'ombre. Ou je me trompe fort ou il est à ce jour le maître suprême de la Compagnie de Jésus, le chef de la plus redoutable milice du Christ. Il est celui que l'on surnomme, avec une crainte instinctive, le Pape Noir !

Malgré le chaud soleil qui emplissait la pièce, Marianne frissonna.

— Quel terrible sobriquet ! Mais je croyais qu'au siècle dernier le pape, celui de Rome, avait dissous la Compagnie de Jésus ?

— En effet, en 1773, je crois ; mais l'Ordre n'a pas disparu pour autant. Frédéric de Prusse et Catherine II lui ont donné asile et, dans nos pays latins, il est devenu occulte, donc plus redoutable que jamais. L'homme, dont vous êtes la filleule, ma chère, est sans doute celui qui détient actuellement au monde la plus grande puissance, car l'Ordre possède des affiliés dans l'univers entier...

— Mais ce n'est qu'une hypothèse. Vous n'êtes pas sûr de ce que vous avancez là ? s'écria Marianne effrayée.

Jolival remit le diamant dans sa boîte, mais ne la referma pas. Tout ouverte, il la tendit à la jeune femme :

— Regardez cette pierre, mon enfant ! Elle est belle, pure, éclatante... et cependant le trône de France s'est fêlé en se heurtant contre elle et contre quelques-unes de ses semblables...

— Je ne comprends toujours pas.

— Vous allez saisir : Avez-vous jamais entendu parler d'un collier fabuleux, jadis commandé aux joailliers de la Couronne, Boehmer et Bassange, par le roi Louis XV pour Mme du Barry et qui, privé de destinataire par la mort du roi, fut proposé ensuite à la reine Marie-Antoinette ? Avez-vous jamais entendu mentionner cette sombre et terrible histoire que l'on a appelée l'Affaire du Collier ? Cette larme est la pièce centrale, le plus gros et le plus précieux diamant du collier.

— Bien sûr que si ! Mais, Jolival, vous ne voulez pas dire... enfin, cette femme n'est pas... ne peut pas être...

— La voleuse ? La fameuse comtesse de la Motte ? Mais si ! Je sais, on a dit qu'elle était morte en Angleterre, mais la preuve en reste à faire et j'ai toujours été persuadé que derrière cette femme il y avait une main cachée, une main puissante et ambitieuse qui tirait les ficelles de sa petite âme d'aventurière avide et sans scrupule. Maintenant, je suis certain d'avoir raison.

— Mais... qui ?

Jolival referma la boîte, la remit dans la main de Marianne et referma dessus ses doigts, l'un après l'autre, comme pour être sûr qu'elle n'en sortirait pas. Puis il se leva, fit quelques pas dans la pièce et revint se planter devant la jeune femme.

— Il y a des secrets d'État qu'il est dangereux d'effleurer, des noms qui portent la mort. D'autant plus que, là non plus, je n'ai aucune preuve. Quand vous verrez le cardinal, vous pouvez toujours essayer de l'interroger, mais cela m'étonnerait qu'il vous réponde. Les secrets de l'Ordre sont bien gardés et je suis persuadé que si, cette nuit, j'avais prononcé le nom réel de cette fausse Mme de Gachet, je ne serais plus capable ce matin de bavarder avec vous ! Croyez-moi, mon enfant, oubliez bien vite cette histoire. Elle est profonde, dangereuse et pleine d'embûches. Nous avons assez de problèmes sans nous perdre dans des eaux si mouvantes et, si vous voulez bien me permettre un dernier conseil : priez le cardinal de vous rendre les cinq mille roubles que vous avez donnés et qui peuvent nous faire si grand défaut et laissez-lui cette pierre en échange. J'ai trop peur qu'elle ne nous porte pas chance...

Mais, dans la journée, tandis que Marianne passait sa garde-robe en revue pour choisir la toilette qu'elle porterait au souper du gouverneur, on vint lui annoncer qu'un prêtre catholique demandait à lui parler.

Persuadée qu'il s'agissait du cardinal, elle se hâta d'ordonner qu'on le fît monter dans le petit salon attenant à sa chambre, heureuse à la pensée d'une longue conversation avec son parrain et bien décidée à vérifier autant que faire se pourrait les suppositions de Jolival. Mais, à son grand désappointement, ce fut l'abbé Bichette, le lugubre et ineffable secrétaire du cardinal, qui parut.

C'était néanmoins une vieille connaissance et, un instant, la jeune femme espéra obtenir de lui quelques renseignements, mais, plus noir et plus étroitement boutonné que jamais dans sa longue soutane qui lui donnait l'air d'un parapluie, l'abbé se contenta de l'informer que « Son Éminence était au désespoir d'être contrainte de quitter Odessa sans avoir revu la fille de son cœur, qu'elle la priait de garder confiance en Notre Seigneur Jésus-Christ, de recevoir sa très paternelle bénédiction et de prendre connaissance de la lettre qu'il était, lui, Bichette, serviteur indigne, chargé de lui remettre avec le paquet qui y était joint ».

En même temps, il offrait un portefeuille de maroquin noir contenant exactement cinq mille roubles. Étonnée, Marianne allait ouvrir la lettre mais, comme l'abbé Bichette, jugeant sa mission remplie s'apprêtait à s'éclipser, elle le retint :

— Son Éminence est déjà partie ? demanda-t-elle.

— Non, Madame. Son Éminence attend que je

revienne. Aussi suis-je obligé de me hâter pour ne pas la mettre en retard...

— J'ai grande envie d'aller avec vous. Quelle idée de partir ainsi ! Le cardinal ne sait-il donc pas à quel point j'étais heureuse de le retrouver ? Et nous n'avons pas même échangé trois mots en tête à tête...

— Il le sait, Madame, mais ce ne serait pas une bonne idée de me suivre, car Son Éminence serait fort mécontente. Elle n'aime pas attendre, aussi... avec votre permission... ajouta-t-il en courant presque vers la porte.

— Où allez-vous ?

Cette fois, elle crut qu'il allait se mettre à pleurer et à trépigner.

— Mais je n'en sais rien, Madame. Je suis Son Éminence et je ne pose jamais de questions. Peut-être cette lettre vous renseignera-t-elle. Maintenant, je vous en prie, laissez-moi partir...

Comme s'il était pris de panique, il se ruait à la porte, reprenant au passage un chapeau noir à fond plat et à bords larges, si caractéristique que Marianne, qui ne l'avait pas remarqué à l'entrée de Bichette, comprit que Jolival ne s'était pas trompé. Bichette était un jésuite, certainement pas très versé dans les arcanes secrets de l'Ordre, mais un jésuite tout de même ! Et, comme il venait, sans le vouloir, de répondre à l'une de ses questions informulées, elle ne prolongea pas son supplice et le laissa partir. Il était d'ailleurs temps, pour elle, de lire la lettre.

Elle était brève. Gauthier de Chazay répétait en substance les paroles de son messager, y ajoutait l'assurance de retrouver prochainement sa chère filleule et l'explication des cinq mille roubles :

« La provenance de ce diamant est trop malsaine », disait-il, reprenant sans le savoir les arguments d'Arcadius, « je ne désire pas que tu le gardes et c'est pourquoi je te rends l'argent que tu as donné. Quant à la pierre, je te demande de la rapporter en France. Elle vaut une fortune et je ne saurais la prendre avec moi là où je vais. Dans six mois, jour pour jour, un émissaire se présentera chez toi, rue de Lille. Il te montrera une plaque sur laquelle seront gravées quatre lettres : A.M.D.G. [1] et tu lui donneras la pierre. Si d'aventure, tu n'étais plus chez toi, je pense que tu pourras demander à Adélaïde de te remplacer et tu auras rendu, à l'Église et à ton Roi, un immense service... »

Cette missive, pour le moins bizarre, issue de celui qu'elle avait toujours considéré comme son second père, eut le don d'exaspérer Marianne. Elle en fit une boule et l'envoya rouler sous un meuble. Vraiment, le cardinal en prenait un peu trop à son aise ! Il la retrouvait dans une circonstance critique et il l'en tirait, c'était vrai. Mais, là-dessus, sans même prendre la peine de s'enquérir de ses besoins, de ses aspirations ou de son actuelle situation, il la chargeait d'une mission dont elle n'avait que faire. Retourner à Paris ? Mais il n'en était pas question un seul instant ! Et que voulait dire cette allusion à l'Église et au roi ? Elle n'avait pas de roi et le cardinal le savait parfaitement. Le seul souverain qu'elle se reconnût était l'Empereur. Alors, qu'est-ce que tout cela voulait dire ? Et quand donc ceux qui prétendaient l'aimer cesseraient-ils de s'adjuger le droit de disposer tout à la fois de sa personne et de son temps ?

Du fond de sa colère, elle réfléchit tout de même qu'il était peut-être dangereux de laisser traîner dans la pièce une lettre émanant d'un homme tel que le cardinal. Aussi se mit-elle en devoir de la récupérer.

Elle était à quatre pattes devant la vaste commode pour essayer à l'aide d'une ombrelle, de récupérer la boule de papier, quand Jolival entra. Il considéra le spectacle avec amusement et, comme la jeune femme, rouge et décoiffée émergeait enfin, la boule dans la main, il l'aida à se relever.

1. « Ad majorem Dei gloriam », la devise des jésuites.

— A quoi jouez-vous ? fit-il en souriant.

— Je ne joue pas. J'avais jeté cette lettre, mais je préfère la brûler. Au fait, lisez-la donc, elle vous intéressera.

Ce fut vite fait. Quand ce fut fini, Jolival tira son briquet, enflamma un coin du papier et alla porter le tout dans la cheminée devant laquelle il resta tant qu'il ne fut pas entièrement consumé.

— C'est tout ce que vous trouvez à dire ? s'indigna la jeune femme.

— Mais, je n'ai rien à dire. On vous demande un service, rendez-le et, je vous l'ai dit, tâchez d'oublier ceci au plus vite. De toute façon, il nous faudra certainement rentrer à Paris. Maintenant, ajouta-t-il en tirant sa montre, il serait temps de vous préparer pour le souper.

— Le souper ? Est-ce que vous vous rendez compte que je vais devoir y aller seule ? Et que je n'en ai pas la moindre envie ? Je vais écrire pour refuser... prier que l'on remette à plus tard... A demain, tenez... ce soir je ne me sens pas bien !

— Ah mais non ! Vous ne refuserez pas ! Venez voir...

La saisissant par le poignet, il l'entraîna vers la fenêtre. Au-dehors, l'air s'emplissait du bruit des tambours, des trompettes et des fifres, tandis que la terre résonnait sous les pas de plusieurs centaines de chevaux. Autour des casernes, une foule énorme s'entassait, regardant monter du port un long ruban mouvant qui ressemblait à un serpent d'acier.

— Regardez ! fit Jolival. Voilà les deux régiments géorgiens envoyés par le prince Tsitsanov qui débarquent. Le gouverneur les attendait avec impatience à ce que m'a dit Ducroux. Dans deux jours, il compte se mettre à leur tête et rejoindre l'armée du Tsar qui, à l'heure présente, recule devant les troupes de Napoléon en Lithuanie. Si vous voulez libérer Beaufort, c'est ce soir ou jamais.

— Arcadius ! rappelez-vous le ton du billet. Êtes-vous certain que Richelieu ne mettra pas, à cette libération, certaine condition ?

— C'est possible ! Mais je vous crois assez habile pour jouer le jeu sans vous brûler. Si vous refusez son invitation, non seulement vous n'obtiendrez pas ce que nous sommes venus chercher, mais encore Richelieu, vexé et furieux, s'arrangera pour que vous ne puissiez pas retrouver votre ami. Certes, vous pouvez choisir, mais choisissez vite ! Je vous le répète, il part dans deux jours. Je sais que c'est difficile... mais voilà le moment de prouver ce que vous savez faire en matière de diplomatie.

Tandis qu'elle hésitait encore, il alla vers un siège où s'étalaient plusieurs robes, en prit une au hasard et vint la poser sur les bras de la jeune femme.

— Allez vite ! Marianne... et faites-vous très belle ! Ce soir, vous gagnerez peut-être une double bataille.

— Une double bataille ?

— La liberté de Jason d'abord. Et puis, qui sait ? Vous n'avez pas pu retenir les régiments de Kamenski sur le Danube, mais vous retiendrez peut-être les Circassiens à Odessa ! Il suffirait de faire ressortir combien il est inconvenant pour un Français de combattre d'autres Français !

Les yeux de Jolival souriaient, pleins d'innocence...

Farouchement, Marianne serra sa robe contre elle et lui jeta un regard fulgurant d'indignation :

— Il se peut que mon parrain soit le Pape Noir, Jolival, mais vous, il y a des moments où je me demande si vous n'êtes pas le diable...

CHAPITRE X

UNE LETTRE DE SUÈDE

La fumée de tabac voltigeait, bleue et parfumée, dans la pièce, à la fois intime et élégante, où Marianne et le gouverneur achevaient leur souper. Par les fenêtres, largement ouvertes sur la nuit bleue, la senteur des orangers du jardin, presque trop forte, se faisait grisante, tandis que les bruits de la ville diminuaient progressivement, s'éloignaient, comme si le petit salon jaune, pareil à quelque nacelle enchantée, eût rompu d'invisibles amarres pour voguer en plein ciel.

Par-dessus la table où le surtout de roses achevait de mourir, Marianne observait son hôte. Adossé à son fauteuil, son regard distrait fixé sur les longues bougies blanches qui, seules, éclairaient la pièce, le duc fumait lentement la pipe que la jeune femme l'avait autorisé à allumer. Il avait l'air heureux, détendu, si loin même des soucis de son gouvernement et du drame de la veille, que Marianne, un peu inquiète, en venait à se demander si, un jour, on en arriverait à ce qu'elle était venue chercher dans cette maison.

Elle n'avait pas voulu entamer elle-même le sujet pour ne pas se trouver trop vite en position de solliciteuse, donc en état d'infériorité. C'était à lui, qui l'avait fait venir ce soir, de faire les premiers pas et de poser les questions. Mais vraiment, il ne se pressait pas...

Depuis le moment où la voiture qu'il avait envoyée à l'hôtel pour la chercher l'avait déposée au bas des marches du petit palais neuf dont il avait fait sa résidence, Marianne avait décidé de jouer jusqu'au bout le jeu tel qu'il l'imposerait : très certainement celui d'un grand seigneur recevant, pour un aimable souper en tête-à-tête, une fort jolie femme. Agir autrement serait maladroit.

Elle l'avait compris quand elle l'avait vu s'incliner sur sa main au moment où, sur le perron, il l'avait accueillie. Le conducteur de travaux Septimanie, sa redingote fatiguée et ses bottes poudreuses, avaient fait place à un homme d'une grande distinction, portant avec une rare élégance le costume de soirée : frac noir éclairé par la plaque scintillante de l'ordre français du Saint-Esprit, culotte et bas de soie noirs, escarpins vernis, chemise et haute cravate neigeuses. Et Marianne s'était surprise à découvrir un grand air romantique dans cette chevelure d'ébène striée d'argent et ce visage mat à l'expression tourmentée. Il ressemblait aux personnages qui hantaient l'imagination d'un jeune poète, anglais et boiteux, dont Hester Stanhope lui avait longuement parlé à Constantinople, avec un mélange d'admiration et d'exaspération, un certain Byron...

Le duc s'était montré un hôte parfait, plein de tact et de prévenances. Le souper, fin et léger, servi sur les échos éloignés d'un concerto de Vivaldi, était de ceux qui peuvent plaire à une femme. Et durant tout son déroulement, Richelieu n'avait parlé que fort peu, préférant sans doute laisser la parole à la musique et se contentant, durant les périodes de silence, de regarder son invitée, idéalement belle, d'ailleurs, dans une grande robe de satin nacré qui découvrait largement ses épaules et sans autre ornement qu'une rose pâle glissée au creux du profond décolleté.

L'un des deux valets, en bas blancs et perruques poudrées, qui avaient servi le repas, entra, portant avec précaution une bouteille de champagne dont il emplit soigneusement deux flûtes translucides avant de se retirer. Quand il eut disparu, le duc se leva, saisit son verre et, sans quitter Marianne des yeux, il s'écria :

— Je bois à vous, ma chère, à votre grâce qui a fait de cette soirée l'un des moments précieux et rares où l'homme voudrait être Dieu et pouvoir arrêter le temps...

— Et moi, reprit la jeune femme en se levant à son tour, je bois à cette soirée, Excellence, qui demeurera dans ma mémoire comme l'un des instants les plus agréables de ma vie !

Ils burent en se regardant dans les yeux, puis le duc, quittant sa place, saisit la bouteille au passage et vint remplir lui-même le verre de son invitée qui protesta en riant :

— Doucement, Monsieur le duc ! Ne me faites pas trop boire... A moins... que nous n'ayons d'autres toasts à porter ?

— Justement...

De nouveau, il éleva son verre mais cette fois ce fut sans sourire et même avec une gravité impressionnante qu'il prononça :

— Je bois... au cardinal de Chazay ! Puisse-t-il revenir sain et sauf de la dangereuse mission qu'il entreprend pour la paix du monde, pour le Roi et pour l'Église.

Saisie, Marianne éleva machinalement sa flûte encore que cette nouvelle référence au roi ne lui plût guère, mais pour rien au monde elle n'eût refusé de boire à la santé de son parrain. D'ailleurs, elle avait cru comprendre, dans les propos que son hôte lui avait tenus durant le souper, qu'il croyait bien avoir en face de lui une femme dont les aspirations et les idées politiques se trouvaient en harmonie parfaite avec les siennes propres. Il ne voyait en elle que la filleule du cardinal, la fille de son ancien camarade et, s'il avait mentionné le nom des Sant'Anna, cela avait été, cette fois, sans la moindre méfiance et, bien au contraire, en rendant hommage à l'ancienneté et aux grandes alliances de cette famille princière.

La prudence exigeant qu'elle ne le détrompât point, elle gratifia, au contraire, le gouverneur de son sourire le plus ému :

— A mon cher parrain dont la vigilance et la tendresse envers moi ne se sont jamais démenties et qui vient, une fois encore, de m'en donner une preuve éclatante en dissipant, hier soir, cet affreux malentendu.

— Vous êtes indulgente et bonne d'appeler malentendu ce que je qualifierai, moi, de sottise sans précédent et d'impardonnable brutalité. Quand je pense que ces brutes ont osé vous frapper... Souffrez-vous encore ?

Son regard s'attardait sur les épaules de la jeune femme avec une insistance qui comportait certainement autre chose que de la sollicitude chrétienne. Avec un rire léger, Marianne pivota sur elle-même, comme pour une figure de danse, afin de montrer la naissance de son dos :

— Ce ne sera rien ! Voyez, il n'y paraît déjà plus... Mais, ajouta-t-elle d'un ton soudain chargé d'inquiétude, vous avez parlé, Excellence, d'une mission importante et... dangereuse ?

Elle levait sur lui un regard angoissé où brillait déjà une larme et, avec une exclamation désolée, il se pencha pour prendre la main de la jeune femme qu'il garda dans les siennes.

— Quel idiot je fais ! Vous voilà toute tremblante et toute bouleversée. Je n'aurais jamais dû vous dire cela. Venez, quittons cette pièce et allons nous asseoir un peu sur la terrasse. La nuit est douce et l'air pur vous fera du bien. Vous êtes bien pâle, il me semble...

— C'est vrai, admit-elle en se laissant conduire hors des grandes portes-fenêtres. Je viens d'avoir très peur tout à coup... Mon parrain...

— Est l'un des hommes les plus nobles, les plus

généreux et les plus vaillants que je connaisse, Madame. Il est digne en tous points de cette profonde tendresse que je vous vois pour lui, mais, d'autre part, vous le connaissez suffisamment pour savoir qu'il n'aimerait pas que vous trembliez pour lui quand il sert notre cause.

— Je sais, je sais. C'est un homme terrible qui ne parvient pas à comprendre les angoisses que l'on éprouve, ni que l'on puisse être un peu trop sensible...

Avec un soupir qui ressemblait à un sanglot léger, elle s'était assise sur une méridienne couverte de soie claire qui, avec quelques chaises, meublait la petite terrasse. C'était un endroit charmant d'où la vue s'étendait sur les frondaisons du jardin et, plus loin, sur la baie qu'un croissant de lune éclairait doucement... C'était aussi un de ces endroits faits pour les confidences, pour les tête-à-tête, si propices aux longues conversations où, l'ambiance aidant, on se laisse entraîner à dire parfois plus que l'on ne voudrait...

Et, tout à coup, Marianne avait très envie d'en savoir davantage sur la mystérieuse mission du cardinal. S'il exposait sa vie pour servir leur « cause », ce serait très certainement l'empereur Napoléon et son armée qui en feraient les frais...

Elle s'appuya contre la crosse de la méridienne, écartant le pan de sa robe pour que le duc pût s'asseoir auprès d'elle et laissa, un moment, le silence et les parfums du jardin les envelopper. Puis, d'un ton hésitant, comme si elle s'imposait une pénible contrainte :

— Excellence... pria-t-elle, je sais que je ne devrais pas vous demander cela, mais il y a si longtemps que mon parrain m'a laissée sans nouvelles... Et je ne l'ai retrouvé que pour le perdre à nouveau... Il a disparu... d'un seul coup, sans me revoir, sans m'embrasser... et peut-être ne le reverrai-je... plus jamais ! Oh ! je vous en supplie, dites-moi au moins qu'il ne se dirige pas vers... les endroits où l'on se bat... qu'il ne va pas se porter à la rencontre de... l'envahisseur ?

Jouant à merveille l'affolement, elle avait posé ses mains sur celles du gouverneur et se penchait vers lui, l'enveloppant de son parfum frais et doux.

Il se mit à rire doucement, serra les deux mains fines entre les siennes et s'approcha tout près de la jeune femme, si près que son regard pouvait plonger dans les profondeurs du décolleté et y faire de bien troublantes découvertes.

— Allons, mon enfant, allons ! fit-il d'un ton indulgent, ne vous tourmentez pas. Le cardinal est homme d'Église. Il n'a nullement l'intention d'aller attaquer Bonaparte, voyons ! Je peux bien vous le confier, car je ne crois pas que cela pourrait tirer à conséquence, il va à Moscou où une grande tâche l'attend si, par malheur, ce misérable Corse parvenait jusque-là. Mais vous pensez bien qu'il sera arrêté avant... Mon Dieu que vous êtes émotive !... Ne bougez pas, je vais aller vous chercher encore un peu de champagne.

Mais elle s'accrocha à lui, n'ayant aucune envie de tomber de nouveau dans le piège pétillant du Butard :

— Non, je vous en prie, restez ! Vous êtes bon... Vous me faites du bien. Voyez, cela va déjà mieux. J'ai moins peur.

Elle lui sourit en souhaitant intérieurement que son sourire fût aussi séduisant qu'elle l'espérait et, en effet, il se rassit avec empressement.

— C'est vrai ? Vous êtes moins inquiète...

— Beaucoup moins. Pardonnez-moi ! Je deviens un peu sotte quand il s'agit de lui, mais, vous savez, c'est à lui que je dois d'exister. C'est lui qui, jadis, m'a trouvée dans l'hôtel de mes parents ravagé par les sectionnaires, qui m'a cachée sous son manteau, conduite en Angleterre au péril de sa vie. Il est... toute ma famille.

— Mais... votre époux ?

Marianne n'hésita même pas.

— Le prince est mort l'an passé, affirma-t-elle avec audace. Il avait des biens en Grèce et même à Constantinople. C'est à cause de cela que j'avais fait ce long voyage. Vous voyez que je ne suis pas la grande coupable que vous imaginiez.

— Je vous ai déjà dit que j'avais été stupide. Ainsi vous êtes veuve ? Si jeune ! Si ravissante !... Et seule !

Il se rapprochait d'elle et Marianne, un peu inquiète tout de même et se reprochant déjà d'avoir un peu abusé de la coquetterie, se hâta de changer de sujet de conversation.

— Ne parlons plus de moi, c'est sans grand intérêt. Au fait... Je n'ai même pas su à quel heureux hasard je devais d'avoir retrouvé ici mon cher cardinal ? Est-ce qu'il m'y attendait ?... Il faudrait pour cela qu'il eût le don de double vue...

— Non. Votre rencontre est l'un de ces hasards comme Dieu seul, sans doute, sait en combiner. Lorsque vous êtes arrivée, le cardinal n'était là que depuis deux jours. Il venait de Saint-Pétersbourg pour m'apporter des nouvelles importantes.

— De Saint-Pétersbourg ?... Des nouvelles du Tsar, alors ? Est-ce vrai ce que l'on dit de lui ?

— Et que dit-on de lui ?

— Qu'il est beau comme un dieu ! Séduisant, plein de charme...

— C'est vrai, fit le duc d'un ton pénétré qui agaça un peu Marianne, il est l'homme du monde le plus merveilleux que j'aie jamais approché. On devrait baiser la trace de ses pas... Il est l'Archange couronné qui nous sauvera tous de Bonaparte...

Il détournait la tête, maintenant, et regardait vers le ciel comme s'il espérait en voir descendre son archange moscovite les ailes battantes. En même temps, il entamait le panégyrique d'Alexandre Ier qui, de toute évidence, était son héros favori au grand ennui de Marianne qui commençait à trouver le temps long, pleinement consciente des heures qui passaient. Elle n'avait pas appris grand-chose de ce qu'elle espérait et, surtout, le sort de Jason n'avait pas encore été évoqué un seul instant...

Elle le laissa parler encore un moment puis, comme il s'arrêtait, sans doute pour reprendre sa respiration, elle se hâta de murmurer :

— Quel homme extraordinaire ! Mais, Excellence, je crains maintenant d'abuser de vos instants ! Il doit être fort tard...

— Tard ? Mais non... et puis nous avons toute la nuit ! Non, ne protestez pas ! Bientôt, demain sans doute, je vais partir moi aussi pour apporter au Tsar la contribution des régiments que je réunis ici. Cette soirée est le dernier doux moment que je vivrai avant bien longtemps. Ne me le ménagez pas !

— Soit ! Mais est-ce que vous n'oubliez pas un peu, Excellence, que j'avais, en venant ici, une grâce à vous demander ?

Il était si près d'elle qu'elle le sentit tressaillir et s'écarter. Elle comprit qu'elle l'avait peut-être ramené un peu brutalement à la réalité et qu'il était mécontent. Mais puisqu'il semblait décidé à oublier sa promesse, elle décida, elle, d'en finir une bonne fois et d'ignorer sa mauvaise humeur.

— Une grâce ? fit-il d'un ton morose. Qu'était-ce donc ? Ah oui... Ce corsaire américain ! Un espion sans doute et un espion au service de Bonaparte. Sinon, je ne vois pas bien ce qu'il aurait pu venir faire ici.

— Un espion se déplace rarement avec un brick de ce tonnage, Excellence. C'est un moyen peu discret pour pénétrer dans un pays. Et, jusqu'à présent, Monsieur Beaufort s'intéressait surtout au commerce des vins. Quant à être au service de Bonaparte (Dieu que ça passait mal !), je peux vous assurer qu'il n'en est rien ! Voici peu de temps, il goûtait encore aux geôles parisiennes... et même au bagne de Brest !...

Richelieu ne répondit pas. Il s'était levé et, les bras croisés sur la poitrine, tourmentant les dentelles de sa chemise, il arpentait la terrasse avec agitation sous l'œil un peu inquiet de Marianne. Cet homme décidément était un curieux personnage. Ses réactions étaient imprévisibles et ses nerfs semblaient posséder une étrange propension à venir instantanément à fleur de peau...

Tout à coup, aussi brutalement qu'eût pu le faire Napoléon lui-même, il s'arrêta devant la jeune fille et jeta :

— Cet homme ? Qu'est-il pour vous ? Votre amant ?...

Marianne prit une profonde respiration et s'efforça de garder son calme en constatant avec quelle attention il scrutait son visage. Il s'attendait visiblement à un éclat, à l'une de ces indignations de commande, de ces fausses colères auxquelles s'entendent si bien les femmes amoureuses et qui ne trompent personne. Habilement, Marianne évita le piège tendu et, se renversant sur son siège, se mit à rire doucement.

— Quelle pauvre imagination est la vôtre, Excellence ! Ainsi il n'existe à vos yeux qu'une seule catégorie d'individus qu'une femme puisse souhaiter tirer d'embarras ?

— Bien sûr que non ! Mais ce Beaufort n'est tout de même pas votre frère. Et vous avez entrepris un voyage bien long et bien dangereux pour venir plaider sa cause.

— Bien long, bien dangereux ? La traversée de la mer Noire ? Allons, Monsieur le duc, soyons sérieux...

Brusquement Marianne se releva et, redevenant soudain grave, ainsi qu'elle l'avait demandé, elle déclara sévèrement :

— Je connais Jason Beaufort depuis longtemps, Excellence. La première fois que je l'ai vu, c'était chez ma tante, à Selton Hall où il était reçu couramment, ainsi d'ailleurs que dans toute l'Angleterre. Il faisait partie des familiers du prince George et, pour moi, il est un ami très cher, je le répète... un ami d'enfance !...

— Un ami d'enfance ? Vous le jurez ?

Elle sentit vibrer dans sa voix une sorte de jalousie amère et désespérée et comprit qu'il lui fallait le convaincre si elle voulait sauver Jason. Haussant gracieusement ses belles épaules, elle murmura, doucement railleuse :

— Naturellement, je le jure ! Mais, sans vouloir vous offenser, Monsieur le duc, vous vous conduisez avec moi comme le ferait un mari jaloux... et non comme un ami, récent, mais dont j'espérais plus de douceur, plus de compréhension... presque plus de tendresse étant donné les liens anciens qui nous unissent...

Il la regardait intensément, respirant avec difficulté, comme s'il cherchait à lire jusqu'au fond de ce regard vert, profond et fascinant comme la mer. Puis, peu à peu, Marianne sentit qu'en lui quelque chose se détendait, cédait...

— Venez ! dit-il seulement en la prenant par la main pour l'entraîner à pas rapides vers l'intérieur du palais.

A sa suite, elle retraversa le petit salon jaune où les bougies achevaient de se consumer, franchit un large palier dallé de marbre noir et pénétra dans un vaste cabinet de travail, éclairé seulement par une « bouillotte » posée sur le bureau et qui, avec ses grands rideaux de velours bleu soigneusement tirés, lui parut sombre et étouffant comme un tombeau.

Sans lâcher sa main, le duc se dirigea vers la table de travail encombrée de papiers et d'une pile de portefeuilles à dépêches en maroquin vert. Là, il se décida enfin à abandonner la jeune femme. Puis, sans même s'asseoir, il prit dans un tiroir une grande feuille de papier timbrée de l'aigle bicéphale et déjà couverte d'écriture, remplit un blanc laissé là intentionnellement, ajouta quelques mots et signa d'un paraphe nerveux.

Le cœur battant, Marianne qui avait réussi à lire pardessus son épaule, comprit que c'était l'ordre de libération de Jason et de ses compagnons. Mais, tandis que

Richelieu cherchait un bâton de cire et le présentait à la flamme d'une bougie, son regard errant sur le bureau s'arrêta un instant sur un papier à moitié déplié dont elle put lire seulement quelques mots. Mais ils lui parurent si inquiétants qu'elle dut faire effort sur elle-même pour ne pas tendre la main vers le document.

Cependant, le duc avait fini d'écrire. Il relut rapidement, puis, tendant l'ordre à la jeune femme :

— Voilà ! Vous n'aurez qu'à présenter ceci au commandant de la citadelle. On vous rendra séance tenante votre ami d'enfance et ceux qui ont été arrêtés avec lui...

Rose de joie, elle saisit le précieux papier et le glissa dans une poche invisible, habilement dissimulée dans l'un des plis de la robe.

— Je vous suis profondément reconnaissante, fit-elle avec effusion. Mais... puis-je vous demander si cet ordre comporte également la restitution du navire ?

Richelieu se raidit et fronça les sourcils.

— Le navire ? Non. Je suis désolé, mais il m'est impossible d'en disposer. Il appartient désormais, de par la loi des prises en mer, à la marine russe.

— Cependant, Excellence, vous n'avez aucune raison de faire tort à un voyageur étranger en le privant ainsi de son unique moyen d'existence. Que peut faire un marin sans bateau ?

— Je l'ignore, ma chère... mais je me montre déjà d'une dangereuse générosité en rendant à la liberté un homme dont le pays est actuellement en guerre avec l'Angleterre, notre alliée. Je restitue à l'Amérique un combattant, c'est déjà fort beau. Ne me demandez pas de lui rendre aussi un navire de guerre. Ce brick est une belle unité. Notre marine saura l'utiliser au mieux...

— Votre marine ? En vérité, Monsieur le duc, c'est à se demander s'il reste encore, en vous, quelque chose qui soit français ? Si, là où ils sont, vos ancêtres peuvent vous entendre, ils doivent se retourner dans leur tombe.

Incapable de se contenir plus longtemps, elle avait laissé éclater son indignation et s'était exprimée avec un mépris si évident, si glacial, que le gouverneur blêmit.

— Vous n'avez pas le droit de dire cela ! s'écria-t-il de cette étrange voix aiguë qu'il avait dans la colère, la Russie est une fidèle amie. Elle m'a recueilli quand la France me rejetait et, à l'heure présente, elle réunit toutes ses forces pour lutter contre l'usurpateur, contre l'homme qui, pour assouvir son ambition insensée, n'hésite pas à mettre l'Europe à feu et à sang... C'est pour libérer la France de son fléau qu'elle va verser son sang.

— Pour libérer la France qui ne lui a jamais demandé de lui rendre un service de cet ordre. Et si ce qu'on dit en ville est réel, vous allez, vous, duc de Richelieu, marcher dès demain, à la tête de troupes géorgiennes...

— ... pour abattre Napoléon ! Oui, je vais le faire ! Et avec quelle joie !

Il y eut un bref silence que chacun des deux adversaires employa à reprendre son souffle. Marianne, haletante, les yeux fulgurants, ne se contenait plus qu'avec peine, mais dût-elle y laisser la vie, elle empêcherait cet homme d'aller combattre ceux de sa race en l'honneur du Tsar.

— Vous allez le combattre ? Soit ! Mais avez-vous songé qu'en le combattant vous lutterez aussi contre d'autres hommes, vos frères de sang, vos compatriotes, vos pairs ?

— Mes pairs ? La racaille sortie de la fange révolutionnaire et mal débarbouillée par des titres ronflants ? Allons, Madame !

— J'ai dit : vos pairs ! Ceux qui ne s'appellent pas Ney, Augereau, Murat ou Davout, mais ceux qui ont pour nom Ségur, Colbert, Montesquiou, Castellane, Fezensac ou d'Aboville... à moins que ce ne soit Poniatowski ou Radziwill ! Car ce sont ces gens-là, aussi,

Monsieur de Richelieu, que vous allez trouver en face de votre sabre quand vous chargerez à la tête de vos Tartares à demi sauvages !

— Taisez-vous ! Je dois aller aider mes amis...

— Dites vos nouveaux amis ! Eh bien, allez-y, Monsieur le duc, mais tout de même prenez garde à ne pas rendre au Tsar un fort mauvais service.

— Un mauvais service ? Qu'entendez-vous par là ?

Marianne sourit, contente de la lueur inquiète qui s'était allumée dans les yeux du gouverneur. Ses coups, elle le sentait, avaient porté, plus profondément peut-être qu'elle n'osait même l'espérer. Et maintenant, une idée diabolique lui était venue, une idée dont elle allait expérimenter la puissance destructrice et vérifier la valeur.

— Peu de chose ! Rien en tout cas dont je ne sois certaine. Mais je vous en prie, remettez-vous ! Et surtout pardonnez-moi si je vous ai paru brutale il y a un instant. Voyez-vous... J'éprouve pour vous une sympathie profonde... une de ces amitiés spontanées qui ne se commandent pas et pour rien au monde je ne voudrais que vous puissiez regretter un jour une... trop grande générosité d'âme. Vous avez été si bon pour moi et pour les miens. Je ferai tout pour vous empêcher de tomber dans un piège... dussiez-vous même m'accuser de sympathie envers Bonaparte. Ce qui, bien entendu, n'est pas le cas.

Richelieu se radoucit aussitôt.

— Je le sais, ma chère princesse. Et je crois à votre amitié. Aussi est-ce au nom de cette amitié que je vous supplie de parler ! Si vous avez pu apprendre quelque chose d'important pour moi, il faut me le dire.

Elle le regarda jusqu'au fond des yeux, eut un profond soupir puis, haussant les épaules :

— Vous avez raison. A cette heure, les scrupules ne sont plus de saison. Alors, écoutez : je viens, vous le savez, de Constantinople. Là-bas, j'avais lié amitié avec la princesse Morousi, veuve de l'ancien hospodar de Valachie et c'est d'elle que je tiens ce que je n'oserais appeler un avertissement. Quand elle m'en a parlé, ce n'était pour moi qu'un potin sans importance.

— Dites toujours ! Cette dame n'a pas la réputation d'une potineuse sans importance.

— Bien. En ce cas, j'irai droit au but. Êtes-vous sûr de ces régiments qui viennent de débarquer ? C'est le prince Tsitsanov, n'est-ce pas, qui vous les envoie ?

— En effet... mais je ne vois pas...

— Vous allez voir ! Il n'y a pas dix ans, je crois, que la Géorgie est soumise à la Russie ? La majorité de la population s'est ralliée, mais pas toute la population. Quant au prince Tsitsanov, selon ce que l'on m'en a dit, il aurait découvert sans peine que Tiflis est bien loin de Saint-Pétersbourg et que son gouvernement à des allures de vice-royauté. De ce mot-là à royauté, il n'y a pas si loin, mon cher duc, et, en réclamant des troupes au prince, vous lui avez fourni un moyen commode de se débarrasser d'éléments perturbateurs encombrants. Soyez certain que ces deux régiments-là ne lui feront certainement pas défaut... Quant à ce qu'ils feront au feu, botte à botte avec les Moscovites qu'ils détestent... Mais, je vous l'ai dit : je ne suis sûre de rien. Ce que je vous rapporte là, ce sont des potins de salon, rien de plus. Il se peut que l'on calomnie le prince Tsitsanov...

— Mais il se peut aussi que l'on dise vrai...

Le duc s'était laissé tomber dans son fauteuil et, la mine très sombre, il mordillait nerveusement son poing crispé. Marianne, un instant, contempla son œuvre. Cet homme possédait sans doute le génie de l'organisation. C'était un grand colonisateur et peut-être un grand diplomate, mais c'était aussi un grand nerveux, un inquiet et, par ces côtés, il se révélait plus vulnérable qu'elle ne l'avait espéré.

Elle hésita sur ce qu'il convenait de faire. Richelieu, les yeux au loin, semblait l'avoir complètement oubliée. Et puis, il y avait, dans sa robe, cet ordre de libération qui la brûlait. Elle avait hâte, maintenant, de quitter ce palais, de courir à la citadelle... Pourtant, quelque chose la poussait vers cette lettre ouverte qu'un souffle léger, venu on ne savait d'où dans cette pièce si bien close, faisait bouger doucement, si près de son atteinte, comme pour la narguer...

Mais, comme le silence s'éternisait, Marianne émit une petite toux sèche :

— Monsieur le duc, dit-elle doucement, je regrette de troubler votre méditation, mais puis-je vous demander de me faire reconduire ? Il est tard et...

Elle n'acheva pas sa phrase. Déjà il était debout et, comme un homme égaré, en proie à une angoisse trop forte pour lui, il se jetait vers elle qui, dans le clair-obscur de la pièce, avait l'air d'une apparition.

— Ne me quittez pas ! hoqueta-t-il. Ne me laissez pas seul... pas maintenant ! Je ne veux pas rester seul cette nuit...

— Mais pourquoi ? Que vous ai-je dit qui puisse vous faire si peur ? Car vous avez peur...

— Oui, j'ai peur. Mais ce n'est pas pour moi. J'ai peur de ce que j'allais faire. Sans vous... sans cet avis que vous venez de me donner, c'était peut-être le désastre, la trahison, la mort même... que j'allais conduire vers Alexandre. Vers l'homme à qui je dois tout. Celui qui veut bien m'appeler son ami...

— Voulez-vous dire... que vous ne partirez pas ?

— C'est cela même. Je resterai ! Les troupes géorgiennes repartiront demain. Seules, les troupes tartares que j'avais préparées et dont je suis sûr prendront la route de Kiev. Et moi, je resterai.

Une brusque poussée de joie envahit Marianne incapable encore de croire à la réalité de son triomphe. Ainsi, elle avait gagné, presque sur toute la ligne. Dans une heure, Jason serait libre et demain Richelieu demeurerait à Odessa cependant que deux régiments seraient écartés du champ de bataille... C'était à n'y pas croire. C'était trop beau et si seulement elle pouvait aussi récupérer la *Sorcière*...

— Est-ce à cause de ce que je vous ai dit ? demanda-t-elle doucement.

— Qu'avez-vous dit ?

— Vous renoncez à combattre ceux de votre race ?

Sur ses épaules qu'elles emprisonnaient, Marianne sentit trembler les mains du duc.

— Je ne peux lutter contre mes frères, même s'ils se fourvoient. Oui... il y a ça. Mais aussi vous m'avez fait comprendre qu'en quittant la Nouvelle Russie je risquais d'y laisser le champ libre à bien des ambitions. Moi parti, qui empêcherait Tsitsanov, ou un autre, de s'emparer de ces terres ? La Crimée a besoin d'être fortement défendue. Je dois rester. Sans moi, Dieu sait ce qui se passerait...

Une soudaine et fort inopportune envie de rire envahit Marianne. La politique était décidément une chose invraisemblable et ceux qui la pratiquaient les plus étranges gens du monde. On pouvait se fier à eux pour en rajouter et le prétendu renseignement qu'elle venait de fournir avait vraiment porté. Le duc en avait déduit une foule de conséquences parfaitement inattendues.

Elle retint cependant son rire prêt à fuser, se contenta d'un sourire, mais leva sur Richelieu un regard tellement pétillant de joie qu'il aurait pu la trahir. Heureusement, le duc se méprit sur son origine réelle.

— Vous êtes merveilleuse, dit-il doucement. Je crois, en vérité, que c'est la Providence elle-même qui vous a envoyée vers moi. Peut-être n'êtes-vous femme qu'en apparence ? Peut-être êtes-vous un ange ? Le plus beau de tous ? Un ange aux yeux d'émeraude, ravissant et doux sous l'apparence adorable d'un corps féminin...

Il était tout près d'elle maintenant et brusquement ses mains, glissant des épaules de la jeune femme, s'emparaient de sa taille, de ses hanches. Effrayée, soudain, elle vit tout contre le sien le visage torturé du duc, son regard sombre que le désir embrumait comme une eau sableuse dont on a remué le fond. Elle essaya de le repousser, inquiète de constater qu'en un instant son interlocuteur était devenu un autre homme.

— Je vous en prie, Excellence, lâchez-moi ! Je dois partir... Je dois rentrer.

— Non. Vous ne rentrerez pas. Pas cette nuit en tout cas. Je sais reconnaître la chance quand elle apparaît, car elle est trop rare. Vous êtes ma chance, ma seule chance de bonheur. Je l'ai compris dès que je vous ai vue, l'autre jour, sur ce quai grouillant. Vous aviez l'air d'une fée planant sur un marais et vous étiez belle. Belle comme la lumière. Cette nuit, vous m'avez sauvé...

— N'exagérez pas ! Je vous ai donné un avis simplement. On dirait, à vous entendre, que je vous ai arraché à la mort elle-même.

— Vous ne pouvez pas comprendre. C'est bien plus que la mort que vous avez écartée... c'est la malédiction, celle qui pèse sur moi depuis des années... Dieu lui-même vous a envoyée. Il a écouté mes prières...

L'étreinte se resserrait et Marianne, affolée, sentit qu'elle n'était pas de taille à lutter contre lui. Il y avait chez cet homme mince, assez fragile d'apparence, une force nerveuse qu'elle n'avait pas soupçonnée. Elle était dans ses bras comme dans un étau et il n'écoutait rien de ses supplications, comme si, tout à coup, son être s'était dédoublé. Et les choses qu'il disait étaient si étranges... Qu'est-ce que Dieu pouvait avoir à faire dans le brutal accès de désir qui l'avait jeté sur elle ?

— La malédiction ? souffla-t-elle, haletante, essayant de retrouver sa respiration. Mais, de quoi parlez-vous ? Je ne comprends pas !

Il enfouit son visage au creux tendre de l'épaule qu'il couvrit de baisers en remontant insensiblement le long du cou mince.

— Ne cherche pas... Tu ne peux pas comprendre. Donne-moi cette nuit, rien que cette nuit et puis tu

seras libre. Je te donnerai tout ce que tu voudras...
Laisse-moi t'aimer... Il y a si longtemps que je ne sais
plus ce que c'est que l'amour. Je croyais que je ne
pourrais plus jamais... plus jamais. Mais tu es si belle,
si grisante... Tu m'as ressuscité...

Était-il fou ? Que voulait-il dire ? Il la serrait si fort
qu'elle croyait entendre craquer ses côtes, mais en
même temps sa bouche contre sa chair frissonnante
était d'une douceur presque insupportable. Une boule
se noua dans la gorge de Marianne qui, tout à la fois
furieuse et malade de honte, comprit soudain qu'elle
n'avait plus tellement envie de lutter. Il y avait si longtemps que, pour sa part, elle ne savait plus ce que
c'était que le plaisir d'amour, que les caresses d'un
homme. Le dernier était cet inconnu, ce pêcheur grec
sans doute, qui l'avait prise dans l'obscurité d'une
grotte si noire qu'elle n'avait pas pu voir son visage.
Il n'avait été qu'une forme vague dans la nuit, une
sorte de fantôme, mais le plaisir qu'il lui avait donné
l'avait comblée.

La bouche caressante glissa sur sa joue, trouva ses
lèvres qui, d'elles-mêmes, s'entrouvrirent. Dans sa poitrine, le cœur de la jeune femme cognait comme un
bourdon de cathédrale et quand une main sournoise
s'arrêta sur son sein qu'elle emprisonna, elle sentit ses
jambes se dérober sous elle. Et le duc n'eut aucune
peine à la pousser doucement jusqu'à un canapé de
velours disposé près de la table de travail.

Il cessa de l'embrasser pour l'y étendre et, se retournant vivement, souffla les bougies. Le cabinet de travail sombra dans une profonde obscurité. La tête
bourdonnante et le corps en feu, Marianne crut un instant qu'elle était revenue dans la bienheureuse grotte
de Corfou. Elle était au cœur d'insondables ténèbres
où ne subsistaient qu'un souffle chaud, fleurant le
tabac, et deux mains trop habiles qui la dépouillaient
de sa robe et parcouraient son corps avec fièvre.

Il ne disait plus rien, maintenant, et ne la touchait

pas autrement. Seules, ses mains qui caressaient ses seins, son ventre, ses cuisses, s'attardant devant chaque nouvelle découverte, puis reprenaient leur irritante exploration et Marianne un instant crut qu'elle allait devenir folle. Tout son corps brûlait et appelait, tout prêt à chanter le plus primitif des concertos... Aussi, ce fut elle qui l'attira vers elle.

Se penchant, elle noua ses bras autour du cou du duc, chercha ses lèvres et se laissa retomber avec lui sur les coussins, heureuse et déjà gémissante sous le poids de ce corps dont elle sentait le désir tout prêt à la vaincre. Dans sa hâte d'assouvir cette faim torturante, trop longtemps contenue et trop brutalement réveillée, qui la dévorait, elle s'ouvrit d'elle-même... mais rien ne se passa.

Ce fut le silence, tout à coup. Un silence étouffant, terrifiant... Le poids qui écrasait le corps de la jeune femme disparut et, tout à coup, dans cette nuit aussi sourde, aussi profonde que celle du tombeau, il y eut un sanglot...

Vivement, alors, Marianne se releva. A tâtons, elle chercha l'angle de la table, la lampe près de laquelle un briquet était disposé... De ses mains tremblantes, elle le saisit, le battit, ralluma l'une des chandelles, puis une autre. La pièce reparut avec ses meubles lourds, ses rideaux épais et son atmosphère d'étouffante austérité aussi peu propice que possible aux folies d'amour.

La première chose qu'aperçut Marianne fut sa robe, tas de soie neigeuse affalée au pied du canapé. Elle s'en saisit avec une sorte de rage pour en couvrir sa nudité frissonnante, cherchant à retrouver sa respiration, à calmer les battements désordonnés de son cœur. Puis elle vit le duc...

Effondré sur le bord d'un fauteuil, les coudes aux genoux et la tête dans ses mains, il pleurait comme un enfant oublié par le Père Noël, les épaules secouées de sanglots nerveux qui le faisaient trembler et si pitoyable que l'affreuse sensation de frustration qu'éprouvait Marianne se changea en pitié... Le puissant gouverneur de Nouvelle Russie semblait, à cette minute, plus misérable et plus démuni que les mendiants arméniens qui encombraient le port d'Odessa.

Hâtivement, la jeune femme réintégra sa robe et remit un peu d'ordre dans sa chevelure. Elle n'osait pas rompre le silence, préférant laisser se calmer cette douleur dont elle sentait confusément que la source était une blessure profonde et secrète. Mais, au bout d'un moment, comme les sanglots ne s'arrêtaient pas, elle s'approcha de l'homme effondré et, posant presque timidement sa main sur son épaule :

— Je vous en prie, dit-elle doucement, ne pleurez plus ! Cela n'en vaut pas la peine. Vous avez été... victime d'un accident comme il en arrive fréquemment. Il ne faut pas vous désoler ainsi... pour si peu de choses.

Il écarta brusquement ses mains, révélant un visage tellement ravagé par les larmes que le cœur de Marianne se serra.

— Ce n'est pas un accident, fit-il douloureusement. C'est cette malédiction dont je parlais... tout à l'heure. J'avais cru... oh ! J'avais tellement cru que vous l'aviez dissipée ! Qu'elle m'avait enfin abandonné !... Mais ce n'était pas vrai. Elle est là. Elle est toujours là. Elle me poursuivra toute ma vie et, par sa faute, ma race devra s'éteindre... inexorablement.

Il s'était levé et il arpentait la pièce avec emportement. Marianne, soudain glacée, le vit saisir le lourd encrier de bronze posé sur son bureau et l'envoyer à toute volée dans l'une des bibliothèques dont la porte s'effondra dans un fracas de verre brisé.

— Maudit ! Je suis maudit ! gronda-t-il. Vous ne savez pas ce que c'est que ne plus pouvoir aimer, ce qui s'appelle aimer. Moi, je l'avais oublié, mais, tout à l'heure, à votre contact, j'ai senti... ah ! cette sensation inouïe, inespérée... J'ai senti que ma chair pouvait encore s'émouvoir, que je pouvais encore désirer une femme, que peut-être ma vie pourrait recommencer. Mais non ! C'est impossible ! Depuis ce jour affreux, tout est fini... fini ! Pour toujours !

Une nouvelle crise de larmes le secouait, si violente que Marianne eut peur. Le malheureux semblait si près de toucher le fond du désespoir qu'elle chercha comment lui porter secours. Sur une petite table, près de l'une des fenêtres, il y avait un plateau d'argent supportant une carafe d'eau, quelques verres et un flacon plein d'une liqueur sombre qui devait être du vin. Vivement, elle alla jusqu'à cette table, emplit un verre d'eau. Mais, au moment où elle allait l'apporter à Richelieu qui s'était laissé tomber sur le pied du canapé, une idée lui vint. Fouillant dans la poche de sa robe, elle en tira un petit sachet contenant une poudre grisâtre.

Tout à l'heure, quand elle avait quitté sa chambre pour ce souper qui lui faisait si grand peur, elle avait emporté ce sachet. Il contenait une préparation à base d'opium que le médecin persan de Turhan Bey lui avait confectionné quand, vers les derniers temps de sa grossesse, elle avait toutes les peines du monde à trouver le repos. Cela procurait rapidement un sommeil profond et agréable et Marianne s'était dit que ce pourrait être une arme utile au cas où Richelieu se montrerait trop entreprenant... Avec un petit sourire amer, elle en versa une pincée dans le verre, ajouta un peu de vin pour faire disparaître le goût. Le duc s'était montré plus qu'entreprenant et cependant elle avait oublié cette arme qui lui avait paru si précieuse tout à l'heure. A moins qu'elle n'eût simplement refusé d'y penser tant le besoin d'amour s'était fait soudain violent et impérieux en elle. Maintenant, la drogue bienfaisante allait servir une intention charitable. Elle procurerait à un malheureux un peu d'apaisement et d'oubli...

Se penchant sur lui, elle l'obligea doucement à relever la tête.

— Buvez cela ! Vous vous sentirez mieux... Buvez, je vous en prie et étendez-vous !

Avec une docilité d'enfant il but jusqu'à la dernière goutte puis s'étendit sur les coussins où tout à l'heure il avait couché Marianne. Ses yeux étaient rougis par les larmes et pleins d'une gratitude qui serra le cœur de la jeune femme.

— Vous êtes bonne, murmura-t-il... Vous me soignez comme si je ne m'étais pas couvert de ridicule à vos yeux...

— Je vous en prie, ne parlons plus de cela !

Elle lui sourit avec gentillesse tout en glissant un coussin sous sa tête. Puis, pour qu'il pût mieux respirer, elle défit la haute cravate, ouvrit le jabot de la chemise que la sueur avait collée à un torse brun et osseux. Puis, elle alla tirer l'un des rideaux et ouvrir l'une des fenêtres pour que l'air frais de la nuit vînt remplacer l'atmosphère épaissie du bureau.

— Si ! soupira-t-il. Parlons-en !... Il faut que vous sachiez... Vous avez le droit de savoir pourquoi le petit-fils du maréchal de Richelieu, du plus grand coureur de jupons du siècle dernier, n'est même pas capable de faire l'amour... Écoutez : j'avais seize ans, en 1782... seize ans quand on me maria à Mlle de Roche-chouart qui en avait douze ! C'était une grande union, digne de nos deux familles et le mariage, comme les mariages royaux, fut conclu par nos parents sans que l'on eût sollicité notre avis. Et ce fut par procuration que j'épousai ma fiancée. On la jugeait trop jeune, me dit-on, pour l'accomplissement du mariage mais, pour raison de famille, il fallait que ce mariage fût conclu.

— Je vous en prie, supplia Marianne. Ne me dites rien ! Vous allez réveiller des souvenirs qui vous font mal, bien certainement. Et...

— Ils me font mal, en effet, admit-il avec un sourire désolé, mais quant à les réveiller... après tant d'années, ils n'ont jamais consenti à s'endormir... Et puis, je crois que cela me fait du bien de le dire à quelqu'un et que ce quelqu'un soit une femme... la seule femme que j'aurais pu aimer... Où en étais-je ?... Ah oui ! Trois ans plus tard, quand ma femme eut atteint ses quinze ans, les familles décidèrent de nous réunir et, lorsque je vis celle qui portait désormais mon nom, je compris pourquoi nos parents avaient tant insisté pour que le mariage eût lieu par procuration : pour que je ne rencontre pas ma fiancée... Je pourrais vivre mille ans que je reverrais toujours le spectacle qui s'offrit à moi en haut de l'escalier d'honneur de notre hôtel, que j'escaladais quatre à quatre tant j'étais pressé de « la » voir. Un monstre ! Rosalie de Rochechouart, duchesse de Richelieu, était un véritable monstre ! Une naine ! Bossue par-devant et par-derrière. Un visage simiesque au nez énorme. Une véritable caricature que l'on aurait pu montrer dans les foires. Pouvez-vous imaginer ce que peut être pareille laideur, vous qui êtes si belle ? Pour moi, j'ai cru sombrer dans un cauchemar... Ai-je réalisé tout d'un coup ce que serait ma vie auprès de cette affreuse et pitoyable créature ? Je ne me souviens plus. Mais je sais que j'ai poussé un grand cri et que, perdant brusquement connaissance, j'ai roulé jusqu'en bas de l'escalier de pierre...

« Le lendemain... J'ai exigé que l'on me mît dans une chaise de poste... J'ai écrit une lettre et je suis parti me soigner sur mes terres. Je ne pouvais plus endurer Paris... De là, sans revoir personne je suis allé combattre les Turcs en espérant que Dieu accepterait de reprendre ma vie. J'avais compris en effet que désormais... il me faudrait bon gré, mal gré, demeurer fidèle à Mme de Richelieu !... Vous voyez ? C'est aussi simple, aussi bête que cela une vie manquée. On pourrait en rire...

Mais Marianne n'avait pas envie de rire. Agenouillée auprès du canapé, elle avait repris la main de cet homme qu'elle avait redouté, admiré, détesté, craint et même désiré un instant et pour lequel, maintenant, elle éprouvait une compassion qui ressemblait à de la tendresse. Il était un peu son frère...

Pour elle aussi la première expérience du mariage avait été une déception cruelle mais sans pourtant atteindre, en intensité, à l'affreux drame vécu par le jeune duc. D'un geste à la fois timide et amical, elle caressa cette main comme pour lui faire comprendre à quel point elle ressentait son amertume et ses regrets.

Alors, il tourna vers elle son visage douloureux où les yeux s'embrumaient déjà sous l'effet de la drogue et il essaya de lui sourire.

— N'est-ce pas... que l'on pourrait en rire ?

— Non ! A aucun prix !... Ou alors il faudrait manquer singulièrement de cœur. L'histoire de ce mariage est bien la plus triste que j'aie jamais entendue. Vous êtes tellement à plaindre... l'un et l'autre, d'ailleurs, car elle aussi a dû souffrir. Et... vous ne l'avez jamais revue ?

— Si ! Une fois... Lorsque je suis... revenu en France pour aider le roi que je savais en danger. J'avais compris... ce que vous venez de dire : qu'elle devait souffrir elle aussi... pauvre enfant innocente... pauvre âme prisonnière d'un corps monstrueux. Nous sommes amis... Je crois ! Elle vit en France... au château de Crosilles... Elle m'écrit... Elle écrit si bien... si...

A mesure qu'il parlait, les paroles venaient plus difficilement. Ses paupières, à chaque seconde plus lourdes, avaient de plus en plus de mal à se garder ouvertes. Bientôt, elles se fermèrent tout à fait et, soudain, il n'y eut plus dans le cabinet de travail d'autre bruit que celui d'une respiration calme qui allait s'amplifiant.

Un moment, Marianne demeura immobile là où elle était conservant dans les siennes cette main qui se détendait. Puis, elle la reposa doucement sur l'un des coussins, se releva lentement, hésitant sur ce qu'elle devait faire. Dans le palais, aucun bruit ne se faisait entendre. Les serviteurs, bien stylés, devaient s'être retirés dans les profondeurs des offices ou bien dans leurs logis. Seuls les gardes étaient sans doute restés à leurs places, aux portes de la résidence. Quelque part dans la ville, une horloge sonna une heure, rappelant à Marianne que la nuit n'était pas finie, qu'elle avait encore à faire...

A travers le satin de sa robe, elle tâta l'épais papier qui allait libérer Jason et, sur la pointe des pieds, elle se dirigea vers la porte. Son manteau était resté de l'autre côté du palier, dans le petit salon jaune où l'on avait soupé... Le duc n'avait permis à personne de le lui ôter des épaules quand elle était arrivée et il l'avait déposé sur un fauteuil au cas où la fenêtre ouverte lui aurait apporté trop de fraîcheur. Marianne décida d'aller le rechercher.

Mais, au moment de sortir, elle songea à éteindre les chandelles afin que le duc pût reposer plus calmement et elle revint vers la table de travail. Et c'est en se penchant pour souffler les flammes qu'elle revit la lettre...

L'intensité des derniers instants qu'elle avait vécus auprès de Richelieu la lui avait fait oublier et elle se le reprocha comme une faute. Le destin avait mis à portée de sa main un document qui pouvait être d'une extrême importance pour l'Empereur. Elle n'avait pas le droit de négliger ce cadeau.

Rapidement, elle étendit le bras, se saisit de la lettre et la parcourut avec avidité. Elle venait de Saint-Pétersbourg et elle était de la main du Tsar. Ce qui avait attiré son attention c'était une signature, celle du prince royal de Suède, Charles-Jean. Le Tsar, qui les avait fait copier, donnait connaissance confidentiellement à son ami Richelieu d'une lettre et d'une note écrites à lui-même par l'ex-maréchal Bernadotte :

« *L'habitude qu'a l'empereur Napoléon de manier des grandes armées doit nécessairement lui donner confiance ; mais si votre Majesté peut bien ménager ses moyens,* écrivait Charles-Jean, *si elle ne se trouve* *pas forcée d'accepter une bataille générale et qu'elle puisse réduire la guerre à des marches et à des combats partiels, l'empereur Napoléon commettra indubitablement quelque faute dont Votre Majesté pourra profiter. Le hasard l'a jusqu'à présent parfaitement secondé, car en matière militaire, comme en politique, il n'a dû ses succès qu'à la nouveauté de ses systèmes ; mais si des masses bien mobiles sont dirigées avec promptitude sur ses points faibles ou mal appuyés, il n'est pas douteux que Votre Majesté obtienne des résultats heureux et que la Fortune, fatiguée de servir l'Ambition, viendra se fixer enfin dans les rangs où l'Honneur et l'Humanité commandent...* [1] »*

La fin de la lettre proclamait la satisfaction du prince de voir la paix conclue avec les Turcs et son impatience de voir enfin arriver les « subsides anglais », afin d'opérer quand le temps en serait venu « sur les derrières de l'armée de l'empereur Napoléon et sur les frontières de son empire »...

La note mentionnait le désir profond qu'avait le futur roi de Suède de s'annexer la Norvège, alors possession danoise, et des dispositions que le Tsar pourrait prendre avec le Danemark pour que son ami Charles-Jean pût réaliser ses désirs et, en contrepartie, lui offrir l'aide non négligeable de l'armée suédoise...

Les mains soudain glacées, Marianne tourna et retourna le dangereux papier avec autant de précautions que s'il eût été couvert de poudre à canon. Elle ne parvenait pas à en croire ses yeux. Son esprit lui-même refusait d'enregistrer ce qu'il ne pouvait admettre que comme une trahison pure et simple. Bernadotte était un Suédois de trop fraîche date pour que cette lettre amicale à l'ennemi de Napoléon fût acceptable... Mais acceptable ou pas, Marianne sentit qu'il fallait que Napoléon sût le danger qui le menaçait sur ses arrières...

1. Lettre authentique.

Décidée à copier la lettre, elle s'installa devant la table de travail, chercha une plume, puis se ravisa. Une copie serait insuffisante si la lettre du Tsar ne l'accompagnait pas... Elle connaissait trop Napoléon pour savoir qu'il aurait peine à y croire. Elle jeta un regard plein d'angoisse et de remords anticipé vers l'homme endormi. Il lui déplaisait de lui voler son courrier... mais c'était la seule solution. Il fallait prendre la lettre du Tsar.

Sans vouloir discuter plus longtemps avec elle-même, Marianne fourra lettre et note dans sa poche, souffla les bougies et quitta le bureau dont elle referma la porte silencieusement. Traverser le palier en courant, pénétrer dans le petit salon, y récupérer son manteau et, tout en le jetant sur ses épaules, s'élancer dans l'escalier, ne lui demandèrent qu'un instant.

Quelques minutes plus tard, elle passait, comme une tempête, devant les sentinelles somnolentes qui ouvrirent à peine un œil pour regarder fuir dans la nuit un météore vêtu de satin blanc et se rendormirent sans chercher à en savoir davantage.

Une hâte fébrile possédait maintenant la jeune femme. Il lui fallait, avant que la nuit fît place au jour, réveiller Jolival, tirer Jason de sa prison et quitter Odessa par n'importe quel moyen. Quand Richelieu se réveillerait, il comprendrait sans peine qui avait volé son courrier et alors, très certainement, il la ferait rechercher... Pour avertir l'Empereur, il fallait d'abord fuir...

Relevant ses robes à deux mains, Marianne courut de toutes ses forces vers l'hôtel Ducroux...

CHAPITRE XI

LA MORT D'UNE SORCIÈRE

Arraché brusquement, par une Marianne surexcitée, au fauteuil où il avait fini par s'endormir en attendant le retour de sa jeune amie, Jolival sut immédiatement que cette fin de nuit allait compter dans ses souvenirs... Heureusement, c'était un homme dont l'esprit ne s'attardait jamais longtemps dans les brumes du sommeil et il fallut peu de phrases à la jeune femme pour le mettre au fait des derniers événements.

L'œil inquiet, il regarda un moment agiter alternativement sous son nez un ordre de libération signé « Richelieu » et une lettre du Tsar venue en sa possession par des moyens fort peu avouables. Puis, il posa deux ou trois questions et, comprenant qu'effectivement il n'y avait pas de temps à perdre si l'on ne voulait pas que le séjour à Odessa devînt inconfortable, il félicita brièvement Marianne de ses heureuses initiatives et sauta sur ses vêtements.

— Si j'ai bien compris, fit-il, nous allons immédiatement tirer Beaufort et ses gens de la citadelle ? Mais ensuite, où comptez-vous aller ?

Connaissant Marianne, il avait employé pour poser cette dernière question, un ton de parfaite innocence, mais elle répondit sans l'ombre d'une hésitation :

— Est-ce que la lettre du Tsar ne vous l'a pas appris ? Secouez-vous, Jolival ! Il faut rejoindre l'Empereur tant qu'il marche vers l'intérieur de la Russie, afin qu'il apprenne le danger dont il est menacé au retour.

Tout en fourrant quelques chemises dans un grand sac de cuir, Jolival haussa les épaules :

— Vous parlez comme si nous étions à Paris et qu'il s'agissait de gagner Fontainebleau ou Compiègne ! Avez-vous seulement une idée des dimensions de ce pays ?

— Je crois que oui. De toute façon, les dimensions en question n'ont pas l'air d'effrayer les fantassins de la Grande Armée. Il n'y a donc aucune raison pour qu'elles m'effraient, moi. L'Empereur marche sur Moscou. Nous irons donc à Moscou.

Elle avait replié la lettre d'Alexandre, séparée de l'autre papier, et l'introduisait dans la poche intérieure de la robe sombre, en toile de laine fine et solide, qu'elle avait endossée à la place de sa toilette de soirée.

Jolival prit, sur la table, l'ordre qui représentait la liberté de Jason et de l'équipage de la *Sorcière*.

— Et lui ? fit-il doucement. Pensez-vous le décider à nous suivre au cœur de la Russie ? Avez-vous oublié sa réaction à Venise quand vous lui avez demandé de nous conduire à Constantinople ? Il n'a aucune raison d'aimer Napoléon aujourd'hui plus qu'hier.

Marianne planta son regard vert dans les yeux de son ami avec une détermination nouvelle et articula :

— Il n'aura guère le choix. Richelieu le libère mais ne veut rien entendre pour lâcher son brick. Il ne pourra pas renouveler son exploit de février dernier, le port est trop bien gardé. Et je ne le vois pas bien rentrant chez lui à la nage...

— Non. Mais il peut prendre passage sur n'importe quel navire franchissant le Bosphore et les Dardanelles.

Au geste excédé qu'eut la jeune femme, Jolival comprit qu'il serait maladroit d'insister. Au surplus, tous deux avaient mieux à faire qu'à discutailler. Ils activèrent leurs préparatifs de départ et, comme deux heures sonnaient à l'église proche, Marianne et son ami quittaient l'hôtel Ducroux emportant seulement chacun un grand sac dans lequel ils avaient mis leur argent, quelques hardes et leurs biens les plus précieux. Ils abandonnaient tout le reste de leurs bagages devenus trop encombrants pour des fugitifs. En outre, ils avaient laissé, sur la table de la chambre de Marianne, une pièce d'or destinée à payer leur écot. Les vêtements qu'ils laissaient compensaient plus que largement ce qu'ils avaient pu dépenser, mais l'affaire du diamant, prétendument volé, était trop récente encore et Marianne, pour rien au monde, n'eût accepté de laisser derrière elle une triste réputation. Ladite réputation serait déjà bien assez écornée quand, tout à l'heure, la police la chercherait pour avoir soustrait le courrier secret du gouverneur...

Courant presque dans les chemins en pente qui cernaient les casernes, la jeune femme et son compagnon atteignirent le port en quelques minutes. A cette heure de la nuit, il était désert et presque silencieux. Seul, quelque part, derrière les façades muettes, un violon tzigane pleurait au fond de quelque cabaret, orchestrant bizarrement le cri des chats qui se battaient pour quelque reste de poisson. Mais, déjà, les murailles noires de la vieille citadelle se dressaient devant les fugitifs.

— J'espère que l'on acceptera de les libérer à cette heure de la nuit, hasarda Jolival inquiet.

Mais un geste péremptoire de Marianne lui imposa silence. Déjà, la jeune femme s'était précipitée vers une sentinelle qui, accotée à sa guérite, dormait tout debout avec une sûreté d'équilibre qui dénotait une longue habitude. Elle secoua l'homme énergiquement et, comme il ouvrait enfin une paupière pesante, elle lui mit sous le nez le grand papier afin qu'il pût distinguer, à la lueur d'un mauvais quinquet accroché au-dessus de sa tête, la signature du gouverneur.

Le soldat ne savait certainement pas lire, mais les armes impériales, timbrées sur le papier, étaient suffisamment explicites, ainsi que les gestes de cette jeune dame qui prétendait visiblement entrer dans la forteresse en répétant qu'elle voulait voir le commandant.

Sans vouloir se l'avouer, Marianne était au moins aussi inquiète que Jolival. Le commandant, en effet, pouvait refuser de libérer ses prisonniers en pleine nuit et, si c'était un bonhomme grincheux et à cheval sur le règlement, il pouvait également demander une confirmation... Mais, apparemment, cette nuit-là, le Ciel était avec Marianne. Non seulement la sentinelle ne fit aucune difficulté pour s'élancer dans la citadelle, le papier à la main, mais encore elle n'appela personne pour la remplacer et laissa les deux visiteurs pénétrer à sa suite dans la cour qui, envahie de ténèbres, ressemblait au fond d'un puits. Dans le corps de garde, aucun bruit ne se faisait entendre et vraisemblablement tout le monde dormait. La guerre russo-turque étant terminée, il était inutile de se gêner.

Marianne et Jolival restèrent seuls un moment, serrés l'un contre l'autre, près de l'escalier qui menait chez le commandant. Leurs cœurs battaient lourdement et à un rythme égal, car tous deux avaient la même pensée : allaient-ils voir surgir leurs amis ou bien un piquet de soldats qui les conduirait chez l'officier pour complément d'information ?

Or, cette nuit-là, le commandant de la citadelle passait un moment fort agité mais plein de charme en compagnie de deux jolies Tartares qu'il n'avait pas la moindre envie d'abandonner, même quelques instants. Il entrouvrit sa porte à l'appel de la sentinelle, jeta un coup d'œil au papier que l'homme lui tendait sans rompre un garde-à-vous impeccable, jura horriblement, mais reconnaissant la signature du gouverneur et constatant que l'ordre était parfaitement explicite et indiquait de libérer « sur l'heure » les hommes du navire américain, il n'eut ni l'idée, ni l'envie d'en savoir davantage.

Trop heureux, au fond, de se débarrasser de pensionnaires qui s'étaient révélés singulièrement encombrants et coûteux, il se hâta de passer dans son cabinet, sans même prendre la peine de s'habiller et, vêtu de sa seule innocence, signa précipitamment la levée d'écrou, braillla quelques ordres à l'adresse du soldat, ajouta qu'il ne voulait plus être dérangé de la nuit et retourna en hâte dans sa chambre pour y retrouver son nirvana personnel.

Le soldat redégringola dans la cour, fit signe aux deux étrangers de le suivre et se dirigea au grand trot vers l'énorme herse de fer qui donnait accès à la cour des prisons et qui, éclairée par deux torches, offrait une image particulièrement sinistre. Là, il leur enjoignit d'attendre de nouveau, tandis qu'à son appel deux hommes de garde venaient manœuvrer le treuil pour relever la herse.

Dix minutes plus tard, il revenait suivi de deux silhouettes dont la plus grande fit battre à coups redoublés le cœur de Marianne. La seconde suivante, envahie d'une joie qu'elle ne parvenait plus à contrôler, elle s'abattait, riant et pleurant tout à la fois, contre la poitrine de Jason qui, instinctivement, referma ses bras sur elle.

— Marianne ! s'exclama-t-il stupéfait. Toi, ici ?... Ce n'est pas possible ! Je rêve...

— Non, vous ne rêvez pas, coupa Jolival qui trouvait le moment mal choisi pour des effusions. D'ailleurs, vous n'en avez pas le temps. Il faut sortir d'ici et vite. Le gouverneur vous a libérés, mais tout danger n'est pas encore écarté, loin de là...

Lui-même, plus ému qu'il ne voulait l'admettre, se laissait embrasser chaleureusement par Craig O'Flaherty, tandis que la sentinelle regardait avec sympathie cette scène de retrouvailles à laquelle peut-être elle ne comprenait pas grand-chose. Marianne et Jason, eux, avaient visiblement oublié tout ce qui n'était pas eux et n'en finissaient plus de s'embrasser.

Les deux « libérés » étaient barbus comme des prophètes et sales à faire frémir, mais Marianne s'en moquait bien. Le corps qui se collait au sien était celui de Jason, la bouche qui écrasait la sienne était celle de Jason et elle ne souhaitait plus rien que s'anéantir avec lui dans ce baiser qui aurait dû, pour exaucer ses désirs secrets, déboucher sur l'éternité.

Mais, jugeant que cela avait assez duré, Jolival, fermement, les sépara :

— Allons ! rit-il assez rudement. Cela suffit ! Vous aurez tout le temps de vous embrasser quand nous serons en route mais, pour le moment, quittons cet endroit qui ne me plaît pas.

Le rire jovial de Craig résonna à ses oreilles :

— A nous non plus, il ne nous plaît guère ! Parlez-moi d'un bon cabaret. Je donnerais mon bras gauche pour un grand verre de vieux whisky irlandais.

Marianne, revenue à la réalité, regardait les deux hommes sans comprendre.

— Mais... vous n'êtes que deux ? Où sont les autres ? Où est Gracchus ? Le gouverneur a ordonné de libérer tout l'équipage...

— Justement, répondit Jason. Tout l'équipage, c'est nous... ou, tout au moins ce qu'il en reste. Il n'a pas l'air de bien savoir ce qui se passe chez les militaires, ton gouverneur, ma douce ! Le chef d'escadre qui nous a capturés a jugé qu'il n'avait aucune raison de nourrir en prison tout un menu fretin récolté, d'ailleurs, sur les rives de la Méditerranée. Il a lâché « l'équipage » dès son arrivée à terre en les envoyant se faire pendre ailleurs. Seuls, Craig et moi, avons eu les honneurs de devenir prisonniers de guerre.

— Mais Gracchus ! Où est-il ? L'ont-ils aussi libéré ?

Devinant son angoisse, Jason resserra l'étreinte du bras qu'en marchant il avait passé autour de sa taille.

— Gracchus est français, mon cœur. Comme tel, il risquait encore bien plus que nous. Ces brutes l'auraient fusillé sans procès en arrivant. Tant que nous avons été en mer, il a contrefait l'idiot, mais c'est un garçon qui sait mal discipliner sa nature et, quand nous sommes entrés dans la baie, au lever du jour, il s'est jeté à l'eau pour gagner la côte à la nage.

— Mon Dieu ! Mais il est peut-être mort à l'heure qu'il est !

O'Flaherty se mit à rire.

— Vous ne le connaissez pas. Gracchus est certainement le garçon le plus étonnant que j'aie jamais rencontré. Savez-vous où il est à cette heure ?

Tout en parlant, on avait franchi le vieux pont-levis aux chaînes rouillées qui n'avait pas été relevé depuis plus d'un siècle et l'enfilade encombrée des quais s'ouvrait devant eux au bas de la rampe rocheuse qui servait de support à la citadelle. O'Flaherty désigna la boursouflure d'une petite synagogue.

— Voyez-vous cette taverne grecque, entre le grand entrepôt de la distillerie de grains et la synagogue ? Gracchus a réussi à s'y faire engager comme garçon de salle. Il baragouine un étrange sabir mi-grec mi-turc qu'il a appris à Constantinople et ne se débrouille pas trop mal, d'autant plus qu'il s'essaie au russe depuis son arrivée.

— Mais comment savez-vous qu'il est là ?

— Parce que nous l'avons vu. Quelques jours après son installation, il s'est mis à tourner autour de la citadelle en chantonnant des chansons de mer typiquement françaises. Notre prison prenait jour sur les rochers. Nous avons pu communiquer avec lui. Et, parfois, ajouta-t-il avec un soupir dont la vigueur trahissait l'ampleur de sa reconnaissance, ce cher garçon a pu nous faire passer quelques flacons réconfortants... Malheureusement, nous ne pouvions pas suivre le chemin des bouteilles. La fenêtre était trop étroite... et les murs trop épais...

La nuit se faisait plus fraîche et un vent léger, venu de la mer, enveloppa les quatre personnages, un vent qui sentait les algues et que les deux marins respirèrent avec délices.

— Dieu que c'est bon l'air de la liberté ! soupira Jason. Enfin, nous allons pouvoir reprendre la mer. Tu entends, ma douce, comme elle nous appelle... Ah ! sentir de nouveau sous mes pieds le pont de mon bateau...

Marianne frémit, comprenant que le moment difficile était arrivé. Elle ouvrait déjà la bouche pour détromper Jason, quand Jolival, sentant la peine qu'elle éprouvait, la devança :

— Vous êtes libre, Jason, dit-il avec une ferme douceur, mais votre bateau, lui, ne l'est pas ! Malgré tous nos efforts, le duc de Richelieu ne vous le rend pas.

— Comment !

— Essayez de comprendre, et, surtout, ne vous fâchez pas ! C'est déjà très beau que nous ayons réussi à vous sortir de ce trou à rats. Le brick, prise de guerre, appartient désormais à la marine russe et le gouverneur d'Odessa n'y peut rien.

Contre ses côtes, Marianne sentit se crisper la main de Jason. La voix du corsaire ne s'éleva qu'à peine, mais elle était tendue d'inquiétante façon.

— Je l'ai déjà volé une fois. Je recommencerai. Après tout, ce n'est qu'une habitude à prendre.

— Ne vous leurrez pas ! Ici, c'est impossible... Le brick est amarré, là-bas, presque au bout du grand môle et plusieurs vaisseaux russes l'entourent. D'ailleurs, s'il faisait jour, vous pourriez constater que des ouvriers sont au travail pour y apporter les modifications nécessaires. J'ajoute... qu'il nous faut quitter la ville sur l'heure.

— Et pourquoi, s'il vous plaît ? Ai-je, oui ou non, été libéré par ordre du gouverneur ?

— Oui. Mais vous devez avoir quitté Odessa avant le lever du soleil. C'est un ordre. Si l'on vous retrouve, vous serez de nouveau enfermé et, cette fois, ni nous, ni personne ne pourra vous tirer de là. En outre,

Marianne... n'est pas au mieux avec le gouverneur qui souhaitait lui montrer plus... d'intérêt qu'elle ne le désirait. Alors, choisissez : restez pour tenter de reprendre votre bateau et vous risquez deux choses : la prison pour vous et le lit du gouverneur pour Marianne. La sagesse, je le crois, est de partir au plus vite...

Serrée contre l'épaule de Jason, Marianne retint son souffle. Elle avait tout à la fois envie de rire, de pleurer et d'embrasser son vieil ami pour avoir su présenter les choses de manière à éviter les questions gênantes. Jason n'était pas un homme facile à leurrer et il savait mener un interrogatoire avec autant d'habileté qu'un juge d'instruction blanchi sous le harnois. Sous sa main, elle sentait le cœur du marin battre à coups redoublés. Une vague de pitié l'envahit en même temps qu'une anxiété dévorante. A cette minute, il allait devoir choisir entre elle-même et ce bateau qu'elle l'avait souvent accusé d'aimer plus que leur amour et plus que tout au monde...

Jason respira très fort, plusieurs fois. Puis, brusquement, son bras se resserra autour de la jeune femme avec une détermination presque sauvage. Et Marianne comprit qu'elle avait gagné.

— Vous avez raison, Jolival. En fait... vous avez toujours raison. Partons ! Mais pour où ? Dans une heure, le jour se lèvera...

Il y eut un court silence et Marianne comprit que Jolival cherchait ses mots, ceux qui risqueraient le moins de provoquer chez l'ombrageux Américain une réaction violente. Finalement, il se décida, murmurant d'un ton réfléchi, comme un homme qui pense tout haut :

— Je crois que le mieux... est encore de nous enfoncer en territoire russe... vers Moscou, par exemple. Nous avons appris, en arrivant ici, que la Grande Armée a franchi les frontières lithuaniennes et marche sur la ville sainte des Russes ! Notre meilleure chance est de la rejoindre et...

La réaction vint, mais moins brutale que Marianne ne l'avait craint :

— Rejoindre Napoléon ? Vous êtes fou, Jolival ?

— Je ne crois pas. Cet énorme pétrin dans lequel Marianne et vous-même vous débattez depuis près d'une année, c'est bien lui qui en est responsable ? Il vous doit quelque chose. Ne fût-ce qu'un navire qui, de Dantzig ou de Hambourg, pourrait vous ramener en Amérique...

Il avait, cette fois, prononcé le mot magique et l'étreinte farouche de Jason se desserra graduellement. Ce fut presque joyeusement qu'il déclara :

— C'est une bonne idée ! Mais j'en ai une meilleure...

— Laquelle ? souffla Marianne qui sentait revenir le vent des catastrophes.

— Je n'ai que faire de Napoléon, mais, vous avez raison, il me faut un bateau pour rejoindre mon pays et prendre ma part de la guerre. Nous allons gagner, non pas Moscou où nous ne ferons que passer, mais Saint-Pétersbourg !

— Vous voulez traverser... toute la Russie ! Savez-vous que cela fait quelque chose comme six cents lieues ?

L'Américain haussa allégrement ses larges épaules sous la tunique déformée et déchirée qui les couvrait plutôt mal.

— Et après ? Cela n'en fait jamais que deux cents de plus si je ne me trompe ?... Viendras-tu avec moi, mon cœur ? ajouta-t-il tendrement à l'adresse de la jeune femme.

— Je te suivrai jusqu'en Sibérie si tu le désires. Mais... pourquoi Saint-Pétersbourg ?

— Parce que mon père, qui a beaucoup voyagé dans sa jeunesse, avait noué là-bas une profonde amitié avec un riche armateur qu'il a aidé jadis dans un moment difficile. Nous n'avons jamais réclamé cette créance qui n'en était pas une aux yeux de mon père et que je ne réclamerai pas davantage mais, parfois, nous avons reçu des nouvelles des Krilov et je sais que chez eux on m'aidera. Je préfère le secours d'un ami à celui d'un homme qui m'a envoyé au bagne.

Marianne et Jolival n'échangèrent qu'un regard, mais il leur suffit pour se comprendre. Ils connaissaient depuis longtemps le caractère obstiné du corsaire et la quasi-impossibilité qu'il éprouvait à pardonner les injures. Mieux fallait ne pas mentionner l'affaire de la lettre du Tsar et accepter le plan que Jason offrait. Aussi bien, la route de Pétersbourg passait par Moscou et c'était toujours autant de gagner ! La chance les servirait peut-être un peu et, une fois la fameuse épître entre les mains de Napoléon, rien n'empêcherait plus Marianne de suivre, enfin, l'homme qu'elle s'était choisi.

C'était déjà inespéré qu'il eût capitulé si vite. Connaissant l'amour presque charnel qu'il portait à son navire, Marianne s'était attendue à une espèce de bataille. Mais elle remarqua aussi, tandis que l'on se dirigeait vers le cabaret du Grec pour y chercher Gracchus, que les yeux de Jason revenaient continuellement à l'extrémité du grand môle. Peu à peu, il ralentit le pas. Elle le pressa gentiment :

— Viens ! Il faut nous hâter pour essayer de sortir de cette ville. Le jour n'est pas si loin...

— Je sais ! Mais vous n'avez pas besoin de moi pour appeler Gracchus...

Il la lâcha brusquement. Elle le vit courir vers le chantier du nouvel arsenal d'où il revint peu après armé d'une lanterne éteinte.

— Avez-vous un briquet ? demanda-t-il à Jolival.

— Bien sûr ! Mais avons-nous tellement besoin de lumière ?

— Non. Je sais ! Prêtez-moi tout de même votre briquet... et attendez-moi ! Je n'en ai pas pour longtemps, mais... Si d'ici une demi-heure je n'étais pas là, partez sans moi.

— Jason ! s'exclama Marianne en essayant d'étouffer sa voix. Où veux-tu aller ? Je vais avec toi.

Il se retourna, lui prit la main qu'il serra très fort avant de la mettre dans celle de Jolival.

— Non ! Je te l'interdis. Ce que je vais faire ne regarde que moi ! C'est « mon » bateau...

L'Irlandais, lui, avait déjà compris :

— Moi, je vais avec toi, s'écria-t-il. Attendez-nous, vous autres ! Réveillez Gracchus et essayez de trouver un véhicule quelconque pour le voyage. On ne va tout de même pas aller à Saint-Pétersbourg à pied !

Il courait déjà pour rejoindre la silhouette noire de Beaufort qui s'éloignait vers la petite grève où reposaient des barques tirées au sec.

— C'est insensé ! s'écria Jolival sans plus se soucier de faire du bruit. Nous n'en trouverons qu'à la maison de poste qui est près de la porte de Kiev. Il faut remonter la falaise et traverser toute la ville. Encore aurons-nous peut-être des difficultés...

Craig s'arrêta un instant et ils l'entendirent rire :

— Justement ! Si nous réussissons, vous en aurez peut-être moins. Les gens d'ici auront beaucoup à faire au port d'ici quelques instants. Ils ne s'occuperont pas de nous. Dépêchez-vous...

Un instant plus tard, Marianne et Jolival, soudain glacés, virent une petite barque se détacher du bord et glisser lentement, silencieusement sur l'eau noire.

— Que vont-ils faire ? chuchota Marianne terrifiée. Ils ne veulent tout de même pas...

— Si ! Ils vont mettre le feu à la *Sorcière*... Je m'attendais à quelque chose comme cela. Un marin comme Beaufort ne peut accepter de laisser son bateau derrière lui... Venez ! Nous avons à faire, nous aussi. Vous prierez plus tard, ajouta-t-il avec un peu d'agacement, en constatant que la jeune femme avait joint les mains et murmurait une prière.

La maison dont le cabaret du Grec occupait le rez-de-chaussée était petite, carrée, et ne comportait qu'un seul étage. Une grande fenêtre armée d'un moucharabieh y voisinait avec une autre, beaucoup plus étroite, fermée par un simple volet de bois. Jugeant que ce volet avait une chance de donner accès au logis du jeune Parisien, Jolival ramassa une pierre et l'envoya, de toutes ses forces, frapper le volet.

Il avait deviné juste, car, un instant plus tard, une main poussait le battant qui grinça légèrement et une tête embroussaillée surgit de l'ouverture. Jolival ne lui laissa pas le temps de parler :

— Gracchus ! appela-t-il doucement. C'est toi ?

— Oui. Mais qui...

— C'est nous, Gracchus, reprit Marianne, Monsieur de Jolival et...

— Mademoiselle Marianne ! Doux Jésus !... J'arrive.

Quelques secondes plus tard, Gracchus-Hannibal Pioche tombait littéralement dans les bras de ses patrons qu'il embrassait comme du bon pain, ne voyant plus en eux, à cette minute, que des amis retrouvés miraculeusement. Ils lui rendirent d'ailleurs ses effusions, mais Jolival veilla néanmoins à ce qu'elles ne durent pas trop longtemps.

— Écoute, mon garçon !... coupa-t-il fermement, tandis que le jeune homme se répandait en un délire de joie qui, pour être chuchoté, n'en était pas moins bruyant... nous ne sommes pas là pour nous congratuler. Il faut que tu nous aides...

Laissant Jolival expliquer hâtivement au jeune homme ce qui se passait, Marianne revint vers le bord de l'eau. La nuit commençait à céder. La forêt de mâts se distinguait plus nettement ainsi que la crête blanchissante des courtes vagues. Une brusque rafale de vent l'enveloppa, s'engouffrant dans l'ample cape dont elle était drapée qui claqua comme un étendard. Tous ses sens tendus, l'oreille aux aguets, s'efforçant de démêler un bruit de rame dans le vacarme soudain de morceaux de bois qui s'abattaient, emportés par la bourrasque, elle s'efforçait de percer l'obscurité du port.

Elle avait l'impression que Jason et Craig étaient partis depuis des siècles et les derniers mots que son ami avait lancés la hantaient : « Si je ne suis pas là dans une demi-heure... » Il faisait trop sombre pour qu'elle pût consulter sa montre, mais, à la pendule de son cœur, la demi-heure en question devait être passée depuis deux ou trois semaines...

Soudain, au moment où, n'y tenant plus, elle allait s'engager sur le môle dont la longue allée de pierre se perdait dans l'ombre, elle vit une langue de feu surgir de la nuit, éclairant une épaisse fumée qu'elle teinta de rouge. Aussitôt, comme des rats fuyant un navire en perdition, elle vit deux mendiants surgir de derrière une pile de tonneaux où ils avaient dû chercher refuge pour la nuit et filer vers les maisons en criant d'une voix éraillée quelque chose qu'elle ne comprit pas, mais qui devait être « Au feu !... ».

Instantanément, le port s'éveilla. Des lumières parurent, des volets s'ouvrirent. Il y eut des cris, des appels, des aboiements de chien... Comprenant qu'elle allait être coupée de ses amis, Marianne recula pour retrouver Jolival et Gracchus. Elle rejoignit Jolival à mi-chemin du cabaret et s'aperçut qu'il était seul.

— Où est encore passé Gracchus ?

— Il s'occupe du départ. Je lui ai donné de l'argent et nous le retrouverons, dans un moment, dans la ville haute. Il nous attendra au bout de la rue principale, la Deribasovskaia, près de la maison de poste... Espérons que Jason et Craig ne vont pas trop tarder...

— Il y a déjà si longtemps qu'ils sont partis. Vous ne croyez pas...

Il prit son bras et le glissa sous le sien en le serrant à sa manière rassurante.

— Mais non ! Le temps vous dure et c'est naturel. Il n'y a guère qu'un quart d'heure qu'ils nous ont quittés et, si vous voulez mon avis, ils ont assez bien employé leur temps...

L'incendie, en effet, semblait prendre de l'ampleur. De longues flammes léchaient la nuit et le vent rabattait vers la terre d'épaisses vagues d'une fumée noire et suffocante. Maintenant, des gens armés de seaux couraient sur le môle et, à la lumière de l'incendie, les quais apparaissaient, de plus en plus, envahis. Quelque part une cloche carillonna un tocsin frénétique...

— Heureusement que le brick était amarré au bout du môle ! Sans cela, ces deux fous risquaient de mettre le feu au port avec ce vent... grogna Jolival.

Un vacarme assourdissant, accompagné d'une énorme gerbe de feu, lui coupa la parole. Vivement, il grimpa sur un banc de pierre adossé à la maison, hissant Marianne avec lui. Le spectacle qu'ils découvrirent leur arracha un cri. C'était la *Sorcière*, selon toute évidence, qui venait d'exploser et le feu maintenant se communiquait aux vaisseaux voisins. Toute la mer paraissait en flammes et les hurlements de la foule se mêlaient au rugissement de l'incendie activé par le vent.

— Jason connaissait bien son bateau, murmura Jolival. Il a dû mettre le feu à la sainte-Barbe ! Un tonneau de poudre a explosé.

En effet, là-bas, l'arrière du brick, éventré, crachait du feu comme un volcan. Le mât d'artimon, qui flambait comme une allumette, s'abattit dans une gerbe d'étincelles sur le beaupré d'une frégate voisine qui, d'ailleurs, brûlait déjà. Une brusque émotion serra la gorge de Marianne et des larmes montèrent à ses yeux... Elle avait jalousé ce navire qui, pour elle, était un rival dans l'amour de Jason. Mais le voir périr ainsi, de la main même de son maître, la bouleversait. C'était comme si elle assistait à la mort d'un ami... ou même à sa propre mort. Elle songea à la figure de proue, à cette sirène aux yeux verts qui lui ressemblait et qui, dans un instant, ne serait plus que cendres...

Auprès d'elle, Jolival renifla et elle comprit que lui aussi luttait contre l'émotion :

— Un si beau navire... murmura-t-il.

Une voix âpre lui répondit, celle, haletante de Jason :

— Oui ! Il était beau... et je l'aimais comme mon enfant. Mais j'aime mieux le voir flamber que le savoir aux mains d'un autre.

A la lumière de l'incendie, Marianne vit que lui et Craig étaient blêmes et dégouttants d'eau de mer. Mais ils ne paraissaient pas s'en soucier. Tous deux regardaient brûler la *Sorcière* avec, au fond des yeux, la même fureur et le même chagrin.

— L'explosion a renversé notre barque, expliqua l'Irlandais. Nous sommes revenus à la nage...

D'un élan, Marianne, secouée de sanglots convulsifs, se jeta au cou de Jason. Tendrement, il referma un bras sur elle, appuyant sa tête contre son épaule et caressant doucement ses cheveux.

— Ne pleure pas ! fit-il calmement. Nous en aurons un autre, plus grand, plus beau encore. C'est ma faute, aussi. Je n'aurais jamais dû l'appeler la *Sorcière des Mers*... C'était le condamner au bûcher... comme une vraie sorcière !

Elle eut un petit hoquet triste :

— Toi, Jason ? Tu es... superstitieux ?

— Non... pas en temps normal. Mais j'ai de la peine. C'est peut-être pour ça que je déraisonne. Partons, maintenant ! Toute la ville a l'air de se ruer sur le port. On ne fera même pas attention à nous...

— Mais tu es trempé, en loques... Tu ne peux pas partir comme ça !

— Et pourquoi pas ? Je suis tout ce que tu dis, mais, aussi, je suis libre, grâce à toi, et ça, c'est merveilleux...

Avec une ardeur presque joyeuse, il enleva la jeune femme de son banc de pierre, la reposa à terre puis, sans lâcher sa main, l'entraîna dans la rue qui escaladait la falaise, remontant vers la ville haute. Jolival et

Craig se hâtèrent de les suivre, rasant les murs pour éviter le flot toujours plus dense de la foule qui se déversait vers le port.

Vu de haut, l'incendie avait pris de telles proportions que toute la rade paraissait brûler. En fait, trois navires seulement, les plus proches voisins du brick, avaient été atteints par les flammes. Un instant, essoufflés par la montée assez rude, les quatre fugitifs s'arrêtèrent sous les branches d'un gigantesque sycomore débordant d'un grand jardin et jetèrent un regard derrière eux.

La *Sorcière* achevait de mourir. L'arrière avait disparu et l'avant, entraîné par le poids de l'eau, se relevait tragiquement. Un instant la fine étrave, encore intacte, se redressa, offrant au ciel, comme une dernière prière sa figure de proue, son emblème qu'elle allait entraîner sous les flots. Puis, lentement, presque solennellement, elle s'enfonça et disparut dans la mer...

Autour de sa main, Marianne sentit se crisper le poing de Jason. La voix enrouée, il jura entre ses dents serrées. Puis, comme s'il lançait un défi, il cria vers le ciel à chaque seconde plus clair :

— J'en aurai un autre. Je jure qu'avant peu un autre navire, mon navire, remplacera celui-là. Et qu'il lui ressemblera.

Doucement, presque timidement, Marianne caressa sa joue dont les muscles tétanisés étaient durs comme pierre.

— Mais tu ne lui donneras pas mon image, car elle ne t'a pas porté chance.

Il tourna vers elle un regard brillant de larmes retenues puis, brusquement, rapidement, à la manière du cavalier qui, avant l'effort, avale la rasade de l'étrier, il se pencha sur elle, baisa sa bouche sans douceur...

— Si ! répondit-il gravement. Puis, avec une tendresse qui fit fondre le cœur de la jeune femme, il ajouta : Il aura ton visage... et je l'appellerai *Bel-Espoir* !

Un moment plus tard, ils retrouvaient Gracchus auprès de la maison de poste. Il y avait eu un instant d'angoisse pour Marianne quand on était passés devant la résidence du gouverneur, mais le petit palais, ainsi que toute la ville haute, était calme, silencieux comme un tombeau. Marianne envoya une pensée à l'homme qui devait y poursuivre le sommeil lourd qu'elle lui avait procuré. Certainement, personne n'avait dû réussir à le réveiller. Elle connaissait la puissance de la drogue qu'elle lui avait administrée et le soleil serait haut lorsque enfin le duc de Richelieu ouvrirait les yeux. Il apprendrait alors le désastre du petit matin, les navires en feu, mais peut-être ne découvrirait-il pas tout de suite le vol dont il avait été victime, car il lui faudrait d'abord courir au port, constater les dégâts, prendre des mesures... Cela laisserait aux fugitifs encore un peu de temps s'il décidait de les poursuivre sur terre. Mais, plus que certainement, il choisirait d'orienter ses recherches vers la mer, cet élément naturel des marins... et de leurs amies !

Et s'il décidait, tout de même, de lancer ses sbires à la poursuite de sa voleuse, celle-ci aurait vraisemblablement réussi à prendre une assez belle avance, en admettant que la chance consentît à lui demeurer fidèle.

En découvrant Gracchus tranquillement appuyé, bras croisés, aux montants d'une imposante voiture attelée de trois chevaux, tenus en main par un gros cocher barbu et surmonté d'un bonnet rouge à fond carré, Marianne fut à peu près sûre que la chance était toujours avec elle en la personne même de ce gamin de Paris débrouillard qui semblait doué d'un double pouvoir : s'adapter instantanément aux circonstances, même les plus invraisemblables, sans jamais s'en étonner outre mesure et susciter des miracles. La voiture qu'il avait retenue en était un à sa manière...

C'était une kibitka, l'un de ces gros chariots bâchés à quatre roues, assez semblables à ceux des colons américains, dont se servaient habituellement les marchands russes pour transporter leurs personnes et leurs marchandises de ville en ville et de foire en foire.

Plus lourde, sans doute, et moins rapide que les autres voitures utilisées au long des chemins russes, la kibitka offrait l'avantage certain d'être plus solide, moins voyante, et de contenir plus de passagers, sans préjudice de nombreux bagages impossibles à caser dans une téléga ou dans une troïka. Les fugitifs y tiendraient tous, alors qu'il eût fallu normalement au moins deux voitures pour emmener tout le monde. Enfin, Richelieu chercherait moins une princesse Sant'Anna sous la bâche d'un chariot rustique que sur les coussins d'une voiture plus élégante.

Mais la magie personnelle de Gracchus ne s'arrêtait pas au choix du véhicule. En passant la tête à l'intérieur, Marianne s'aperçut qu'il contenait plusieurs matelas roulés qui, d'ailleurs, allaient servir de sièges, une pile de couvertures neuves, des ustensiles de cuisine et des provisions. Il y avait aussi des pelles et quelques armes. Enfin, des habits qui, pour n'avoir pas été coupés à Londres ou à Paris, n'en paraissaient pas moins convenables, attendaient visiblement Jason et Craig. De toute évidence, Gracchus avait employé l'argent de Jolival au mieux et dans un laps de temps qui défiait toute concurrence.

— Cela tient de la magie, apprécia Marianne en ressortant pour permettre aux deux hommes de se changer. Comment avez-vous fait, Gracchus ? Aucun magasin ne peut être ouvert à cette heure.

Le jeune homme vira à l'écarlate comme cela lui arrivait chaque fois que sa patronne lui faisait un compliment et se mit à rire :

— C'est pourtant pas bien malin, Mademoiselle Marianne. Ici avec de l'argent, on peut avoir n'importe quoi à n'importe quelle heure du jour ou de la nuit. Suffit de savoir seulement à quelle porte frapper...

La tête rousse de Craig O'Flaherty apparut sous la bâche.

— Et toi, apparemment, tu connais les bonnes portes, mon garçon ! Seulement, j'ai peur qu'il ne nous manque tout de même quelque chose. Tu ignores peut-être ce que nous autres, prisonniers du gouvernement, avons appris d'un confrère italien amené ici par sa mauvaise chance : pour pouvoir voyager sur les routes de cet empire et surtout pour obtenir des chevaux aux relais de poste, il faut une espèce de passeport...

— Ça s'appelle un « podaroshna », approuva Gracchus imperturbable en tirant de sa poche un papier portant un timbre officiel tout frais. (Il le mit sous le nez de l'Irlandais.) Ça ressemble à ça, mais faut rien exagérer, M'sieur Craig. Le « podaroshna » c'est tout juste un permis de prendre des chevaux de poste. On peut s'en passer du moment qu'on peut payer, mais ça permet de faire des économies et de ne pas passer, aux yeux des maîtres de poste, pour le dernier des derniers. Pas d'autre question, M'sieur Craig ?

— Pas d'autre question, soupira l'Irlandais en extrayant de la voiture sa vigoureuse personne vêtue à la russe, d'un pantalon bouffant enfoncé dans de courtes bottes et d'une blouse grise, serrée au cou et sanglée à la taille par une ceinture de cuir... Sinon qu'il faudra que je m'habitue à cette nouvelle mode et que j'aimerais bien me raser !

— Moi aussi ! fit Jason qui apparaissait à son tour vêtu de la même façon. Je trouve que nous ressemblons à nos geôliers...

Gracchus les enveloppa d'un regard critique, puis approbateur, et hocha la tête avec satisfaction :

— C'est pas mal du tout. D'ailleurs, c'est tout ce que j'ai trouvé et, si je peux me permettre un conseil, ce sera celui de conserver vos barbes. Avec elles, vous avez tout à fait l'air de braves fils de la Sainte Russie et les choses n'en iront que mieux.

En effet, faisant preuve décidément d'une prudence

digne d'un chef, Gracchus, peu soucieux de laisser Marianne s'engager en territoire ennemi sous sa véritable identité, avait pris sur lui de faire établir le « podaroshna » au nom de Lady Selton, voyageuse, anglaise, donc originale, et désireuse de se familiariser avec l'empire des Tsars ainsi que d'étudier les mœurs patriarcales de ses habitants.

Gracchus, Jason et Craig étaient indiqués sur le fameux papier comme les serviteurs de la dame et Jolival, rebaptisé Mr Smith, se voyait attribuer le rôle de secrétaire.

— Mr Smith ! ronchonna le vicomte. C'est tout ce que tu as trouvé ? Quelle imagination !

— Monsieur le Vicomte me pardonnera, riposta Gracchus dignement, mais Smith est le seul nom anglais que je connaisse avec Pitt et Wellington.

— Je l'ai échappé belle ! Alors, va pour Smith ! Maintenant, je crois qu'il serait temps de nous mettre en route.

En effet, le jour naissait dans la gloire rouge et violette d'une aurore venteuse. Quelque part dans le voisinage, les simandres d'un couvent orthodoxe résonnèrent, annonçant les prières de l'aube. Les bulbes de cuivre d'une église se mirent à luire comme braise contre le ciel pourpre où passaient le vol glissant des mouettes et de rapides fléchettes noires qui étaient des hirondelles.

Les rues de la ville haute s'animaient. Les gens qui avaient couru au port en revenaient, commentant bruyamment l'événement. Ceux qui n'avaient pas jugé bon de quitter leurs lits ouvraient leurs fenêtres dans un vacarme de volets claqués et de questions lancées d'une maison à l'autre.

Au bout de la rue, des soldats ôtaient les lourdes chaînes tendues pour la nuit entre les deux bastions courts et trapus qui formaient la porte de Kiev. De l'autre côté, les premières charrettes de blé apparaissaient.

Les voyageurs grimpèrent dans la kibitka et s'y installèrent de leur mieux sur les matelas tandis que Gracchus sautait auprès du cocher qui continuait visiblement sa nuit interrompue, car il lui fallut le secouer avant de s'asseoir auprès de lui, sur la planche qui lui servait de siège.

Le Parisien jeta un regard sur ses compagnons pour s'assurer que tout était en ordre, puis, s'adressant majestueusement au cocher et, d'ailleurs, très conscient de l'effet produit :

— *Fpériot !* ordonna-t-il (En avant !).

L'homme émit un petit rire mais toucha ses chevaux. Le lourd équipage s'ébranla, cahota dans une ornière, car les pavages étaient encore inconnus dans la ville nouvelle et se dirigea vers la barrière.

Marianne glissa sa main dans celle de Jason et, s'adossant aux ridelles, ferma les yeux pour dormir.

Quelques instants plus tard, la kibitka avait quitté Odessa et commençait son long voyage à travers l'immense Russie...

DU MÊME AUTEUR
CHEZ POCKET

La Florentine

1. FIORA ET LE MAGNIFIQUE
2. FIORA ET LE TÉMÉRAIRE
3. FIORA ET LE PAPE
4. FIORA ET LE ROI DE FRANCE

Les dames du Méditerranée-Express

1. LA JEUNE MARIÉE
2. LA FIÈRE AMÉRICAINE
3. LA PRINCESSE MANDCHOUE

DANS LE LIT DES ROIS
DANS LE LIT DES REINES

LE ROMAN DES CHÂTEAUX DE FRANCE t. 1 et t. 2

UN AUSSI LONG CHEMIN

DE DEUX ROSES L'UNE

Dans les confidences
de l'Histoire

Marianne

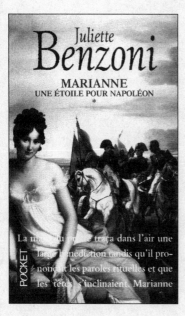

Inaugurée sous les funestes auspices de la Terreur qui lui enlève ses parents, la vie de Marianne d'Asselnat se déroule au cœur de l'épopée napoléonienne. Son parcours, sous les feux croisés de l'amour et du danger, la mène de Venise à Constantinople jusqu'aux confins d'une Russie à feu et à sang. Au bout de cette flamboyante traversée des mondes, Marianne saura-t-elle découvrir sa vérité ?

1. *Une étoile pour Napoléon*
2. *L'inconnu de Toscane*
3. *Toi, Marianne*
4. *Jason des quatre mers*
5. *Les lauriers de flammes I*
6. *Les lauriers de flammes II*

Il y a toujours un Pocket à découvrir

Dans les confidences de l'Histoire

Les Treize Vents

À Valognes, cité normande, loin de la cour de Louis XVI, un mystérieux voyageur fait son entrée dans les salons. Bientôt, on ne parle plus que de Guillaume Trémaine qui pourrait bien empêcher le mariage de la jeune Agnès de Nerville avec le vieux baron auquel elle est promise ! Ce qu'on ignore, c'est qu'il est venu reconquérir le domaine des Treize Vents, terre de son enfance, promesse trompeuse d'une vie paisible…

Il y a toujours un Pocket à découvrir

ROMAN

ADLER ELIZABETH
Secrets en héritage
Le secret de la villa Mimosa
Les liens du passé
L'ombre du destin

ASHLEY SHELLEY V.
L'enfant de l'autre rive
L'enfant en héritage

BEAUMAN SALLY
Destinée
Femme en danger

BECK KATHRINE
Des voisins trop parfaits

BENNETT LYDIA
L'héritier des Farleton
L'homme aux yeux d'or
Le secret d'Anna

BENZONI JULIETTE
De deux roses l'une
Un aussi long chemin
Les émeraudes du prophète
Les dames du Méditerranée-Express
   1 - La jeune mariée
   2 - La fière Américaine
   3 - La princesse mandchoue
Fiora
   1 - Fiora et le Magnifique
   2 - Fiora et le Téméraire
   3 - Fiora et le pape
   4 - Fiora et le roi de France
Les loups de Lauzargues
   1 - Jean de la nuit
   2 - Hortense au point du jour
   3 - Félicia au soleil couchant
Les treize vents
   1 - Le voyageur
   2 - Le réfugié
   3 - L'intrus
   4 - L'exilé
Le boiteux de Varsovie
   1 - L'étoile bleue
   2 - La rose d'York
   3 - L'opale de Sissi

   4 - Le rubis de Jeanne la Folle
Secret d'État
   1 - La chambre de la reine
   2 - Le roi des Halles
   3 - Le prisonnier masqué

Marianne
   1 - Une étoile pour Napoléon
   2 - Marianne et l'inconnu de Toscane
   3 - Jason des quatre mers
   4 - Toi Marianne
   5 - Les lauriers de flamme (1ère partie)
   6 - Les lauriers de flamme (2 ème partie)
Le jeu de l'amour et de la mort
   1 - Un homme pour le roi

BICKMORE BARBARA
Une lointaine étoile
Médecin du ciel
Là où souffle le vent

BINCHY MAEVE
Le cercle des amies
Noces irlandaises
Retour en Irlande
Les secrets de Shancarrig
Portraits de femmes
Le lac aux sortilèges
Nos rêves de Castlebay
C'était pourtant l'été
Sur la route de Tara

BLAIR LEONA
Les demoiselles de Brandon Hall

BRADSHAW GILLIAN
Le phare d'Alexandrie
Pourpre impérial

BRIGHT FREDA
La bague au doigt

BRUCE DEBRA
La maîtresse du Loch Leven
L'impossible adieu

Photocomposition Nord Compo
Villeneuve-d'Ascq, Nord

Imprimé en France sur Presse Offset par

BRODARD & TAUPIN

GROUPE CPI

8432 – La Flèche (Sarthe), le 08-07-2001
Dépôt légal : juin 2001

POCKET – 12, avenue d'Italie - 75627 Paris cedex 13
Tél. : 01.44.16.05.00